FINNLAND
Helsinki
ESTLAND
LETTLAND
LITAUEN
Moskau
Minsk
WEISS-RUSSLAND
Kiew
UKRAINE
MOLDAWIEN
Kischinau
RUMÄNIEN
Bukarest
BULGARIEN
Pristina
Skopje
RUSSLAND
Astana
KASACHSTAN
MONGOLEI
Ulan Bator
USBEKISTAN
Taschkent
Bischkek
KIRGISISTAN
GEORGIEN
Tiflis
ARMENIEN
Jerewan
ASERBAIDSCHAN
Baku
TURKMENISTAN
Aschchabat
TADSCHIKISTAN
Duschanbe
Ankara
TÜRKEI
ZYPERN
Nicosia
SYRIEN
Beirut
Damaskus
LIBANON
ISRAEL
Jerusalem
Amman
JORDANIEN
Bagdad
IRAK
Teheran
IRAN
Kabul
AFGHANISTAN
Islamabad
PAKISTAN
Kuwait
KUWAIT
BAHRAIN
Manama
KATAR
Doha
Riad
Abu Dhabi
V.A.E.
Maskat
SAUDI-ARABIEN
OMAN
JEMEN
Sanaa
Kairo
ÄGYPTEN
SUDAN
Khartum
ERITREA
Asmara
DSCHIBUTI
Dschibuti
Sokotra (Jemen)
Addis Abeba
ÄTHIOPIEN
SÜD-SUDAN
Juba
SOMALIA
Mogadischu
UGANDA
Kampala
KENIA
Nairobi
Kigali
RUANDA
Bujumbura
BURUNDI
KONGO
Dodoma
TANSANIA
SEYCHELLEN
Victoria
KOMOREN
Moroni
Mayotte (Frankr.)
SAMBIA
Lusaka
MALAWI
Lilongwe
Harare
SIMBABWE
MOSAMBIK
Maputo
BOTSUANA
Gaborone
Pretoria
Mbabane
SWASILAND
Maseru
LESOTHO
SÜD-AFRIKA
Antananarivo
MADAGASKAR
MAURITIUS
Port Louis
Réunion (Frankr.)
Peking
CHINA
NORD-KOREA
Pjöngjang
Seoul
Sejong City
SÜD-KOREA
JAPAN
Tokio
Neu-Delhi
NEPAL
Kathmandu
Thimphu
BHUTAN
BANGLADESCH
Dhaka
MYANMAR (BIRMA)
Naypyidaw
INDIEN
Hanoi
LAOS
VIETNAM
Vientiane
THAILAND
Bangkok
KAMBODSCHA
Phnom Penh
Taipeh
TAIWAN
Manila
PHILIPPINEN
Lakkadiven (Indien)
Andamanen (Indien)
SRI LANKA
Colombo
Sri Jayawardenepura Kotte
MALEDIVEN
Male
Kuala Lumpur
Putrajaya
MALAYSIA
SINGAPUR
Singapur
BRUNEI
Bandar Seri Begawan
INDONESIEN
Jakarta
Dili
OST-TIMOR
Britisches Territorium im Indischen Ozean (G.-B.)
Weihnachtsinsel (Australien)
Kokos-Insel (Australien)
Ashmore- & Cartier-Inseln (Australien)
Midway-Inseln (USA)
Wake (USA)
Nördliche Marianen (USA)
Guam (USA)
Melekeok
PALAU
MIKRONESIEN
Palikir
MARSHALL-INSELN
Majuro
Baker & Howland Inseln (USA)
Bairiki
NAURU
KIRIBATI
PAPUA-NEUGUINEA
Port Moresby
Honiara
SOLOMONEN
TUVALU
Fongafale
Tokelau (Neuseeland)
Wallis & Futuna (Frankr.)
SAMOA
Apia
Korallensee-Inseln (Australien)
VANUATU
Port-Vila
Neu-Kaledonien (Frankr.)
Suva
FIDSCHI
TONGA
Nuku Alofa
WESTERN AUSTRALIA
NORTHERN TERRITORY
QUEENSLAND
AUSTRALIEN
SOUTH AUSTRALIA
NEW SOUTH WALES
Canberra
AUSTRALIAN CAPITAL TERRITORY
VICTORIA
TASMANIEN
Norfolk-Insel (Australien)
Kermadec-Inseln (Neuseeland)
NEUSEELAND
Wellington
Chatham-Inseln (Neuseeland)
Bounty-Inseln (Neuseeland)
Auckland-Inseln (Neuseeland)
Macquarie-Inseln (Australien)
Amsterdam (Frankr.)
Saint-Paul (Frankr.)
Prinz-Edward-Inseln (Südafrika)
Crozet-Inseln (Frankr.)
Kerguelen (Frankr.)
Abkürzungen (Länder)
BEL. Belgien
BOS. & HERZ. Bosnien und Herzegowina
FRANKR. Frankreich
G.-B. Großbritannien
KOS. Kosovo
LIECHT. Liechtenstein
LUX. Luxemburg
MAZ. Mazedonien
MON. Montenegro
NIEDERL. Niederlande
S.M. San Marino
SLOW. Slowenien
USA Vereinigte Staaten von Amerika
V.A.E. Vereinigte Arabische Emirate
VAT.-STADT Vatikanstadt

WAS GESCHAH WANN?

In 70 Karten durch die Weltgeschichte

DK

DK | Penguin Random House

DK London
Cheflektorat Gareth Jones
Lektorat Rob Houston
Redaktion Suhel Ahmed, Joanna Edwards, Chris Hawkes, Anna Limerick, Susan Reuben, Fleur Star
Redaktionsleitung Andrew Macintyre
Programmmanager Liz Wheeler
Programmleitung Jonathan Metcalf
Art Director Phil Ormerod
Bildredaktion Philip Letsu, Rachael Grady
Gestaltung und Satz David Ball, Carol Davis, Mik Gates, Spencer Holbrook, Steve Woosnam-Savage
Herstellung Adam Stoneham, Mandy Inness
Umschlaggestaltung Claire Gell, Mark Cavanagh, Sophia MTT
Bildrecherche Sakshi Saluja
Illustrationen Adam Benton, Stuart Jackson-Carter, Arran Lewis
Bildbearbeitung Steve Willis
Kartografie Simon Mumford, Encompass Graphics
Beratung Reg Grant, Philip Parker

DK Delhi
Cheflektorat Kingshuk Ghoshal
Bildredaktion Govind Mittal, Anis Sayyed, Tanvi Sahu

Für die deutsche Ausgabe:
Programmleitung Monika Schlitzer
Projektbetreuung Janna Heimberg
Herstellungsleitung Dorothee Whittaker
Herstellungskoordination Arnika Marx
Herstellung Kim Weghorn

Titel der englischen Originalausgabe:
What Happened When in the World

Übersetzung Brigitte Rüßmann, Wolfgang Beuchelt (Scriptorium GbR – Köln)
Lektorat Dorit Aurich

ISBN 978-3-8310-2915-0

Druck und Bindung Hong Kong

Besuchen Sie uns im Internet
www.dorlingkindersley.de

INHALT

Frühzeit & Antike

„Löwenmensch“ aus Elfenbein

Aus Mammut-Elfenbein geschnitzter Bison

Das Mittelalter

Der chinesische Mönch Xuanzang

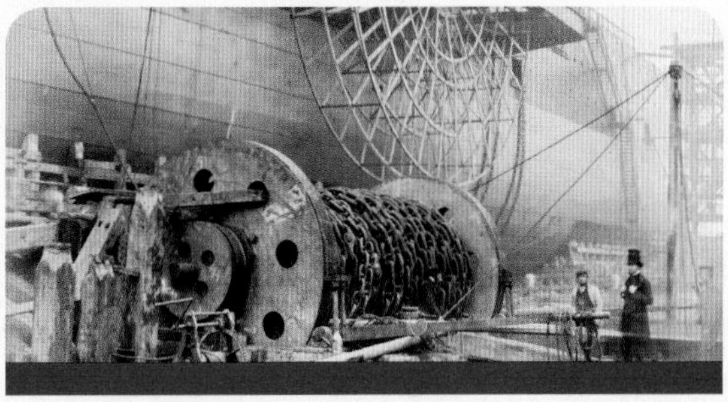

Die Neuzeit

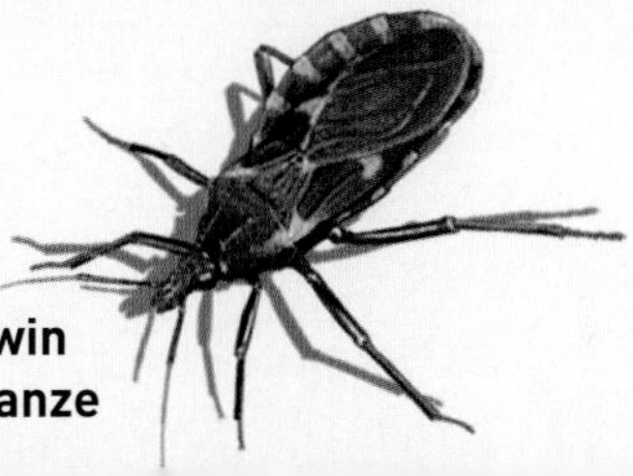

Von Charles Darwin gefangene Raubwanze

Das 20. & 21. Jahrhundert

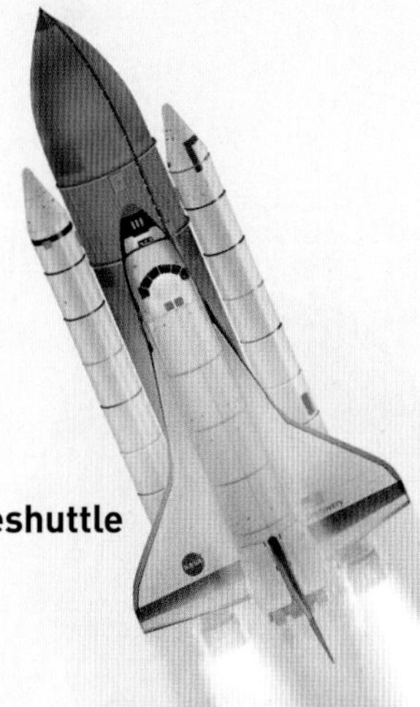

Spaceshuttle

Heißluftballon der Brüder Montgolfier

Frühzeit & Antike

Die Unsterblichen
Diese Figuren schmückten den persischen Kaiserpalast. Vermutlich zeigen sie die Leibwache des Kaisers. Man nannte sie „die Unsterblichen", denn immer, wenn einer von ihnen starb, wurde er sofort ersetzt, ohne dass jemand davon erfuhr.

Aufrechter Gang
Der Vorfahr des modernen Menschen, der *Homo erectus*, entwickelte längere Beine und kürzere Arme, was ihm beim aufrechten Gehen half. Auch sein Gehirn und seine Intelligenz wuchsen und er konnte ausgeklügelte Werkzeuge für die Jagd benutzen.

Vor 4,6 Mrd. Jahren

GEBURT DER ERDE (vor 4,6 Mrd. Jahren) Die Erde entstand.

WERKZEUG (vor 2,5 Mio. Jahren) Unser Vorfahr, der *Homo habilis* („geschickter Mensch") fertigte erste Werkzeuge aus Stein.

AUFRECHTER GANG (vor 1,8 Mio. Jahren) Der *Homo erectus* („aufgerichteter Mensch") war der erste frühe Mensch, der uns ähnlich ist.

ALTES ÄGYPTEN (3100 v. Chr.) An den Ufern des Nils entstand die ägyptische Hochkultur. »*S. 22–23*

BRONZEZEIT (3200 v. Chr.) In Ägypten und Mesopotamien lernten die Menschen, den harten Werkstoff Bronze zu schmieden. »*S. 24–25*

SCHRIFT (3400 v. Chr.) In Sumer (Mesopotamien) und Ägypten gab es erste Formen von Schrift. »*S. 20–21*

TRANSPORTMITTEL (3200 v. Chr.) Im heutigen Slowenien baute man erstmals zweirädrige Lastkarren. »*S. 46–47*

SEIFE (2800 v. Chr.) Die erste Seife aus Öl und Salz diente zum Waschen der Kleidung, nicht zur Körperpflege. »*S. 46–47*

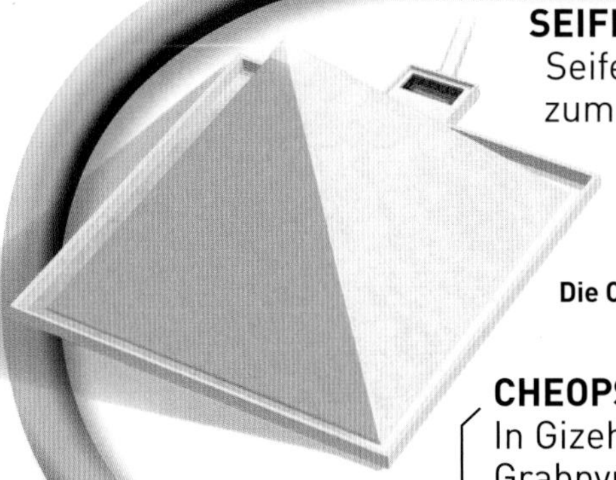

Die Cheops-Pyramide in Gizeh

CHEOPS-PYRAMIDE (2500 v. Chr.) In Gizeh (Ägypten) wurde die Grabpyramide des Pharaos Cheops gebaut. »*S. 22–23, 44–45*

SIEDLER IM PAZIFIK (2000 v. Chr.) Das Volk der Lapita bildete die erste von fünf Siedlungswellen auf den Pazifikinseln. »*S. 42–43*

OLMEKEN UND CHAVÍN (1200 v. Chr.) Die Olmeken en wickelten die erste Hochkult in Mexiko. In Peru existierte die Chavín-Kultur. »*S. 26–27*

Griechische Vase mit dem Bild eines Tempels

GRIECHEN (700–400 v. Chr.) Griechenland war die beherrschende Kultur im ganzen Mittelmeerraum. »*S. 28–29*

Frühzeit & Antike

Seit die ersten Menschen vor 2,5 Millionen Jahren erschienen, ist viel passiert. Die Menschen lebten Tausende von Jahren als Jäger und Sammler, die ihre Zeit mit der Suche nach Essen und dem Schutz vor wilden Tieren verbrachten. Dann fingen sie an, Nahrung anzupflanzen und Dinge wie das Rad, die Bewässerung von Feldern und die Schrift zu erfinden – zunächst in großen Zeitabständen, aber dann immer schneller und schneller.

MOCHE-KULTUR (100 n. Chr.) Im Norden Perus schufen die Moche hoch entwickelte Kunst und Textilien. »*S. 26–27*

600 n. Chr.

CHRISTIANISIERUNG (60 n. Chr.) Der Apostel Paulus errichtete Kirchen im Römischen Reich. »*S. 40–41*

BETRACHTET MAN DIE 4,6 MRD. JAHRE ERDGESCHICHTE ALS 1 JAHR,

FEUER (vor 790 000 Jahren) Es gibt erste Beweise dafür, dass der Mensch das Feuer beherrschte. *»S. 46–47*

ZWEITE AUSBREITUNG (vor 65 000 Jahren) Moderne Menschen verließen Afrika und erreichten 15 000 Jahre später Asien und Australien. *»S. 8–9*

MODERNE MENSCHEN (vor 195 000 Jahren) Der *Homo sapiens* („denkender Aensch“) entwickelte sich in Afrika. *»S. 8–9*

ERSTE AUSBREITUNG (vor 100 000 Jahren) Erste Menschen zogen in den Nahen Osten, überlebten dort aber nicht lange. *»S. 8–9*

HÖHLENMALEREI (vor 40 000 Jahren) Die frühesten Bilder entstanden in Spanien, Frankreich und Australien. *»S. 12–13*

Höhlenmalerei eines Fisches in Ubirr (Australien)

GLAS (3500 v. Chr.) Die Menschen in Mesopotamien produzierten das erste Glas. *»S. 46–47*

HÜNENGRÄBER IN EUROPA (5000–2000 v. Chr.) Sesshafte Völker bauten riesige Tempel, Gräber und Kultstätten aus Stein. *»S. 16–17*

EISZEIT (vor 20 000 Jahren) Die jüngste Eiszeit der Erdgeschichte erreichte ihren Höhepunkt. *»S. 10–11*

TADTLEBEN (4500 v. Chr.) In Mesopotamien (heute rak) wurden erste Städte gegründet. *»S. 18–19*

NEOLITHISCHE REVOLUTION (9000 v. Chr.) Die Menschen wurden sesshaft und begannen mit Landwirtschaft – die sogenannte Agrarrevolution. *»S. 14–15*

FRÜHE MUSIK (vor 40 000 Jahren) Im heutigen Deutschland entstanden die ersten Musikinstrumente: Flöten aus Knochen. *»S. 46–47*

MÜNZEN (610 v. Chr.) Im Königreich Lydien (in der heutigen Türkei) wurden erste Geldmünzen eingeführt. *»S. 46–47*

EXIL DER JUDEN (597–539 v. Chr.) König Nebukadnezar verschleppte die Juden aus dem Reich Juda nach Babylonien. *»S. 40–41*

ALEXANDER DER GROSSE (334–323 v. Chr.) Alexander III. von Mazedonien dehnte das griechische Reich auf Asien und Nordafrika aus. *»S. 32–33*

HÄNGENDE GÄRTEN VON BABYLON (600 v. Chr.) Die spektakulären Hängenden Gärten von Babylon varen eines der Weltwunder der Antike. *»S. 44–45*

PERSERREICH (550–330 v. Chr.) Kyros der Große erschuf von Persien aus (heute Iran) ein asiatisches Großreich. *»S. 30–31*

KREUZIGUNG JESU CHRISTI (um 30 n. Chr.) Nach seinem Tod erhielt Jesus den Namen „Christus“, seine Anhänger begründeten das Christentum. *»S. 40–41*

CHINESISCHE MAUER (221 v. Chr.) Qin Shihuangdi vereinigte China und verband die einzelnen Mauern zur Großen Chinesischen Mauer. *»S. 34–35*

MISCHES REICH (27 v. Chr.) ktavian ernannte sich selbst zum „Kaiser Augustus“ und nachte aus der Republik ein Kaiserreich. *»S. 38–39*

PUNISCHE KRIEGE (264–146 v. Chr.) Rom zerstörte in den Punischen Kriegen das mächtige Karthago und dehnte seine Herrschaft aus. *»S. 36–37*

Artemis-Tempel
Die Überreste dieses 2000 Jahre alten Tempels der Göttin der Jagd, Artemis, stehen im heutigen Jerash (Gerasa) in Jordanien.

WÄRE DER MENSCH AM 31. DEZEMBER UM 11.35 UHR ERSCHIENEN.

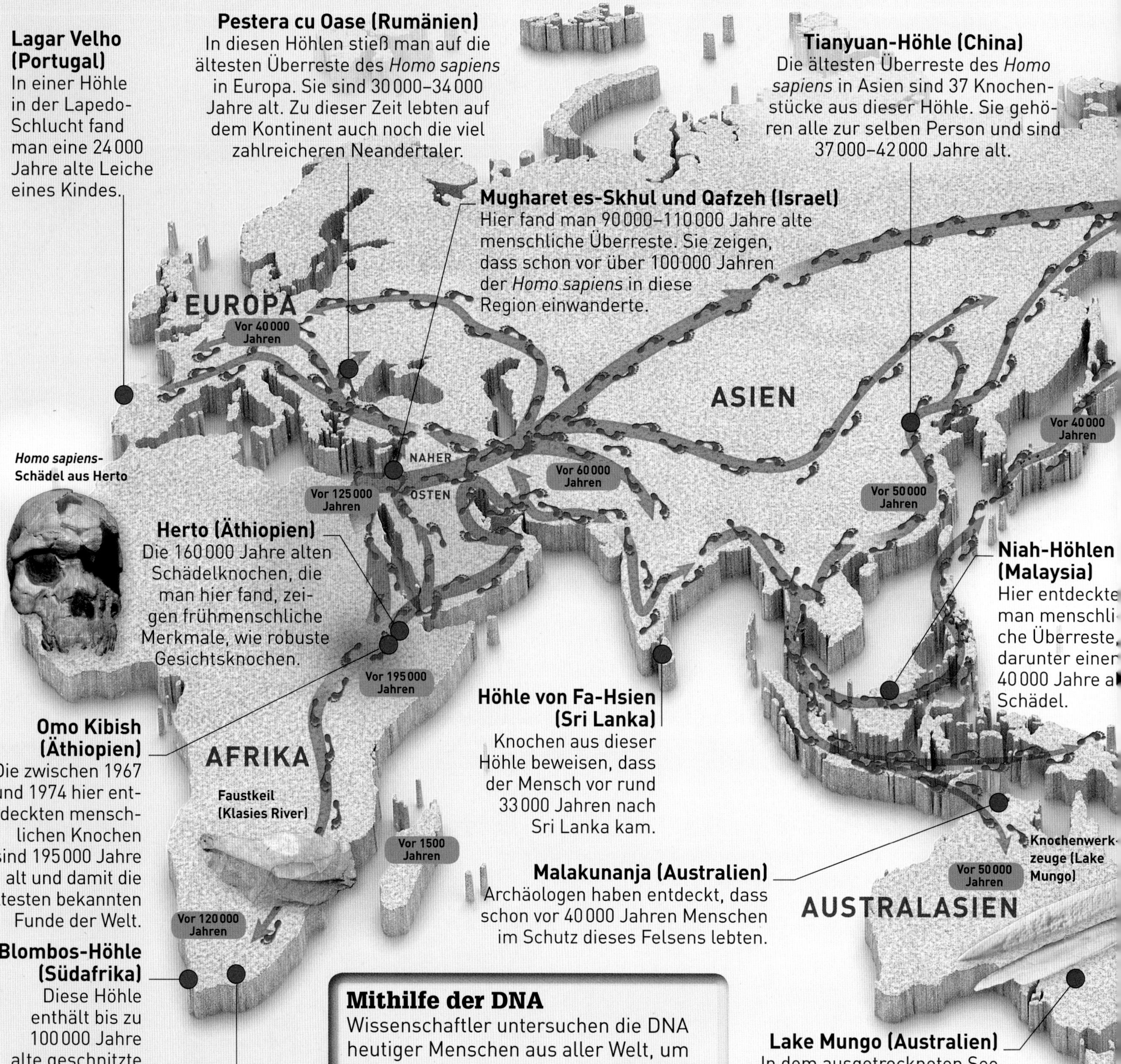

Lagar Velho (Portugal)
In einer Höhle in der Lapedo-Schlucht fand man eine 24 000 Jahre alte Leiche eines Kindes.

Pestera cu Oase (Rumänien)
In diesen Höhlen stieß man auf die ältesten Überreste des *Homo sapiens* in Europa. Sie sind 30 000–34 000 Jahre alt. Zu dieser Zeit lebten auf dem Kontinent auch noch die viel zahlreicheren Neandertaler.

Tianyuan-Höhle (China)
Die ältesten Überreste des *Homo sapiens* in Asien sind 37 Knochenstücke aus dieser Höhle. Sie gehören alle zur selben Person und sind 37 000–42 000 Jahre alt.

Mugharet es-Skhul und Qafzeh (Israel)
Hier fand man 90 000–110 000 Jahre alte menschliche Überreste. Sie zeigen, dass schon vor über 100 000 Jahren der *Homo sapiens* in diese Region einwanderte.

Herto (Äthiopien)
Die 160 000 Jahre alten Schädelknochen, die man hier fand, zeigen frühmenschliche Merkmale, wie robuste Gesichtsknochen.

Niah-Höhlen (Malaysia)
Hier entdeckte man menschliche Überreste, darunter einen 40 000 Jahre al[ten] Schädel.

Omo Kibish (Äthiopien)
Die zwischen 1967 und 1974 hier entdeckten menschlichen Knochen sind 195 000 Jahre alt und damit die ältesten bekannten Funde der Welt.

Höhle von Fa-Hsien (Sri Lanka)
Knochen aus dieser Höhle beweisen, dass der Mensch vor rund 33 000 Jahren nach Sri Lanka kam.

Malakunanja (Australien)
Archäologen haben entdeckt, dass schon vor 40 000 Jahren Menschen im Schutz dieses Felsens lebten.

Blombos-Höhle (Südafrika)
Diese Höhle enthält bis zu 100 000 Jahre alte geschnitzte Objekte, Muschelperlen und Werkzeug aus Knochen und Stein.

Lake Mungo (Australien)
In dem ausgetrockneten See fand man 1974 die ältesten menschlichen Überreste Australiens (rund 40 000 Jahre alt).

Klasies River (Südafrika)
Die Höhlen an diesem Fluss beweisen, dass hier schon vor 125 000 Jahren Menschen lebten.

Mithilfe der DNA

Wissenschaftler untersuchen die DNA heutiger Menschen aus aller Welt, um zu zeigen, wie eng sie miteinander verwandt sind. Die Erkenntnisse helfen dabei, die Ausbreitung des Menschen nachzuverfolgen.

Die DNA ist wie eine verdrehte Leiter geformt. In ihr sind die einzigartigen Erbinformationen jedes einzelnen Menschen enthalten.

LEGENDE

- **Ausbreitung des Menschen**
- Vor 65 000 Jahren: **Erstes Auftreten, belegt durch archäologische und genetische Befunde (DNA)**
- ● **Bedeutende archäologische Fundorte**

WÄHREND SICH UNSER VORFAHR, DER HOMO SAPIENS AUSBREITETE,

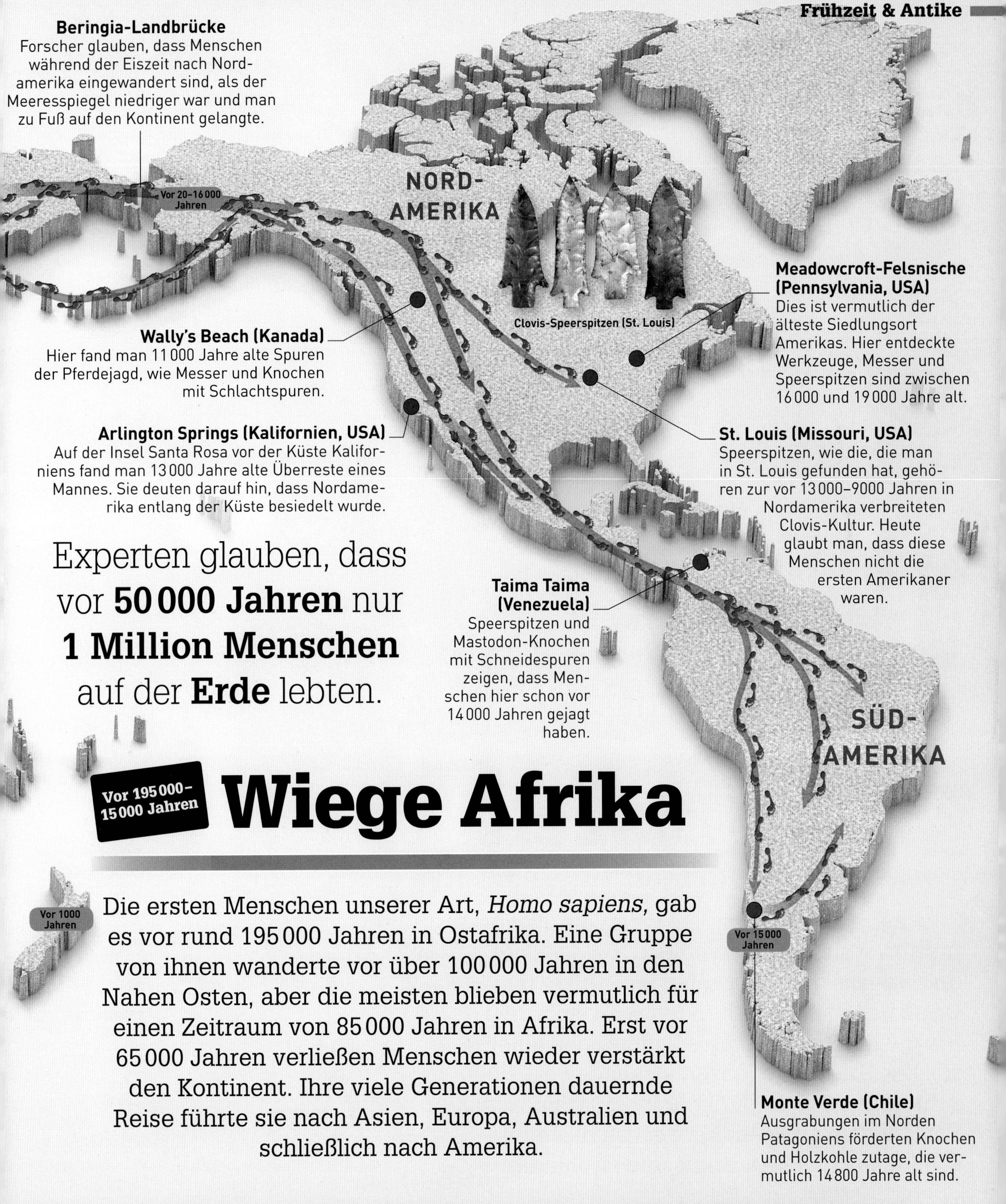

Beringia-Landbrücke
Forscher glauben, dass Menschen während der Eiszeit nach Nordamerika eingewandert sind, als der Meeresspiegel niedriger war und man zu Fuß auf den Kontinent gelangte.

Wally's Beach (Kanada)
Hier fand man 11 000 Jahre alte Spuren der Pferdejagd, wie Messer und Knochen mit Schlachtspuren.

Arlington Springs (Kalifornien, USA)
Auf der Insel Santa Rosa vor der Küste Kaliforniens fand man 13 000 Jahre alte Überreste eines Mannes. Sie deuten darauf hin, dass Nordamerika entlang der Küste besiedelt wurde.

Meadowcroft-Felsnische (Pennsylvania, USA)
Dies ist vermutlich der älteste Siedlungsort Amerikas. Hier entdeckte Werkzeuge, Messer und Speerspitzen sind zwischen 16 000 und 19 000 Jahre alt.

St. Louis (Missouri, USA)
Speerspitzen, wie die, die man in St. Louis gefunden hat, gehören zur vor 13 000–9000 Jahren in Nordamerika verbreiteten Clovis-Kultur. Heute glaubt man, dass diese Menschen nicht die ersten Amerikaner waren.

Experten glauben, dass vor **50 000 Jahren** nur **1 Million Menschen** auf der **Erde** lebten.

Taima Taima (Venezuela)
Speerspitzen und Mastodon-Knochen mit Schneidespuren zeigen, dass Menschen hier schon vor 14 000 Jahren gejagt haben.

Vor 195 000–15 000 Jahren

Wiege Afrika

Die ersten Menschen unserer Art, *Homo sapiens,* gab es vor rund 195 000 Jahren in Ostafrika. Eine Gruppe von ihnen wanderte vor über 100 000 Jahren in den Nahen Osten, aber die meisten blieben vermutlich für einen Zeitraum von 85 000 Jahren in Afrika. Erst vor 65 000 Jahren verließen Menschen wieder verstärkt den Kontinent. Ihre viele Generationen dauernde Reise führte sie nach Asien, Europa, Australien und schließlich nach Amerika.

Monte Verde (Chile)
Ausgrabungen im Norden Patagoniens förderten Knochen und Holzkohle zutage, die vermutlich 14 800 Jahre alt sind.

STARBEN ÄLTERE ARTEN WIE NEANDERTALER UND HOMO ERECTUS AUS.

Vor 20 000 Jahren

Die Eiszeit

Auf dem **Höhepunkt** der **Eiszeit** bedeckte das Eis **zwei Drittel** der **Erdoberfläche**.

Zu einer Eiszeit kommt es, wenn die Temperaturen weltweit um wenige Grade sinken und das Eis dicke Platten oder Schilde bildet. Da so das Wasser gebunden wird, schrumpfen die Meere und ganze Landstriche fallen trocken. Die letzte Eiszeit erreichte vor 20 000 Jahren ihren Höhepunkt. Danach schmolz das Eis langsam ab. Heute bedecken dicke Eisschilde noch die Antarktis und Grönland.

Laurentidischer Eisschild
Dieser Schild war in der Mitte 3,2 km dick. Er schabte auf seinem Weg tiefe Senken in die Landschaft. Als er schmolz, wurden aus diesen Senken die Großen Seen.
Kurznasenbär
Beringia-Landbrücke
Grönländischer Eisschild
Laurentidischer Eisschild
Kordilleren-Eisschild
NORD-AMERIKA
Britische Inseln
Die Britischen Inseln waren mit dem Rest Europas verbunden und Nordengland, Wales und Schottland waren von Eis bedeckt.
Kordilleren-Eisschild
Die kanadischen Rocky Mountains waren von einem riesigen Gletscher bedeckt, dem Kordilleren-Eisschild.
Smilodon
Amerikanisches Mastodon
Brücke nach Europa
Durch den niedrigen Meeresspiegel waren Europa und Afrika miteinander verbunden.
Glyptodon
SÜDAMERIKA
Megatherium
Meereis
Während der Eiszeit erstreckte sich das Eis von der Antarktis weiter nach Norden als heute. Da Meereis aber nie dicker als ein paar Meter wird, war es gegenüber den enormen Eisplatten auf dem Land eher unbedeutend.
Patagonischer Eisschild
ANTARKTIS

DER MEERESSPIEGEL FIEL IN DER EISZEIT WELTWEIT UM ETWA 120 METER

Beringia-Landbrücke
Sibirien und Alaska waren durch eine Landbrücke verbunden, über die die ersten Menschen von Asien nach Nordamerika gelangten.

Nordeuropa
Ein gigantischer Eisschild bedeckte Skandinavien und große Teile Nordeuropas.

Persischer Golf
Der Persische Golf (heute ein flaches Meer) war während der Eiszeit trockenes Land.

Sahul
Der sinkende Meeresspiegel schuf eine Landmasse namens Sahul. Sie umfasste das heutige Australien und die Insel Neuguinea.

Sunda
Die Malaiische Halbinsel und Indonesien bildeten eine Landmasse namens Sunda. Sie war durch tiefes Wasser von Sahul getrennt, sodass die Tiere keinen Kontakt miteinander hatten. Heute leben Affen im ehemaligen Sunda und Beuteltiere im früheren Sahul.

Neuseeland-Eisschild
Der Neuseeland-Eisschild grub auf seinem Weg von der Landesmitte zur Küste tiefe Täler. Als das Eis schmolz, flutete das Meer die Täler und schuf lange Meeresarme, sogenannte Fjorde, wie man sie auch in Norwegen, Alaska und Chile findet.

LEGENDE
- Heutige Küste (orange Linie)
- Während der Eiszeit lebendes Tier
- Eisschild auf seinem Höhepunkt (vor 20 000 Jahren)
- Meereis

UND LEGTE TEILE DES MEERESBODENS ALS TROCKENES LAND FREI.

Frühe Kunst

100 000–5000 v. Chr.

Menschen schaffen schon seit mehr als 100 000 Jahren Kunst und Schmuck. Die ältesten Kunstwerke, die Menschen und Tiere darstellen (und nicht nur einfache Muster), sind rund 40 000 Jahre alt. Es handelt sich dabei um Knochenschnitzereien und Höhlenbilder, die auf dem Höhepunkt der Eiszeit in Europa entstanden.

Zentren früher Kunst

Die meisten eiszeitlichen Höhlenmalereien findet man in der Dordogne (Südwestfrankreich) und Kantabrien (Nordspanien). Süddeutschland und Tschechien sind reich an uralten Schnitzereien und anderer Kunst, darunter einige der ersten Keramiken der Welt.

Wollhaarnashorn (Chauvet)

Chau
(Frankrei
1994 entdeckte m
die Höhle mit wu
derbaren Bild
von Löwen, Bär
Hyänen und W
haarnashörne

Newspaper Rock (Utah, USA)
Ein mit Petroglyphen (in den Fels geritzte Bilder) bedeckter Felsen. Die Bilder entstanden in den letzten 2000 Jahren.

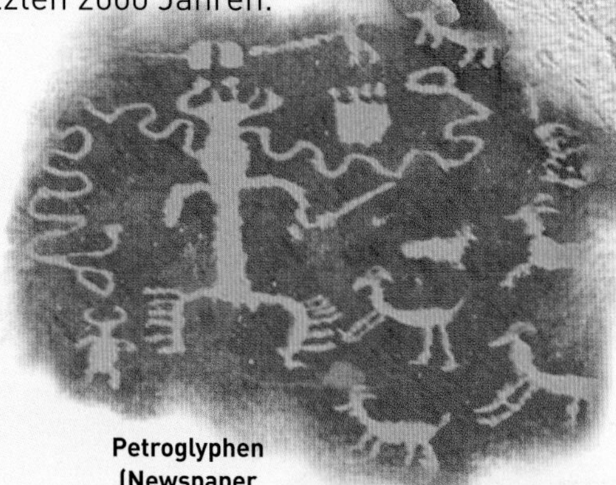

Petroglyphen (Newspaper Rock)

Venus von Brassempouy

Brassempouy (Frankreich)
Höhle, in der eine winzige Elfenbeinfigur gefunden wurde. Die 25 000 Jahre alte *Venus von Brassempouy* ist vermutlich die älteste realistische Darstellung eines menschlichen Gesichts.

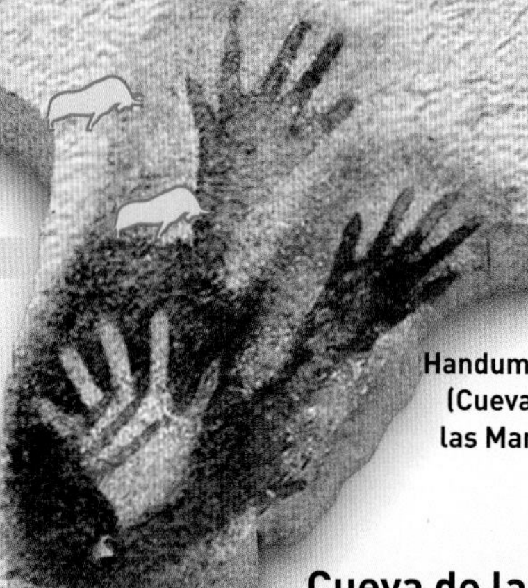

Handumrisse (Cueva de las Manos)

Cueva de las Manos (Argentinien)
Die in dieser Höhle gefundenen Bilder von Händen gleichen seltsamerweise denen, die man in Spanien und Australien gefunden hat. Diese Orte hatten aber niemals Kontakt zueinander.

LEGENDE

Höhlenmalereien
- Mehr als 20 000 Jahre alt (Höhepunkt der Eiszeit)
- 20 000–10 000 Jahre alt (Ende der Eiszeit)
- 10 000–5000 Jahre alt (nach der Eiszeit)

Schnitzereien
- Mehr als 20 000 Jahre alt
- 20 000–10 000 Jahre alt

Erste Schmuckstücke
- Mehr als 20 000 Jahre alt

Erste Keramiken
- 20 000–10 000 Jahre alt

HEUTE KANN MAN IN LASCAUX IN FRANKREICH EINE MODERNE KOPIE DER

Saraisk (Russland)
Hier fanden Archäologen viele fein geschnitzte Figuren aus Mammut-Elfenbein.

Jomon-Fundstellen (Japan)
Mehrere Fundstellen mit einigen der ältesten Keramikgefäßen der Welt. Manche sind mehr als 16 000 Jahre alt.

Hohlenstein (Deutschland)
Hier entdeckte man die 41 000 Jahre alte Elfenbeinfigur eines „Löwenmenschen". Sie ist vielleicht die älteste künstlerische Darstellung eines Tiers.

Bhimbetka (Indien)
Felsnischen mit 30 000 Jahre alten Bildern von Bisons, Nashörnern und Hirschen.

Höhle der Schwimmer (Ägypten)
Höhle in der Sahara mit 10 000 Jahre alten Bildern von schwimmenden Menschen. Damals gab es hier einen riesigen See.

Ubirr (Australien)
Felswände, die seit 40 000 Jahren immer wieder neu bemalt werden.

Viele **Höhlenmalereien** stammen aus der Zeit, als noch **Mammuts** in **Europa** lebten.

Blombos-Höhle (Südafrika)
Höhle mit Muschelschmuck und verzierten Steinen, die unglaubliche 70 000–100 000 Jahre alt sind.

Auf die Hände gespuckt

Australische Aborigines halten die Tradition der Höhlenmalerei bis heute lebendig. Manche ihrer Bilder entstehen, indem sie Farbe mit dem Mund auf ihre Hände sprühen. Diese weltweit verwendete Technik ist vermutlich schon viele Tausend Jahre alt.

HÖHLEN MIT IHREN SEHR EMPFINDLICHEN MALEREIEN BESICHTIGEN.

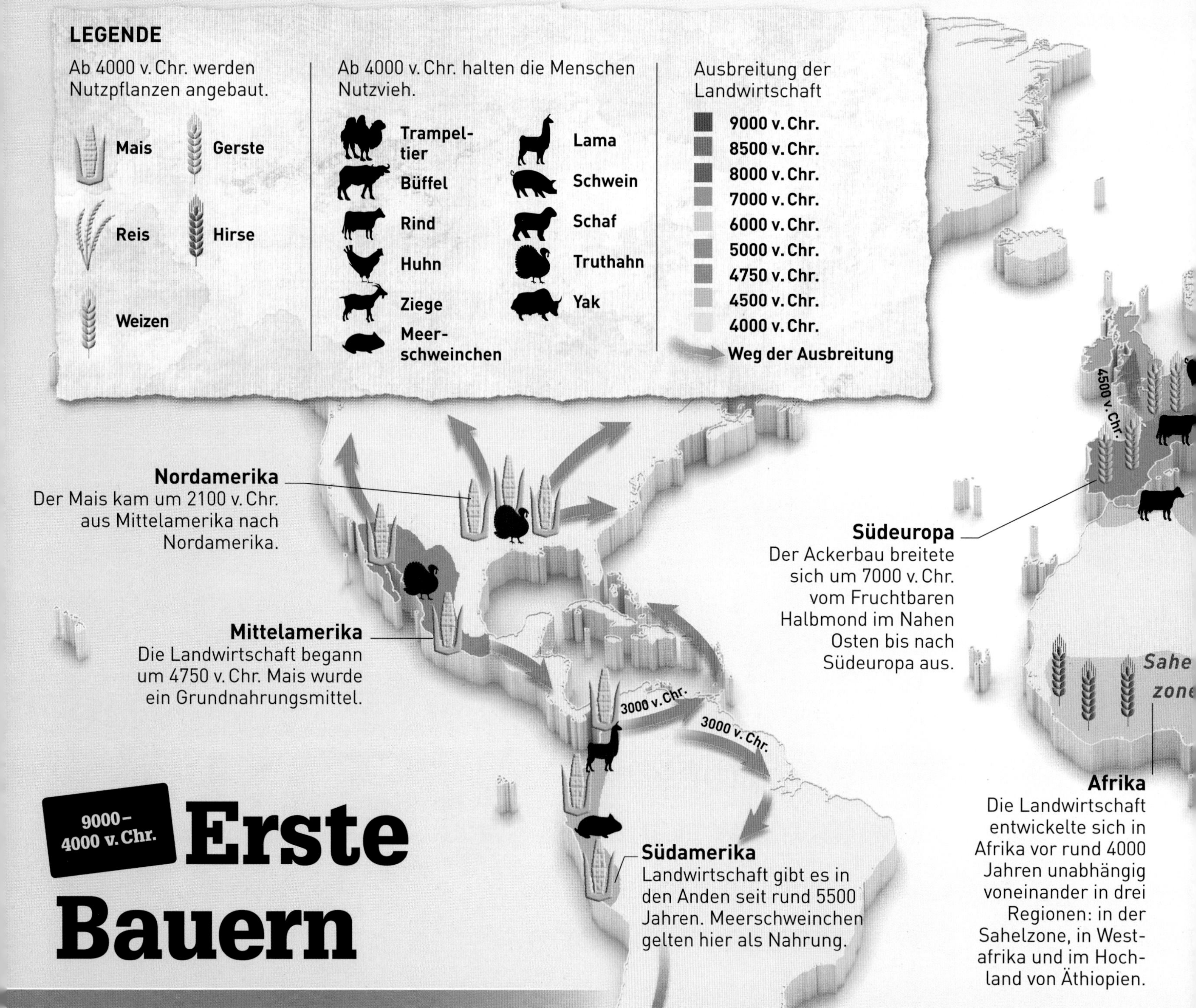
LEGENDE
Ab 4000 v. Chr. werden Nutzpflanzen angebaut.
Mais
Gerste
Reis
Hirse
Weizen
Ab 4000 v. Chr. halten die Menschen Nutzvieh.
Trampeltier
Lama
Büffel
Schwein
Rind
Schaf
Huhn
Truthahn
Ziege
Yak
Meerschweinchen
Ausbreitung der Landwirtschaft
9000 v. Chr.
8500 v. Chr.
8000 v. Chr.
7000 v. Chr.
6000 v. Chr.
5000 v. Chr.
4750 v. Chr.
4500 v. Chr.
4000 v. Chr.
Weg der Ausbreitung
Nordamerika
Der Mais kam um 2100 v. Chr. aus Mittelamerika nach Nordamerika.
Mittelamerika
Die Landwirtschaft begann um 4750 v. Chr. Mais wurde ein Grundnahrungsmittel.
Südamerika
Landwirtschaft gibt es in den Anden seit rund 5500 Jahren. Meerschweinchen gelten hier als Nahrung.
3000 v. Chr.
3000 v. Chr.
Südeuropa
Der Ackerbau breitete sich um 7000 v. Chr. vom Fruchtbaren Halbmond im Nahen Osten bis nach Südeuropa aus.
4500 v. Chr.
Afrika
Die Landwirtschaft entwickelte sich in Afrika vor rund 4000 Jahren unabhängig voneinander in drei Regionen: in der Sahelzone, in Westafrika und im Hochland von Äthiopien.

9000–4000 v. Chr.

Erste Bauern

Ab etwa 9000 v. Chr. veränderte die Agrarrevolution die Lebensweise der Menschen. Sie bauten jetzt Nutzpflanzen an und hielten erstmals in der Geschichte Tiere. Sie produzierten größere Mengen Nahrung und begannen in festen Dörfern zu leben. Mit der Zeit führte der Ackerbau dazu, dass die Menschen in Städten lebten.

Landwirtschaft hatte auch **Nachteile**: So verbreiteten sich **Krankheiten** wie Pocken und Grippe vom **Tier** auf den **Menschen**.

DIE ERSTEN VON BAUERN GEPFLANZTEN NUTZPFLANZEN WAREN HOHE

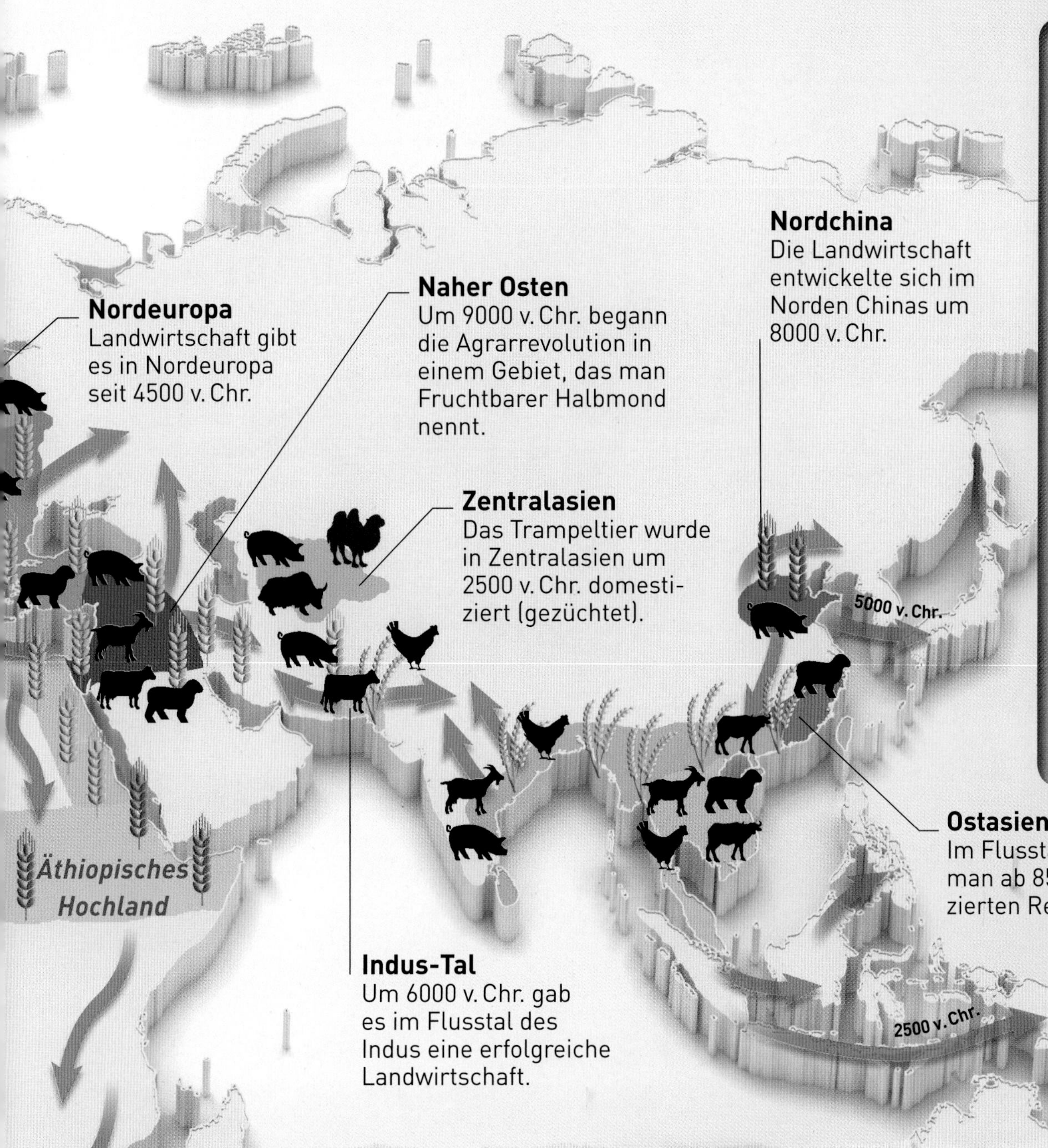

Nordeuropa
Landwirtschaft gibt es in Nordeuropa seit 4500 v. Chr.

Naher Osten
Um 9000 v. Chr. begann die Agrarrevolution in einem Gebiet, das man Fruchtbarer Halbmond nennt.

Nordchina
Die Landwirtschaft entwickelte sich im Norden Chinas um 8000 v. Chr.

Zentralasien
Das Trampeltier wurde in Zentralasien um 2500 v. Chr. domestiziert (gezüchtet).

Indus-Tal
Um 6000 v. Chr. gab es im Flusstal des Indus eine erfolgreiche Landwirtschaft.

Ostasien
Im Flusstal des Jangtse baute man ab 8500 v. Chr. domestizierten Reis an.

Domestizierung

Alle Nutzpflanzen und -tiere stammen von wilden Pflanzen und Tieren ab, die der Mensch über Generationen hinweg für seine Zwecke gezüchtet hat. Er säte nur Samen von Pflanzen, die die größten Körner und Früchte trugen, und züchtete nur mit starken und zahmen Tieren. Dies nennt man „Domestizierung".

Die ersten Rinder sahen vielleicht wie dieses Heckrind, eine alte Rasse, aus.

Der Fruchtbare Halbmond

Vermutlich gab es schon um 9000 v. Chr. Landwirtschaft in einem halbmondförmigen Gebiet, das sich vom Persischen Golf im Osten bis nach Ägypten im Westen erstreckte und unter anderem von den Flüssen Tigris, Euphrat und Nil mit Wasser versorgt wurde.

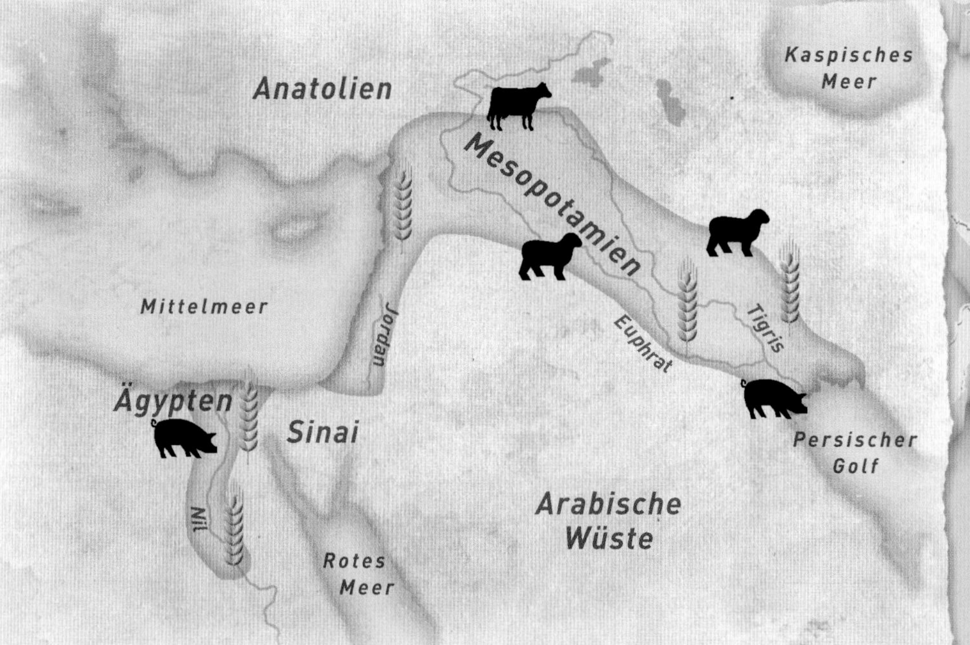

LEGENDE
Fruchtbarer Halbmond

WILDGRÄSER, ETWA EINFACHE SORTEN VON GERSTE UND WEIZEN.

Newgrange (Irland)
Grabstätte aus riesigen Steinplatten mit einem langen Gang und einer Grabkammer, die vor 5200 Jahren gebaut wurde.
Stoplesteinan
Ales Stenar
Kreisgrabenanlage von Goseck (Deutschland)
4800 v. Chr. als Sonnenobservatorium gebaute Anlage. Die Tore sind auf den Sonnenauf- und Sonnenuntergang zur Sommer- beziehungsweise Wintersonnenwende ausgerichtet.
Insel Vera
EUROPA
Dolmen von Er Grah
Stonehenge (England)
Der berühmteste Steinkreis der Welt wurde zwischen 3100 und 1600 v. Chr. errichtet. Sein Zweck ist unbekannt.
Toros de Guisando
Dolmen
Gigantengräber
Antequera
Cromlech von Almendres
Mzoura
Göbekli Tepe (Türk
Die uralten Ruinen k
die Überreste des äl
Tempels der Welt se
9000 v. Chr. erbaut.
Atlit-Yam
Tempel von Malta
Elf spektakuläre Tempelanlagen auf den Inseln Malta und Gozo, die vermutlich 3000 v. Chr. erbaut wurden.
Nabta-Playa
Steinkreise von Senegambia (Gambia und Senegal)
Ein breiter Streifen entlang des Flusses Gambia mit 93 Steinkreisen und vielen Grabstätten.
AFRIKA
Tiya
Bouar

9000 v. Chr. – 1300 n. Chr.

Die Megalithzeit

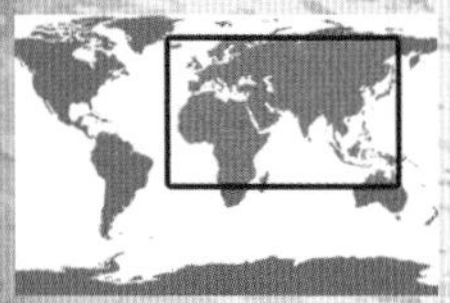

In der Megalithzeit errichteten die Menschen Bauwerke aus riesigen Steinblöcken (Megalithen). Sie bauten unter anderem Begräbnisstätten, Tempel, Kultstätten und auch Observatorien, um die Positionen von Sonne, Mond und Sternen zu berechnen. Megalithische Traditionen begannen vor 7000 Jahren in Europa, sie entstanden vor 3000 Jahren auch in Asien und vor 1000 Jahren in Westafrika.

VIELE DER STEINE IN STONEHENGE WURDEN ÜBER 240 KILOMETER WEIT

LEGENDE
Megalithkulturen entwickelten sich dort, wo genügend Menschen siedelten, um große Bauvorhaben zu verwirklichen. Dolmen sind Bauwerke, die wie riesige Steintische aussehen.

- Regionen mit Megalithkulturen
- Bedeutende Fundstellen
- Weitere wichtige Fundstellen

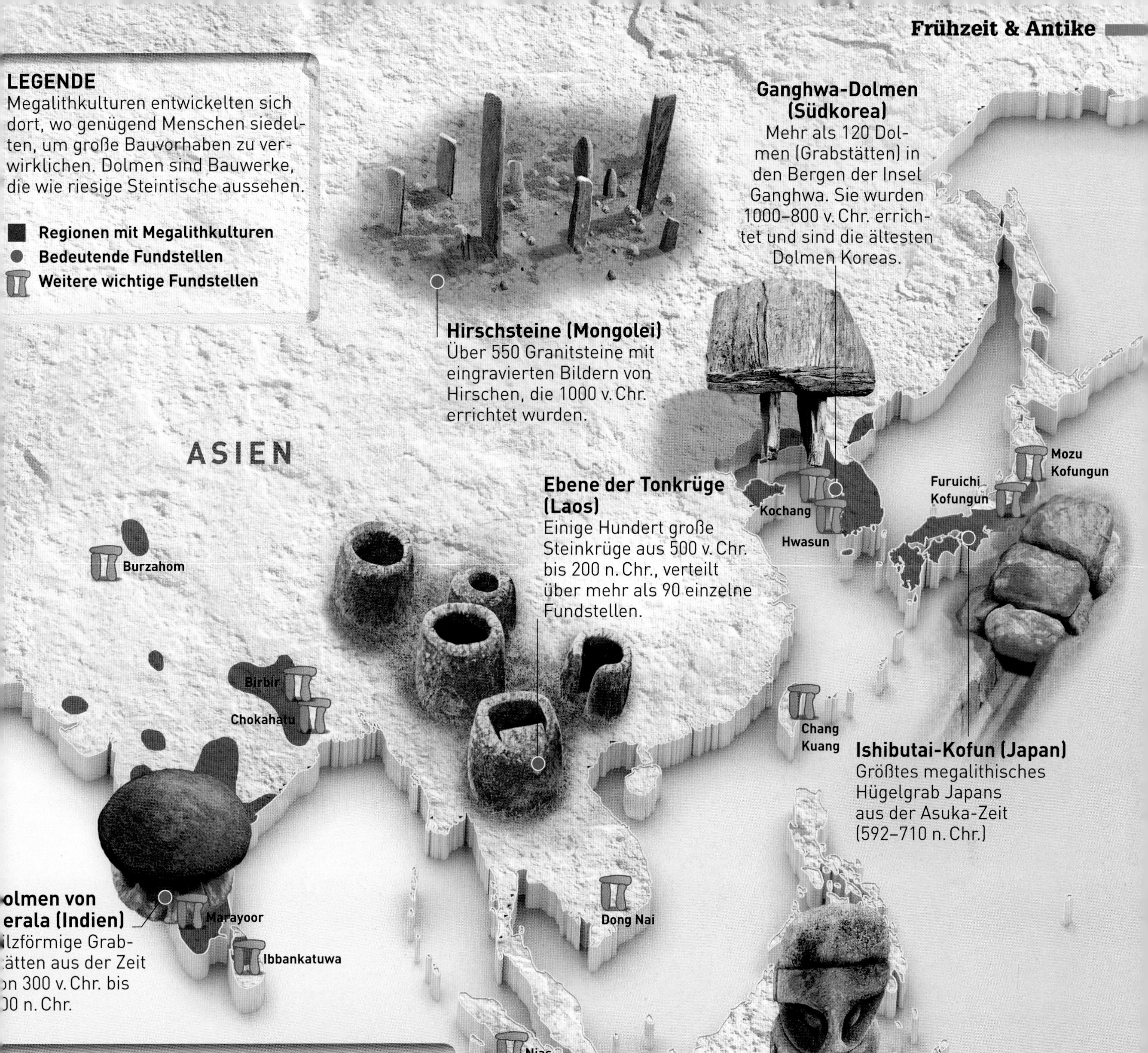

Ganghwa-Dolmen (Südkorea)
Mehr als 120 Dolmen (Grabstätten) in den Bergen der Insel Ganghwa. Sie wurden 1000–800 v. Chr. errichtet und sind die ältesten Dolmen Koreas.

Hirschsteine (Mongolei)
Über 550 Granitsteine mit eingravierten Bildern von Hirschen, die 1000 v. Chr. errichtet wurden.

Ebene der Tonkrüge (Laos)
Einige Hundert große Steinkrüge aus 500 v. Chr. bis 200 n. Chr., verteilt über mehr als 90 einzelne Fundstellen.

Ishibutai-Kofun (Japan)
Größtes megalithisches Hügelgrab Japans aus der Asuka-Zeit (592–710 n. Chr.)

olmen von erala (Indien)
ilzförmige Grabätten aus der Zeit on 300 v. Chr. bis 00 n. Chr.

Lore Lindu (Indonesien)
Mehr als 400 Megalithen, manche in der Form von Menschen. Sie stammen aus 3000 v. Chr. bis 1300 n. Chr.

Amerika

Auch in Amerika findet man Megalithen, unter anderem in Kanada, Zentralamerika, Peru und Bolivien. Manche von ihnen sind bis zu 3400 Jahre alt. Die riesigen Steinblöcke der Pumapunku-Tempelanlage in Bolivien wurden um 600 n. Chr. errichtet.

HERANTRANSPORTIERT. DER GRÖSSTE STEIN WIEGT ÜBER 40 TONNEN.

Erste Städte

4500–1000 v. Chr.

Mesopotamien
Das fruchtbare Land zwischen Euphrat und Tigris eignete sich perfekt für die Landwirtschaft.

Nil
Der Nil trat regelmäßig jedes Jahr über die Ufer. Dadurch wurde das Land beiderseits des Flusses fruchtbar – ideal für die Landwirtschaft.

Memphis
Memphis entstand um 3100 v. Chr. und entwickelte sich zur größten Stadt Ägyptens, vermutlich sogar der ganzen Welt.

Eridu
Das rund 4500 v. Chr. erbaute Eridu war vermutlich die älteste Stadt Mesopotamiens.

Ur
Die sumerische Stadt Ur wurde um 4000 v. Chr. gegründet und machte 2000 v. Chr. mit 100 000 Einwohnern Memphis als größte Stadt der Welt Konkurrenz. Im Zentrum Urs stand ein prächtiger Tempel, die Zikkurat.

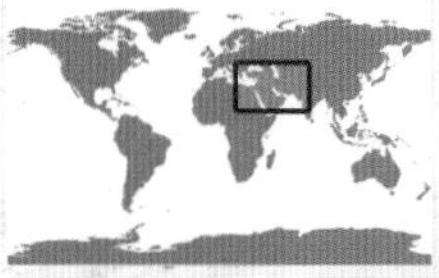

Als die Bauern immer mehr Nahrung produzierten, zogen die Menschen ab 7000 v. Chr. aus Dörfern in Städte. Gegen 4500 v. Chr. gab es die ersten großen Städte, zunächst in Mesopotamien und dann auch entlang der Flusstäler des Nils und des Indus. Diese drei großen Regionen hielten durch Handel miteinander Kontakt.

Ägyptische Statue aus Sakka

ARCHÄOLOGEN GLAUBEN, DASS IN DER MESOPOTAMISCHEN STADT

Die ersten Städte der Welt

Mit der Zeit entstanden überall auf der Welt unabhängig voneinander Städte. In Südamerika wurden 2600–2000 v. Chr. Caral und andere Städte der peruanischen Norte-Chico-Kultur gegründet. In Asien entstanden um 1800 v. Chr. am Gelben Fluss Stadtkönigreiche und in Mesoamerika hatte sich um 1000 v. Chr. die Hochkultur der Olmeken angesiedelt.

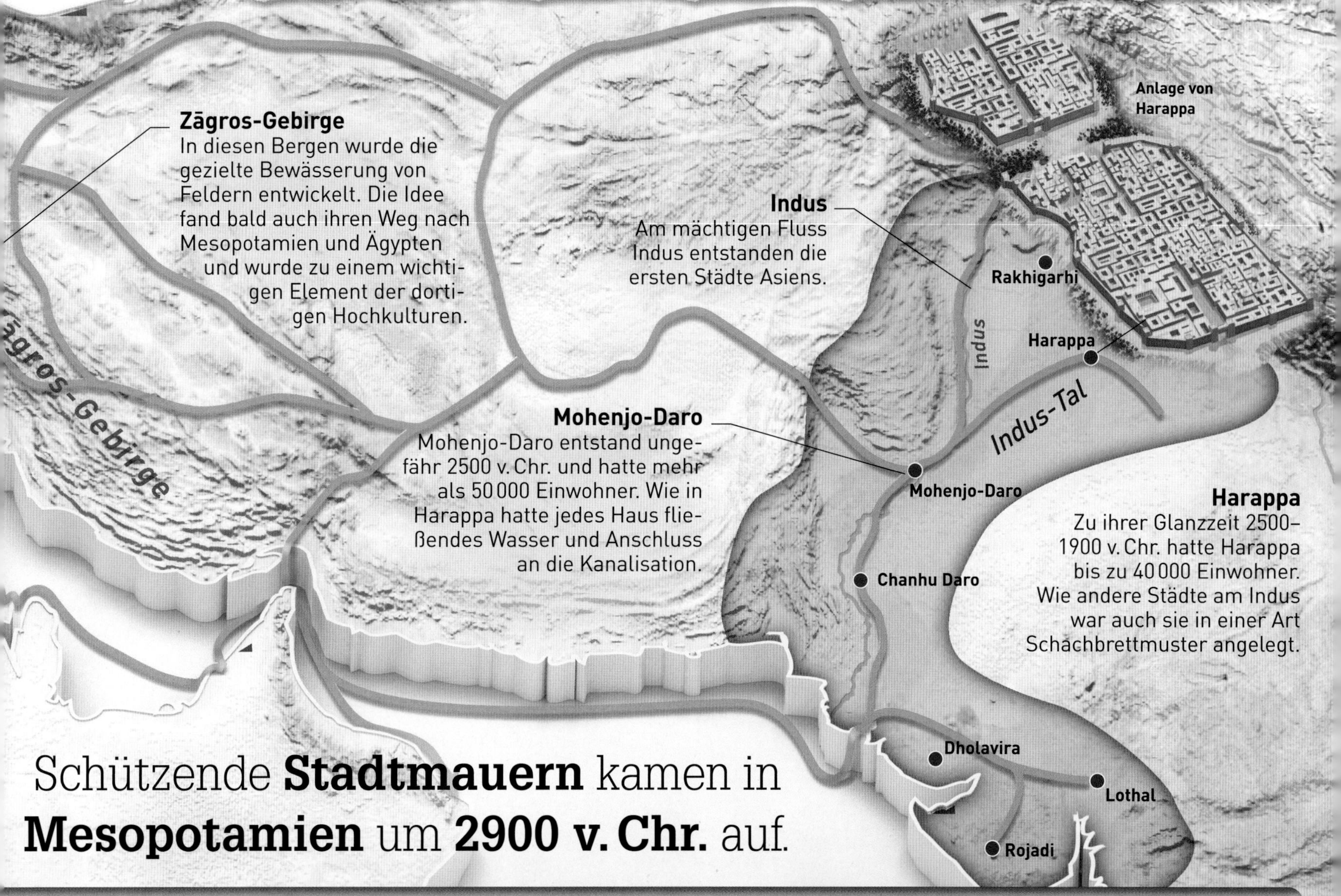

Zāgros-Gebirge
In diesen Bergen wurde die gezielte Bewässerung von Feldern entwickelt. Die Idee fand bald auch ihren Weg nach Mesopotamien und Ägypten und wurde zu einem wichtigen Element der dortigen Hochkulturen.

Indus
Am mächtigen Fluss Indus entstanden die ersten Städte Asiens.

Mohenjo-Daro
Mohenjo-Daro entstand ungefähr 2500 v. Chr. und hatte mehr als 50 000 Einwohner. Wie in Harappa hatte jedes Haus fließendes Wasser und Anschluss an die Kanalisation.

Harappa
Zu ihrer Glanzzeit 2500–1900 v. Chr. hatte Harappa bis zu 40 000 Einwohner. Wie andere Städte am Indus war auch sie in einer Art Schachbrettmuster angelegt.

Schützende **Stadtmauern** kamen in **Mesopotamien** um **2900 v. Chr.** auf.

-Tal
Städte im Nil-Tal wurden
. des alten Ägyptens. Die
'pter beschäftigten sich
Medizin, Mathematik
I Astronomie und ent-
kelten einen Kalender
365 Tagen. Ihr Zahlen-
tem beruhte auf der
ıl 10.

Sumerische Statue aus Mari

Mesopotamien
In Mesopotamien entstanden die ersten Städte in Sumer. Die Sumerer erfanden die erste Schrift der Welt, hatten genaue Kalender und entwickelten als erstes Volk Gesetze, die das Zusammenleben regelten.

Priester-König aus Mohenjo-Daro

Indus-Tal
Die Indus-Kultur entstand um 2600 v. Chr., aber schon um 1700 v. Chr. waren die meisten Städte verlassen. Die Bewohner hinterließen Gegenstände wie diese Statue, die als „Priester-König" bekannt ist.

3400 v. Chr.– 650 n. Chr.

Die ersten Schriften

Die Menschen begannen vor mehr als 5000 Jahren in Sumer (heute Irak) und Ägypten damit, Dinge aufzuschreiben. Später entwickelten sich unabhängig davon in China und Amerika eigene Schriften.

Das erste Alphabet

Alphabete, wie sie heute in vielen Sprachen genutzt werden, wurden ursprünglich um 1800 v. Chr. in Kanaan und in der Sinai-Wüste erfunden. Die Ägypter nutzten Hieroglyphen und die Sumerer Keilschriftzeichen und entwickelten daraus das protosemitische Alphabet. Diese Idee eines Alphabets wurde von den Phöniziern und später von den Griechen und den Römern übernommen. Dabei veränderte sich jedes Mal die Form und Reihenfolge der Symbole.

Germanische Runen, 150 n. Chr.
Runen sind die ältesten Schriftzeichen in Deutschland und Skandinavien. Man nennt sie auch nach den ersten sechs Symbolen des Runenalphabets Futhark (oben).

Olmekische Glyphen, 900 v. Chr.
Vermutlich haben die Olmeken die Schrift in Amerika erfunden. In den 1990er-Jahren entdeckte man den mit Bildzeichen (Glyphen) bedeckten Cascajal-Stein.

Quipu-Knoten, 650 n. Chr.
Die „sprechenden Knoten“ wurden im Inka-Reich und in älteren Kulturen in Peru verwendet. Fäden aus Lama- oder Alpakawolle wurden geknotet, wobei die Informationen durch die Farben und Knotenmuster übermittelt wurden.

In der **chinesischen Mythologie** markieren di **ersten Schriftzeichen** de **zweiten Anfang** der Welt

MANCHE SCHRIFTEN SCHRIEB MAN VON LINKS NACH RECHTS, VON RECHTS

…kos von Phaistos, 1800 v. Chr.
…Scheibe aus Kreta …riechenland) trägt eine einzigartige …eroglyphenschrift.

Phönizische Schrift, 1100 v. Chr.
Die Phönizier, ein Volk von Kaufleuten aus dem östlichen Mittelmeerraum, hatten ein eigenes Alphabet, das die Griechen übernahmen.

Indus-Schrift, 2600 v. Chr.
Bis heute konnten Wissenschaftler den Code dieser geheimnisvollen Zeichen der Indus-Kultur nicht knacken.

LEGENDE
Die Farben zeigen den Zeitpunkt der Schriftentwicklung.

- 3000 v. Chr.
- 2000 v. Chr.
- 1250 v. Chr.
- 500 v. Chr.
- 500 n. Chr.
- Ort einer bedeutenden Schriftform

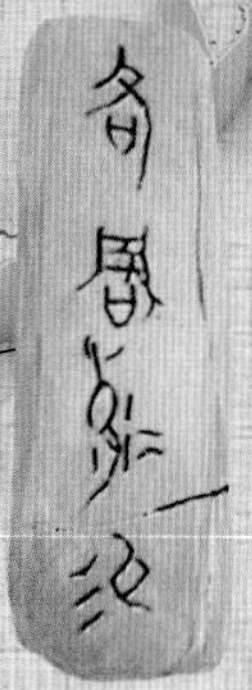

Orakelknochen der Shang-Dynastie, 1500 v. Chr.
Die erste erkennbare chinesische Schrift findet sich auf Knochen und Schildkrötenpanzern, die von Wahrsagern benutzt wurden.

Sumerische Bildzeichen, 3400 v. Chr.
Händler in Sumer (südliches Mesopotamien) erfanden die erste bekannte Schrift. Sie notierten Mengen von Waren, indem sie Piktogramme (Bildzeichen, oben) in Tontafeln ritzten. Über die Jahrhunderte entwickelten sich die Bilder zu einfachen keilförmigen Zeichen, die in den Ton gedrückt wurden.

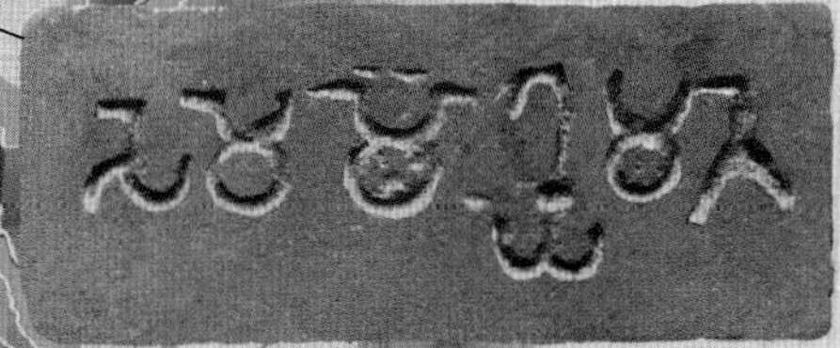

Brahmi-Schrift, 500 v. Chr.
Die Brahmi-Schrift fand man auf Inschriften des indischen Kaisers Ashoka (links, etwa 200 v. Chr.). Ihre Ursprünge sind unbekannt, aber sie ist der Vorläufer vieler Schriften Indiens und Südostasiens.

Äthiopische Schrift, 4. Jh. n. Chr.
In Äthiopien entwickelten Schreiber die Ge'ez-Schrift, die in den Kirchen verwendet wurde und bis heute in der äthiopischen Sprache genutzt wird.

Ägyptische Hieroglyphen, 3100 v. Chr.
In Ägypten entwickelte sich eine einzigartige Form der Schrift. Einige der Bildzeichen (Hieroglyphen) standen für Laute, andere für ganze Wörter oder einzelne Silben.

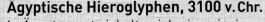

Der Stein von Rosetta

Ohne den Stein von Rosetta würden wir ägyptische Hieroglyphen bis heute nicht verstehen. Er trägt Inschriften in drei Sprachen: Hieroglyphen, Demotisch (eine andere ägyptische Schrift) und Altgriechisch. Da die Experten das Griechische lesen konnten, gelang es ihnen, den Code der Hieroglyphen zu knacken.

NACH LINKS ODER AUCH VON OBEN NACH UNTEN UND IM ZICKZACK. 21

Bastet
Katzengöttin, die die Leben spendende Kraft der Sonne repräsentierte. Sie wurde unter anderem in Bubastis verehrt.

Stein von Rosetta
Steintafel mit Inschriften in drei Sprachen, die im 19. Jh. bei der Entschlüsselung der Hieroglyphen half.

Karnak-Tempel
Der größte Tempelkomplex Ägyptens aus der Zeit des Mittleren Reiches.

Memnonkolosse
Zwei der größten Statuen des Amenhotep III., errichtet um 1350 v. Chr.

Cheops-Pyramide
Die größte und älteste Pyramide von Gizeh war eines der Sieben Weltwunder.

Nofretete
Königin Ägyptens (1353–1336 v. Chr.), deren Mann Echnaton die Hauptstadt nach Amarna verlegte. Eine berühmte Büste der Nofretete ist in Berlin ausgestellt.

Sobek
In Krokodilopolis verehrten die Menschen Statuen wie diese, die Sobek, den Krokodilgott der Flüsse und Seen, zeigt.

Tal der Könige
Begräbnisstätte der Pharaonen des Neuen Reiches. Hier entdeckte man 1922 das unberührte Grab des Tutanchamun mit seiner goldenen Totenmaske.

Sphinx
Vor 4500 Jahren erbaute große Statue eines Löwen mit Menschenkopf.

Thot
Paviansköpfiger Gott der Weisheit, dessen Statuen in der alten Stadt Hermopolis verehrt wurden.

Narmer-Palett
Verzierte Steinplatte die die Siege de Pharaos Narmer zeig der Ober- und Unter ägypten vereinigte

„Wer wissen will, **wie groß ich bin**, soll **eines meiner Werke übertreffen**."

Pharao Ramses II., Inschrift auf seinem Totentempel, dem Ramesseum, 13. Jh. v. Chr.

3100–30 v. Chr.

Land der Pharaonen

Ägypten war ein schmaler Streifen fruchtbaren Landes inmitten einer Wüste. Hier im Nil-Tal erbauten die Ägypter ihre riesigen Pyramiden. In diesen kolossalen Bauten und tief unter Hügeln verborgenen Gräbern bestatteten sie ihre mumifizierten Toten. Die Pharaonen beherrschten das Land mehr als 3000 Jahre lang: von 3100 v. Chr. bis zur Eroberung durch die Römer 30 v. Chr.

DIE GROSSE SPHINX IST EINE DER GRÖSSTEN STATUEN DER WELT.

LEGENDE

- ○ **Große Stadt**
- **Pyramide**
  Grabmale für die Pharaonen. Die Pyramiden aus der Zeit des Alten Reiches stehen bei Memphis, die der Spätzeit in Nubien oder Kusch (heute Sudan).
- **Tempel**
  Den Göttern und Göttinnen Ägyptens geweihte Kultstätten. Tempel standen in jeder großen Stadt Ägyptens und Nubiens.

3000 Jahre Geschichte

Das alte Ägypten war eine Hochkultur. Es überstand viele Invasionen und endete mit der Eroberung durch die Römer 30 v. Chr.

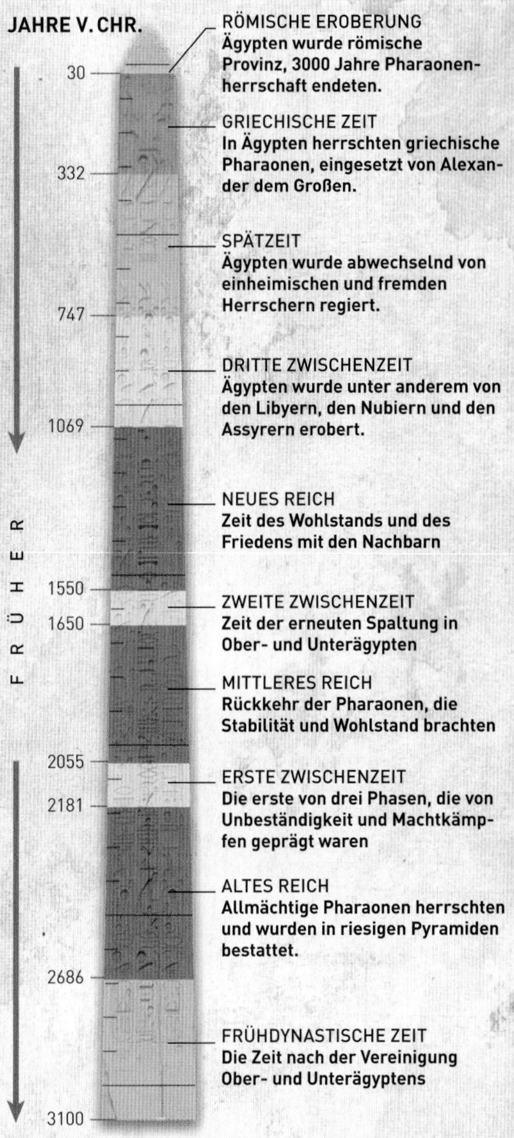
JAHRE V. CHR.
FRÜHER
30
332
747
1069
1550
1650
2055
2181
2686
3100
RÖMISCHE EROBERUNG
Ägypten wurde römische Provinz, 3000 Jahre Pharaonenherrschaft endeten.
GRIECHISCHE ZEIT
In Ägypten herrschten griechische Pharaonen, eingesetzt von Alexander dem Großen.
SPÄTZEIT
Ägypten wurde abwechselnd von einheimischen und fremden Herrschern regiert.
DRITTE ZWISCHENZEIT
Ägypten wurde unter anderem von den Libyern, den Nubiern und den Assyrern erobert.
NEUES REICH
Zeit des Wohlstands und des Friedens mit den Nachbarn
ZWEITE ZWISCHENZEIT
Zeit der erneuten Spaltung in Ober- und Unterägypten
MITTLERES REICH
Rückkehr der Pharaonen, die Stabilität und Wohlstand brachten
ERSTE ZWISCHENZEIT
Die erste von drei Phasen, die von Unbeständigkeit und Machtkämpfen geprägt waren
ALTES REICH
Allmächtige Pharaonen herrschten und wurden in riesigen Pyramiden bestattet.
FRÜHDYNASTISCHE ZEIT
Die Zeit nach der Vereinigung Ober- und Unterägyptens

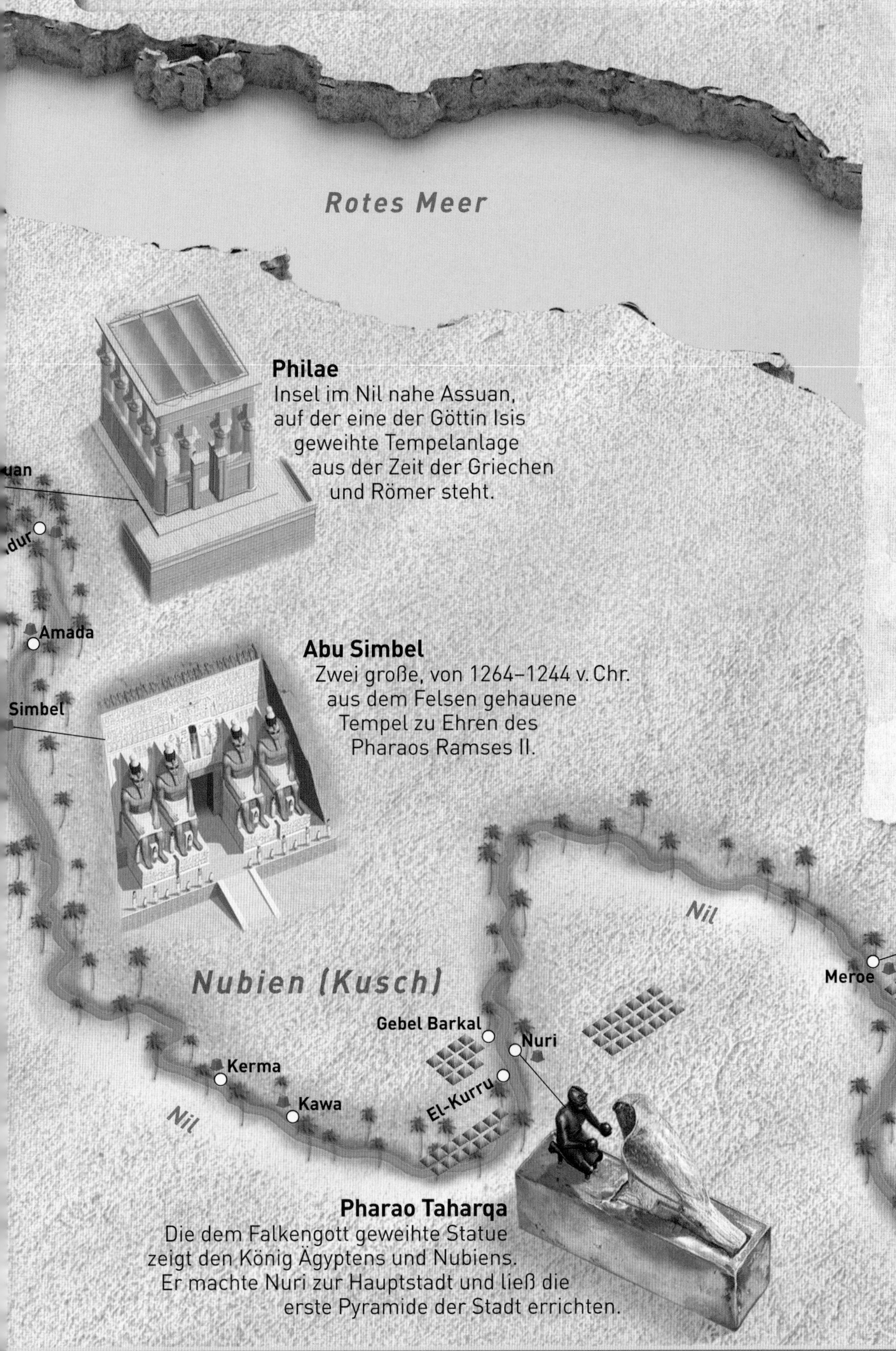
Rotes Meer
Nubien (Kusch)
Nil
Nil
Amada
Simbel
Gebel Barkal
Nuri
El-Kurru
Kerma
Kawa
Meroe

Philae
Insel im Nil nahe Assuan, auf der eine der Göttin Isis geweihte Tempelanlage aus der Zeit der Griechen und Römer steht.

Abu Simbel
Zwei große, von 1264–1244 v. Chr. aus dem Felsen gehauene Tempel zu Ehren des Pharaos Ramses II.

Meroe
Alte Hauptstadt Nubiens in der griechisch-römischen Zeit Ägyptens. Hier stehen über 200 Pyramiden.

Pharao Taharqa
Die dem Falkengott geweihte Statue zeigt den König Ägyptens und Nubiens. Er machte Nuri zur Hauptstadt und ließ die erste Pyramide der Stadt errichten.

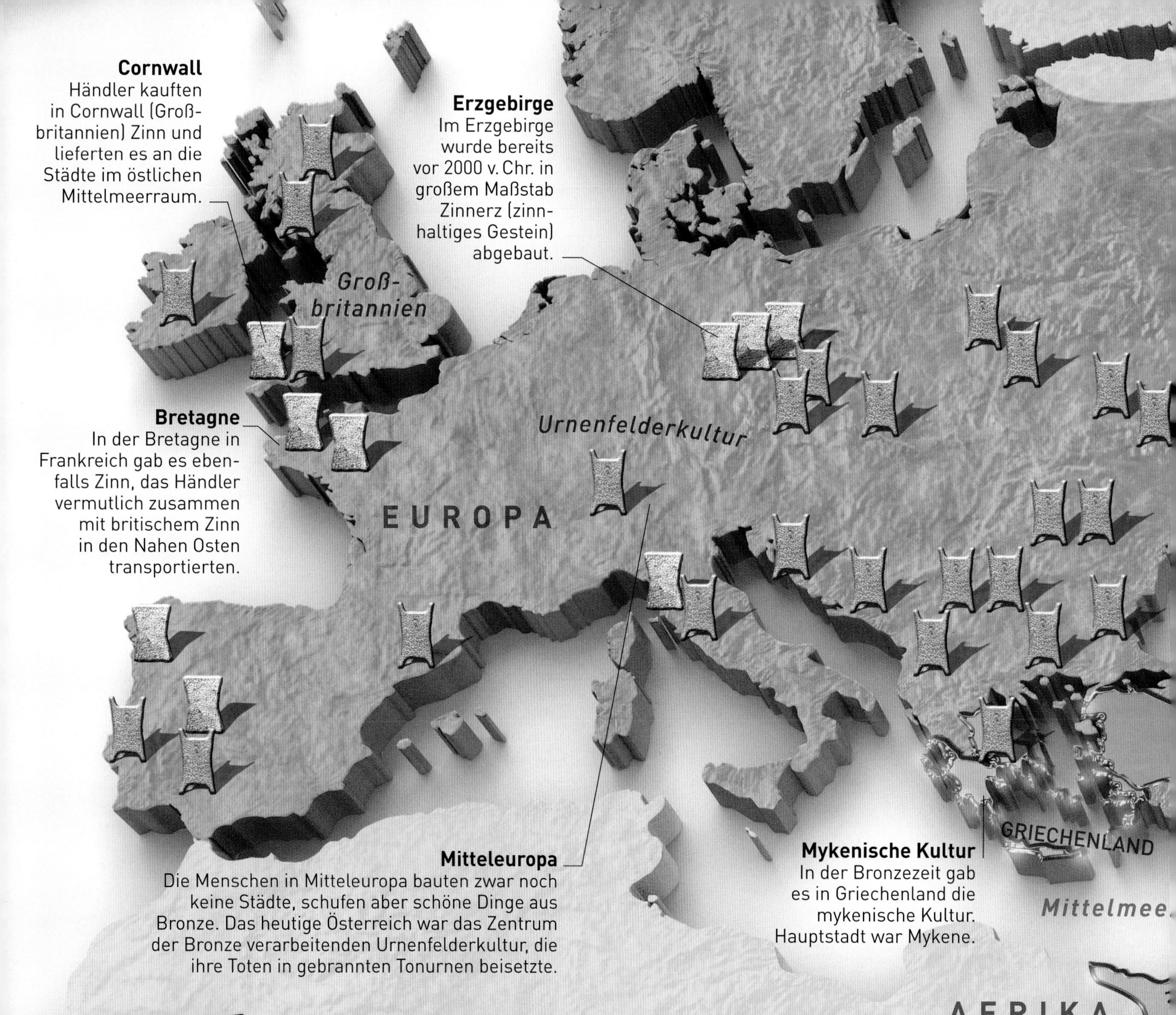
Cornwall
Händler kauften in Cornwall (Großbritannien) Zinn und lieferten es an die Städte im östlichen Mittelmeerraum.
Erzgebirge
Im Erzgebirge wurde bereits vor 2000 v. Chr. in großem Maßstab Zinnerz (zinnhaltiges Gestein) abgebaut.
Groß-britannien
Bretagne
In der Bretagne in Frankreich gab es ebenfalls Zinn, das Händler vermutlich zusammen mit britischem Zinn in den Nahen Osten transportierten.
Urnenfelderkultur
EUROPA
Mitteleuropa
Die Menschen in Mitteleuropa bauten zwar noch keine Städte, schufen aber schöne Dinge aus Bronze. Das heutige Österreich war das Zentrum der Bronze verarbeitenden Urnenfelderkultur, die ihre Toten in gebrannten Tonurnen beisetzte.
Mykenische Kultur
In der Bronzezeit gab es in Griechenland die mykenische Kultur. Hauptstadt war Mykene.
GRIECHENLAND
Mittelmee
AFRIKA

3200–1200 v. Chr.

Die Bronzezeit

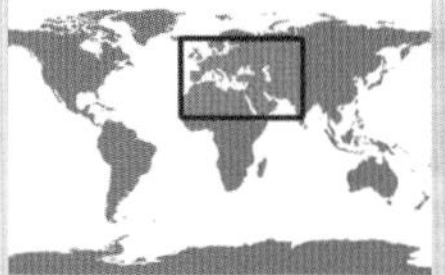

Um 3200 v. Chr. verschmolzen die Menschen in Ägypten und Mesopotamien (heute Irak) erstmals Zinn und Kupfer zur widerstandsfähigen Bronze. Sie begannen aus dem neuen Werkstoff Waffen, Rüstungen, Werkzeuge und Schmuck zu fertigen. In Mesopotamien und im Nahen Osten wuchsen die Städte und die Bronzeverarbeitung breitete sich aus. Auch die Nachfrage nach dem seltenen Zinn wuchs. So gab es bereits 1250 v. Chr. ein riesiges Handelsnetz, das den Nachschub sicherte.

UM 1200 V.CHR. GINGEN DIE BRONZEZEITREICHE DER ÄGYPTER, GRIECHEN

Chinesische Bronze

Auch in China und Südostasien gab es schon ab 2000 v. Chr. blühende Bronzeindustrien. Vielleicht haben die Menschen dort die Bronze selbst erfunden oder erlernten die Technik von Händlern, die über die Steppen Nordasiens aus dem Westen kamen.

Chinesische Bronzeklingen aus der Shang-Dynastie (um 1500 v. Chr.)

LEGENDE

Die Karte zeigt Europa und Vorderasien in der Bronzezeit um 1250 v. Chr.

- **Bedeutende Bronze verarbeitende Stadtstaaten im Nahen Osten**
- **Weitere Bronze verarbeitende Regionen mit Siedlungen**
- **Regionen ohne Bronzeverarbeitung**
- **Kupfervorkommen** Kupfer war in der Bronzezeit weit verbreitet.
- **Zinnvorkommen** Zinn ist der zweite Bestandteil von Bronze, aber in der Nähe der Städte des Nahen Ostens gab es keine Vorkommen. Großmächte wie Ägypten und Babylonien mussten ihr Zinn z. T. aus dem weit entfernten Großbritannien einführen.

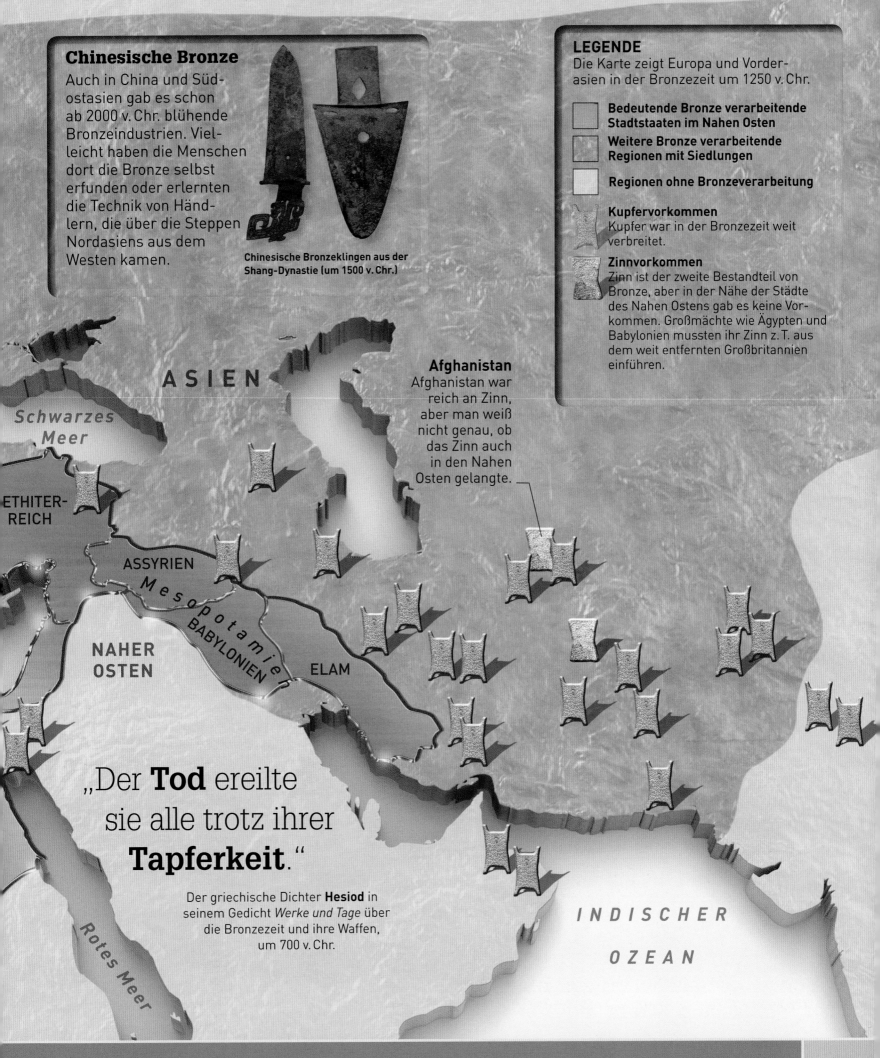

Afghanistan
Afghanistan war reich an Zinn, aber man weiß nicht genau, ob das Zinn auch in den Nahen Osten gelangte.

„Der **Tod** ereilte sie alle trotz ihrer **Tapferkeit**."

Der griechische Dichter **Hesiod** in seinem Gedicht *Werke und Tage* über die Bronzezeit und ihre Waffen, um 700 v. Chr.

UND BABYLONIER UNTER. SIE HINTERLIESSEN NUR WENIGE DOKUMENTE.

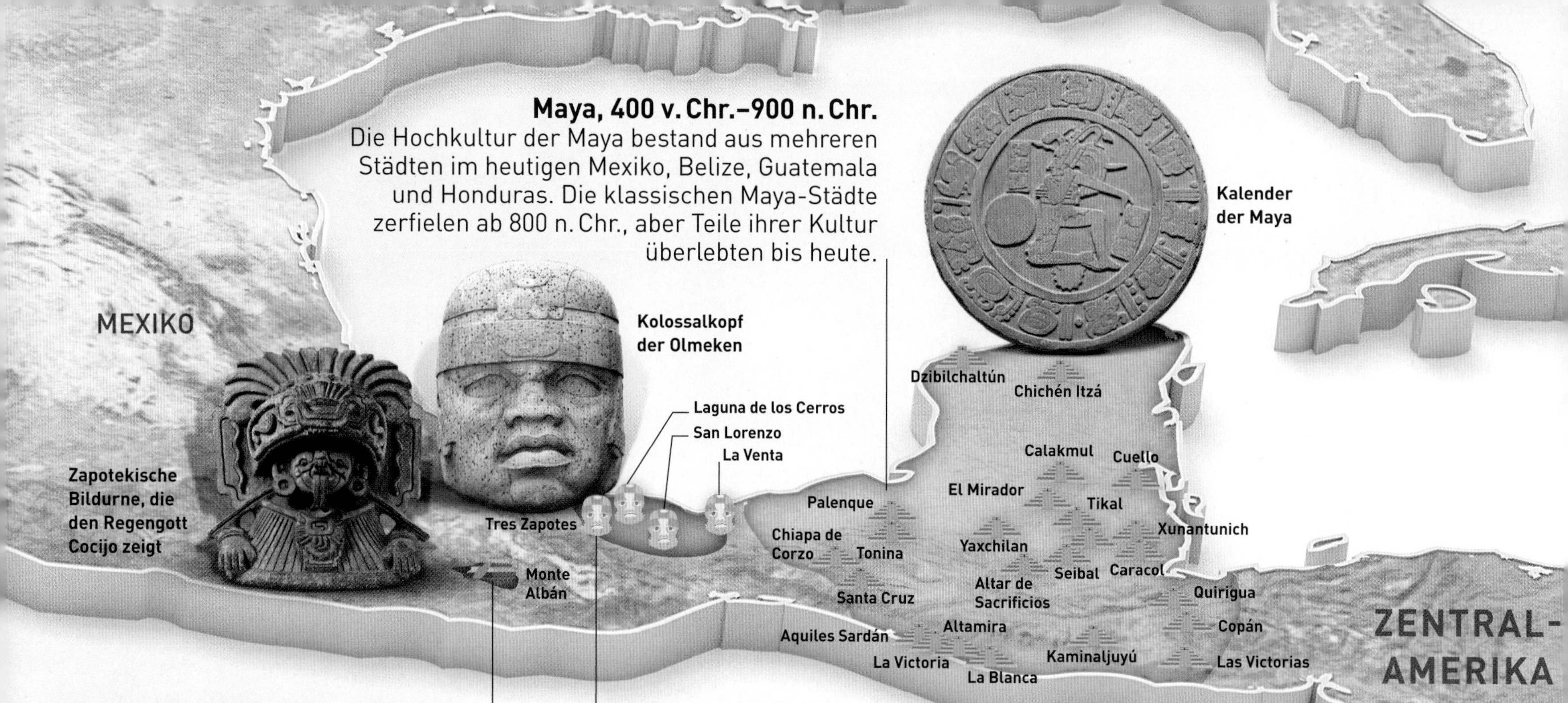

Maya, 400 v. Chr.–900 n. Chr.
Die Hochkultur der Maya bestand aus mehreren Städten im heutigen Mexiko, Belize, Guatemala und Honduras. Die klassischen Maya-Städte zerfielen ab 800 n. Chr., aber Teile ihrer Kultur überlebten bis heute.

Zapoteken, 500 v. Chr.–900 n. Chr.
Die Zapoteken-Kultur entwickelte sich im Oaxaca-Tal (heute Südmexiko). Ihre Hauptstadt Monte Albán beherrschte die Region 1000 Jahre lang. In ihrem Zentrum stand eine künstlich angelegte Hügelplattform mit dem Grundriss einer Pyramide.

Olmeken, 1200–400 v. Chr.
Die Olmeken bauten im heutigen Südmexiko mehrere Städte. Sie hatten eine Schrift, einen Kalender, eine Götterfamilie und pyramidenförmige Tempel. All dies übernahmen später die Zapoteken und Maya von ihnen.

Der ausgeklügelte **Maya-Kalender** enthält die „Lange Zählung", die **5126 Jahre** umfasst.

1200 v. Chr.–900 n. Chr.

Das alte Amerika

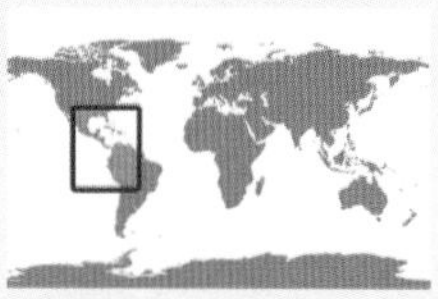

Vor mehr als 3000 Jahren entwickelten sich in zwei getrennten Regionen Amerikas Zivilisationen mit Städten. Im heutigen südlichen Mexiko bauten die Olmeken mit viel Können Mais an, sie wurden wohlhabend und begannen große Kultstätten mit Tempelpyramiden anzulegen. Zur gleichen Zeit entwickelten die Fischer und Bauern Perus die sogenannte Chavín-Kultur. Auch ihre Städte waren um pyramidenförmige Tempel mit abgeflachten Dächern herum angelegt.

Maya-Schrift
Die Maya entwickelten Kenntnisse in Astronomie und Mathematik und eine komplexe Schrift. Sie bestand aus etwa 500 Zeichen, die man Glyphen nennt. Diese Glyphen (Bildzeichen) waren paarweise in Blöcken angeordnet. Man musste jedes Spaltenpaar in einem zickzackförmigen Muster lesen.

REICHE MAYA BANDEN DIE KöPFE IHRER KINDER MITHILFE VON BRETTERN

Die „Erdhügelbauer“

Zur gleichen Zeit, zu der die Maya Tempelpyramiden errichteten, schichteten Völker in den Flusstälern von Mississippi und Ohio in Nordamerika geheimnisvolle Erdhügel in unterschiedlichen Formen und Mustern auf. Manche waren Grabhügel, aber bei den meisten ist ihr Zweck unbekannt. Diese Völker nennt man „Moundbuilders“ (Erdhügelbauer), auch wenn sie zu unterschiedlichen Kulturen gehörten.

Serpent Mound (Ohio, USA) – eine Hinterlassenschaft der Hopewell-Kultur

Erdhügel der Hopewell- und der Adena-Kultur, 700 v. Chr.–400 n. Chr.

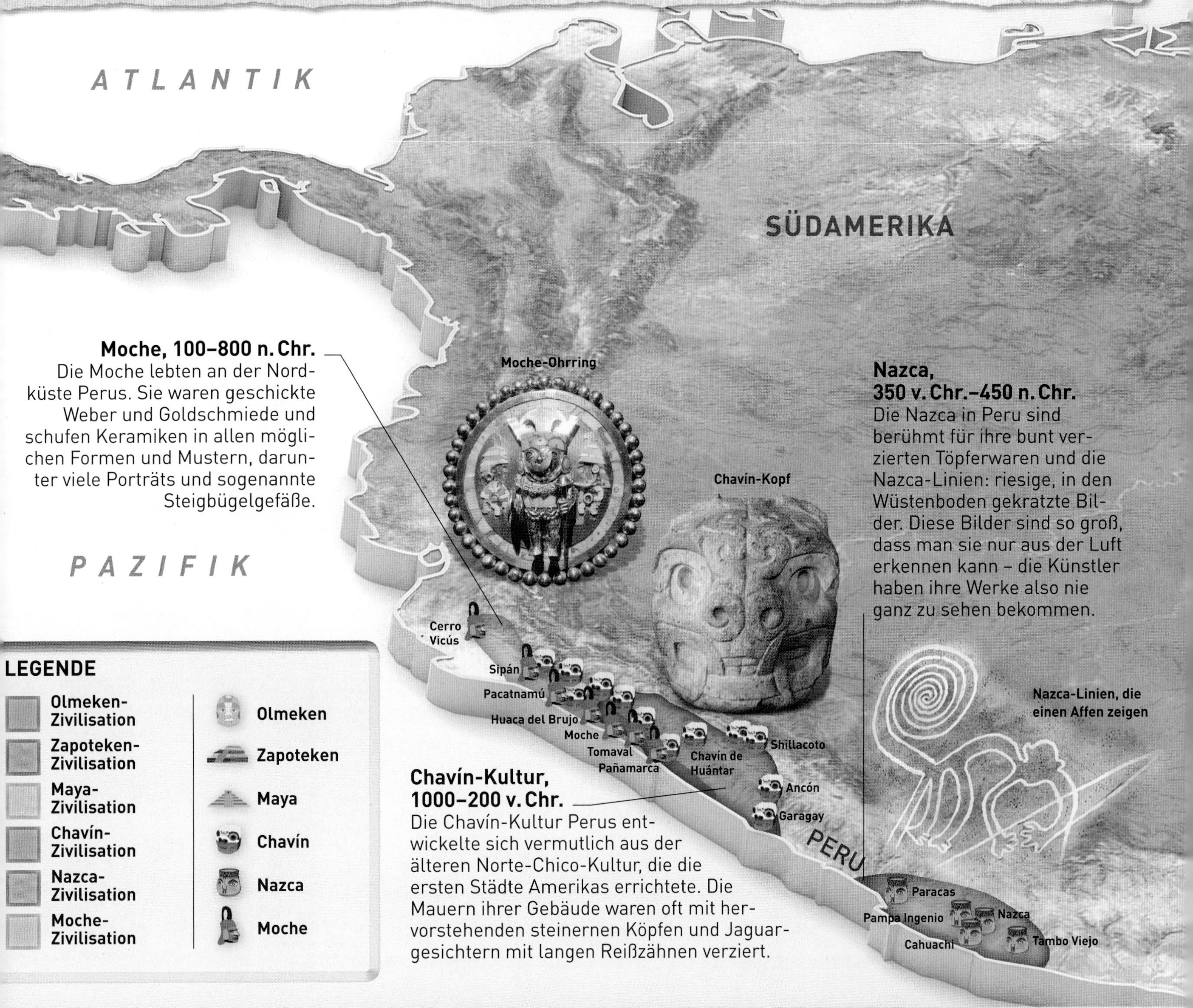

Moche, 100–800 n. Chr.
Die Moche lebten an der Nordküste Perus. Sie waren geschickte Weber und Goldschmiede und schufen Keramiken in allen möglichen Formen und Mustern, darunter viele Porträts und sogenannte Steigbügelgefäße.

Nazca, 350 v. Chr.–450 n. Chr.
Die Nazca in Peru sind berühmt für ihre bunt verzierten Töpferwaren und die Nazca-Linien: riesige, in den Wüstenboden gekratzte Bilder. Diese Bilder sind so groß, dass man sie nur aus der Luft erkennen kann – die Künstler haben ihre Werke also nie ganz zu sehen bekommen.

Chavín-Kultur, 1000–200 v. Chr.
Die Chavín-Kultur Perus entwickelte sich vermutlich aus der älteren Norte-Chico-Kultur, die die ersten Städte Amerikas errichtete. Die Mauern ihrer Gebäude waren oft mit hervorstehenden steinernen Köpfen und Jaguargesichtern mit langen Reißzähnen verziert.

LEGENDE

Olmeken-Zivilisation	Olmeken
Zapoteken-Zivilisation	Zapoteken
Maya-Zivilisation	Maya
Chavín-Zivilisation	Chavín
Nazca-Zivilisation	Nazca
Moche-Zivilisation	Moche

ZU EINER LANG GESTRECKTEN FORM, WEIL DIES ALS SCHÖN GALT.

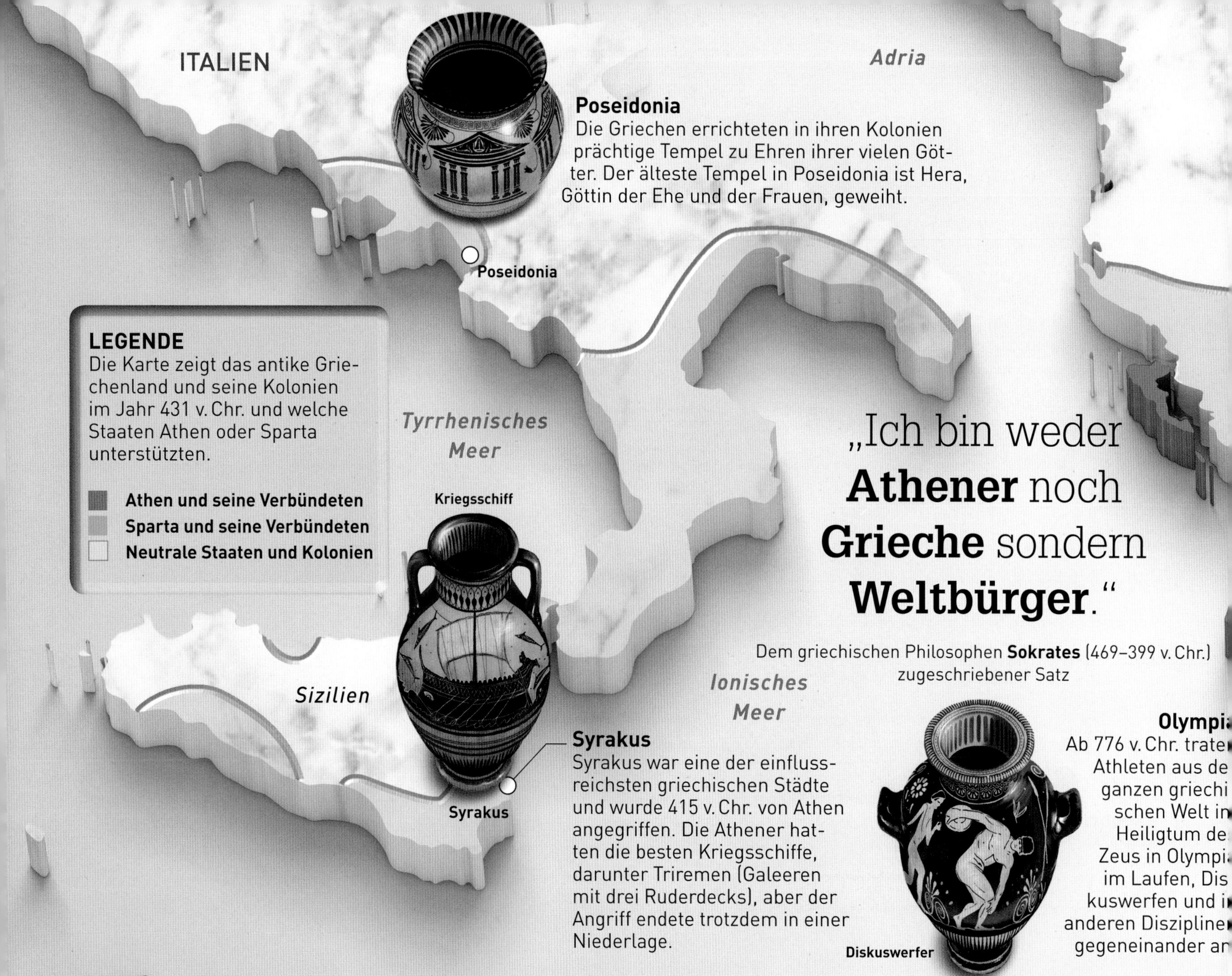

Poseidonia
Die Griechen errichteten in ihren Kolonien prächtige Tempel zu Ehren ihrer vielen Götter. Der älteste Tempel in Poseidonia ist Hera, Göttin der Ehe und der Frauen, geweiht.

LEGENDE
Die Karte zeigt das antike Griechenland und seine Kolonien im Jahr 431 v. Chr. und welche Staaten Athen oder Sparta unterstützten.

- **Athen und seine Verbündeten**
- **Sparta und seine Verbündeten**
- **Neutrale Staaten und Kolonien**

„Ich bin weder **Athener** noch **Grieche** sondern **Weltbürger**."

Dem griechischen Philosophen **Sokrates** (469–399 v. Chr.) zugeschriebener Satz

Syrakus
Syrakus war eine der einflussreichsten griechischen Städte und wurde 415 v. Chr. von Athen angegriffen. Die Athener hatten die besten Kriegsschiffe, darunter Triremen (Galeeren mit drei Ruderdecks), aber der Angriff endete trotzdem in einer Niederlage.

Olympi
Ab 776 v. Chr. trate
Athleten aus de
ganzen griechi
schen Welt in
Heiligtum de
Zeus in Olympi
im Laufen, Dis
kuswerfen und i
anderen Disziplinen
gegeneinander an

700–400 v. Chr.

Die Griechen

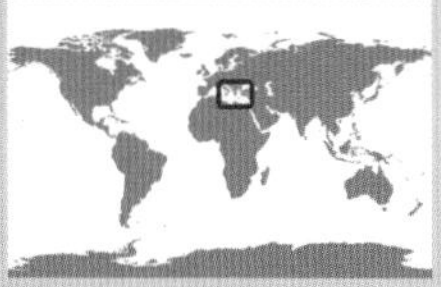

Das antike Griechenland bestand aus mehreren Stadtstaaten wie Athen und Sparta, die die gleiche Sprache hatten, an die gleichen Götter glaubten und Sport, Theater und Poesie mochten. Manchmal schlossen sie sich gegen einen gemeinsamen Feind, wie die Perser, zusammen, manchmal kämpften sie aber auch gegeneinander. Die größten Rivalen waren der stolze Kriegerstaat Sparta und Athen, die Geburtsstätte der Demokratie und Heimat großer Gelehrter und Politiker.

Athen gegen Sparta
Athen und Sparta kämpften 431–404 v. Chr. im Peloponnesischen Krieg gegeneinander. Athen eroberte Land und baute eine starke Seemacht auf, aber Sparta hatte viele Verbündete und von Kindesbeinen an trainierte Krieger. Der Krieg endete mit dem Sieg Spartas.

JEDE GRIECHISCHE STADT HATTE EIN TÖPFERVIERTEL, WO SCHÖNSTE

Thermopylen
Hier kämpften die Spartaner 480 v. Chr. verbissen gegen die Perser, sodass sich die Athener neu sammeln und das Perserreich angreifen konnten.

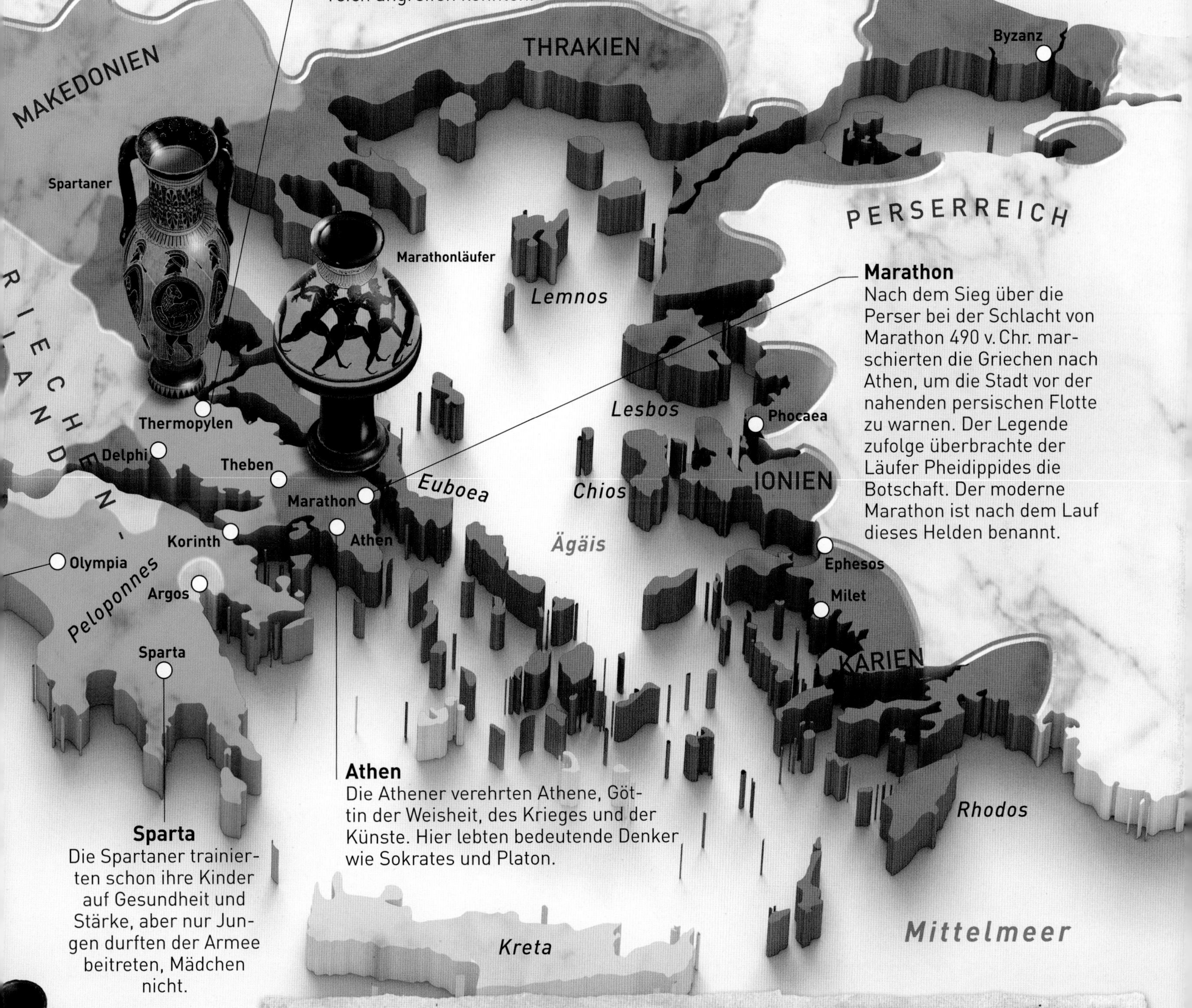

Marathon
Nach dem Sieg über die Perser bei der Schlacht von Marathon 490 v. Chr. marschierten die Griechen nach Athen, um die Stadt vor der nahenden persischen Flotte zu warnen. Der Legende zufolge überbrachte der Läufer Pheidippides die Botschaft. Der moderne Marathon ist nach dem Lauf dieses Helden benannt.

Athen
Die Athener verehrten Athene, Göttin der Weisheit, des Krieges und der Künste. Hier lebten bedeutende Denker wie Sokrates und Platon.

Sparta
Die Spartaner trainierten schon ihre Kinder auf Gesundheit und Stärke, aber nur Jungen durften der Armee beitreten, Mädchen nicht.

Kyrene
Die Stadt war ein wichtiges Handelszentrum und besaß auch ein Freilufttheater an der Küste. Alle griechischen Städte hatten Theater für Tragödien und Komödien.

Theatermasken

yrene

Supermächte am Mittelmeer

Griechenland begann sich im 8. Jh. v. Chr. auszubreiten und gründete Kolonien in der Türkei, in Italien, Frankreich, Spanien, Libyen und Ägypten. Es war aber nicht die einzige Macht seiner Zeit. Auch die Phönizier, Seeleute und Händler, unterhielten Kolonien im fernen Spanien und entlang der nordafrikanischen Küste. Die kunstsinnigen und Bronze verarbeitenden Etrusker beherrschten Norditalien, bis Rom um 280 v. Chr. die Macht übernahm.

5. Fall Lydiens
Kyros besiegte nach einer zweiwöchigen Belagerung bei Sardis 547 v. Chr. die Lyder.

11. Ionischer Aufstand
In der Seeschlacht bei Lade, nahe Milet, schlugen die Perser einen Aufstand der Ionier nieder, die von den Griechen unterstützt wurden.

4. Schlacht bei Pteria
Bei Pteria schlug Kyros die Invasion des Lyderkönigs Krösus zurück.

12. Schlacht bei den Thermopylen
In dieser Schlacht errangen die Perser ihren einzigen Sieg über die Griechen. Sie war Teil der zweiten Invasion Griechenlands unter Xerxes I., Sohn von Dareios I.

13. Schlacht von Mykale
Der Krieg gegen die Griechen endete mit der Versenkung der persischen Flotte in der Seeschlacht von Mykale.

8. Schlacht bei Pelusium
Kambyses II. eroberte nach seinem Sieg bei Pelusium Ägypten.

6. Eroberung Babylons
Kyros eroberte 539 v. Chr. Babylon, nachdem er die Babylonier bei Opis geschlagen hatte, und gründete das größte Reich, das die Welt je gesehen hatte.

550–330 v. Chr.

Das Perserreich

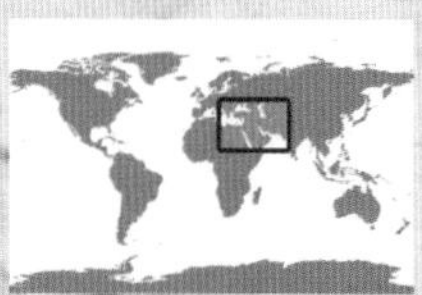

Das Perserreich breitete sich schnell aus und vereinte viele Nationen von Griechenland bis nach Pakistan. Zu seiner Glanzzeit im 5. Jahrhundert v. Chr. umfasste es drei Kontinente und beherrschte mehr als zwei Fünftel der Weltbevölkerung. Als es Griechenland angriff, folgte ein zweijähriger Krieg, der mit der Niederlage der Perser endete.

DER PERSERKöNIG KYROS DER GROSSE SCHUF DAS ERSTE POSTNETZ DER

MASSAGETEN

Kaspisches Meer

7. Tod des Kyros

7 530 v. Chr. AXARTES

Kyros wurde 530 v. Chr. in der Schlacht gegen die zentralasiatischen Massageten getötet. Sein Sohn wurde König Kambyses II. (nach Kyros Vater Kambyses I. benannt).

SOGDIEN

„Ich bin **Kyros**, der den **Persern** ihr **Reich** gab. Neide mir nicht dieses **Stück Erde, das meine Knochen bedeckt**."

Grabinschrift **Kyros des Großen**, gestorben 530 v. Chr.

3. Sieg über die Meder

Kyros eroberte 549 v. Chr. die medische Hauptstadt Ekbatana. Der Sieg über die Meder machte ihn zum König des ersten Perserreichs.

Gebrannte Ziegel am Palast von Susa zeigen die „Unsterblichen", die Leibwächter Dareios I.

Merw

MEDIEN

3 Ekbatana

BAKTRIEN

GANDHARA

10 Susa

PERSIS

10. Bau des Palasts in Susa

König Dareios I. machte Susa zu einer Residenzstadt und baute einen Palast im persischen Stil.

2. Schlacht bei Pasargadae

Kyros schlug König Astyages in der Schlacht bei Pasargadae und machte die Stadt zu seiner Hauptstadt.

Kandahar

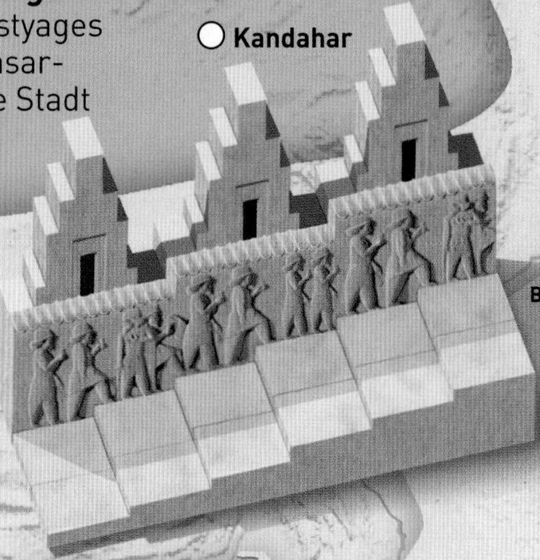

Berühmte Reliefs im östlichen Treppenhaus des Palasts zeigen die Völker des Reiches.

. Kyros Krönung

1

yros wurde 559 v. Chr. nführer des Parsa-Stamms Persis. Seine Ländereien aren Teil des Reiches von styages, König der Meder.

550 v. Chr. 2 PASARGADAE

9 Persepolis

9. Bau von Persepolis

Dareios I., Nachfolger von Kambyses II., befahl um 520 v. Chr. den Bau der neuen Hauptstadt Persepolis.

LEGENDE

1 Bedeutendes Ereignis

Entwicklung des Perserreichs (550–480 v. Chr.)

- Persisches Heimatgebiet vor 550 v. Chr.
- Landgewinne 549 v. Chr.
- Landgewinne 525 v. Chr.
- Reich in seiner größten Ausdehnung, 480 v. Chr.
- 525 v. Chr. Schlacht (mit Jahr)
- Königliche Straße
  Von Dareios I. erbaut, maß die Straße von Susa bis Sardis 2700 km. Reitende Boten konnten die Strecke in 9 Tagen zurücklegen.

Griechische Kriege (490–479 v. Chr.)

Dareios I. griff das griechische Festland 492 v. Chr. an und scheiterte. Sein Sohn Xerxes versuchte es 480 v. Chr. erneut.

- 480 v. Chr. Griechischer Sieg (mit Jahr)
- 480 v. Chr. Persischer Sieg (mit Jahr)
- Persischer Feldzug gegen Griechenland

Kyros der Große

Kyros der Große war mehr als ein Eroberer – er wurde zum Vorbild für einen guten Herrscher: Er übte Toleranz gegenüber anderen Religionen und Kulturen und war großmütig zu den Besiegten. Er ist der erste König der Geschichte, der den Beinamen „der Große" trägt.

334–323 v. Chr.

Alexander der Große

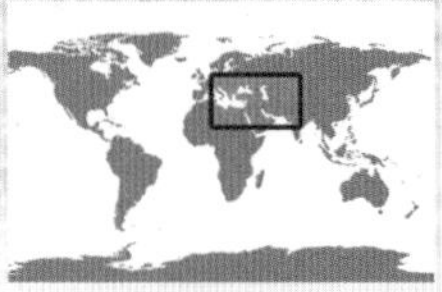

Alexander der Große war einer der größten militärischen Führer aller Zeiten. Er vereinte weit verstreute Länder unter seiner Herrschaft und führte griechische Ideale, Bräuche und Kultur ein. In etwas mehr als einem Jahrzehnt besiegte der junge König die mächtigen Perser und schuf ein Reich, das sich von Indien im Osten bis nach Ägypten im Westen erstreckte.

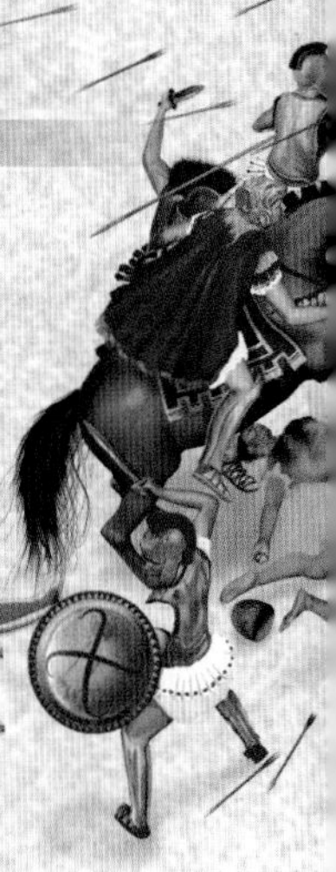

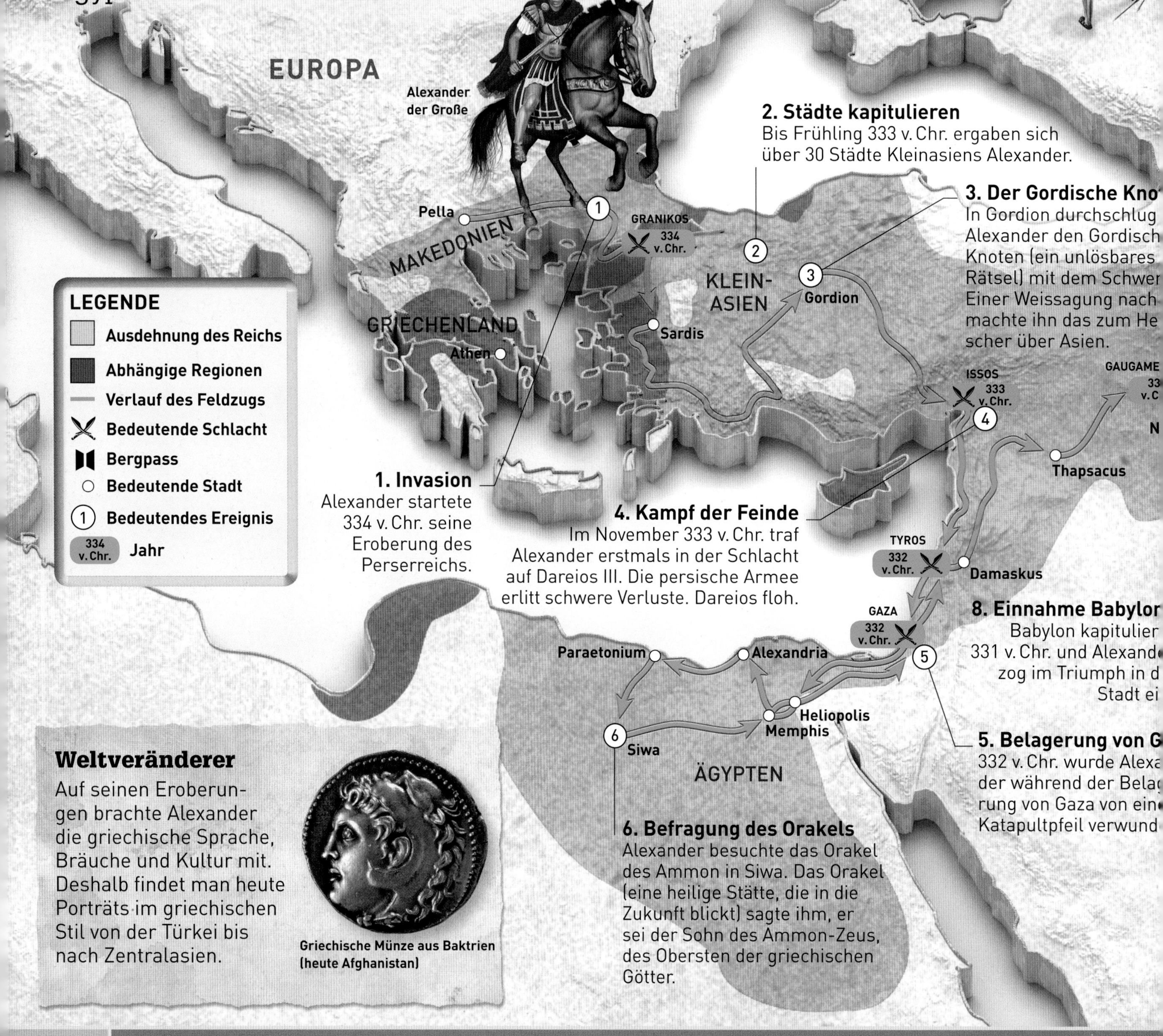

1. Invasion
Alexander startete 334 v. Chr. seine Eroberung des Perserreichs.

2. Städte kapitulieren
Bis Frühling 333 v. Chr. ergaben sich über 30 Städte Kleinasiens Alexander.

3. Der Gordische Kno
In Gordion durchschlug Alexander den Gordisch Knoten (ein unlösbares Rätsel) mit dem Schwer Einer Weissagung nach machte ihn das zum He scher über Asien.

4. Kampf der Feinde
Im November 333 v. Chr. traf Alexander erstmals in der Schlacht auf Dareios III. Die persische Armee erlitt schwere Verluste. Dareios floh.

5. Belagerung von G
332 v. Chr. wurde Alexa der während der Belag rung von Gaza von ein Katapultpfeil verwund

6. Befragung des Orakels
Alexander besuchte das Orakel des Ammon in Siwa. Das Orakel (eine heilige Stätte, die in die Zukunft blickt) sagte ihm, er sei der Sohn des Ammon-Zeus, des Obersten der griechischen Götter.

8. Einnahme Babylor
Babylon kapitulier 331 v. Chr. und Alexand zog im Triumph in d Stadt ei

Weltveränderer

Auf seinen Eroberungen brachte Alexander die griechische Sprache, Bräuche und Kultur mit. Deshalb findet man heute Porträts im griechischen Stil von der Türkei bis nach Zentralasien.

Griechische Münze aus Baktrien (heute Afghanistan)

VIELE LÄNDER UND REGIONEN, DIE ALEXANDER EROBERTE, BLIEBEN

Alexander III. von Makedonien

Als Kind sah Alexander, wie sein Vater Philipp II. von Makedonien Griechenland vereinte. Mit nur 21 Jahren wurde Alexander König und bewies sich schnell als gefürchteter Krieger und militärisches Genie, das nie eine Schlacht verlor. Er war aber auch ein Anführer mit großem diplomatischem Geschick und ein gnädiger Sieger.

„**Mein Sohn**, du musst ein **Reich** finden, das deinem **Ehrgeiz** entspricht."

Alexanders Vater **Philipp II. von Makedonien**, 346 v. Chr.

. Schlacht bei Gaugamela
n Oktober 331 v. Chr. stand lexander Dareios bei Gaugaıela zum zweiten Mal gegenber. Alexanders Sieg bedeutete as Ende des Perserreichs. areios floh erneut.

10. Tod des Dareios
Im folgenden Sommer verfolgte Alexander Dareios III. durch die Kaspischen Tore. Er fand Dareios sterbend vor.

11. Erkundung des fernen Nordens
329 v. Chr. führten Alexander bei der Erkundung seines Reiches ein paar Streifzüge Richtung Norden zum Fluss Jaxartes, er kehrte dann aber um.

12. Heirat
Alexander eroberte den Sogdischen Felsen und heiratete Roxane, die Tochter des sogdischen Fürsten Oxyartes.

13. Schlacht am Hydaspes
Am Hydaspes schlug Alexander den indischen König Poros.

14. Meuterei
Nach neun Jahren Eroberungszug weigerten sich die griechischen Soldaten am Fluss Hyphasis weiterzuziehen, Alexander kehrte um.

. Tod des lexander
exander starb am . Juni 323 v. Chr. it nur 32 Jahren aus ıgeklärten Gründen Babylon.

9. Plünderung
lexander erreichte Persepolis, die Hauptstadt er Perser. Er plünderte Stadt und brannte den Königspalast nieder.

15. Tödliche Wüste
Alexander führte seine Truppen durch die Wüste Makrans. Viele starben.

CH 200 BIS 300 JAHRE UNTER GRIECHISCHER HERRSCHAFT.

Die Große Mauer heute

Was man heute sieht, ist nicht die Mauer, die auf der Karte gezeigt ist, sondern eine Steinmauer, die erst während der Ming-Dynastie (1368–1644) erbaut wurde. Der Erdwall der Qin-Zeit existiert nicht mehr.

Xiongnu

Die Xiongnu waren ausgezeichnete Reiter und Bogenschützen, die China seit dem 3. Jh. v. Chr. immer wieder überfielen. Als Qin Shihuangdi die Große Mauer schloss, bremste dies die wilden Krieger, ihre Überfälle setzten sich aber bis in die Zeit der Han-Dynastie fort, welche die Qin-Dynastie 202 v. Chr. ablöste.

Tönerne Soldaten der Terrakotta-Armee, mit Qin Shihuangdi in Xianyang begraben

Yuezhi

Die Yuezhi waren eine indoeuropäische Stammesgruppe. Ihre Sprache war enger mit den europäischen, indischen und iranischen Sprachen verwandt als mit den chinesischen. Sie bekriegten sich häufig mit den Xiongnu, betrieben aber während der Qin-Dynastie mit den Chinesen Handel und lieferten ihnen Kriegspferde.

Xianyang

Xianyang nahe dem heutigen Xi'an war die Hauptstadt des Qin-Reichs. Als Kaiser Qin Shihuangdi 210 v. Chr. starb, wurde er in einem riesigen Grabmal beerdigt, das von einer Terrakotta-Armee bewacht wird. Die Armee besteht aus rund 8000 lebensgroßen Tonsoldaten, die Bronzewaffen tragen. Sie sollten den Kaiser im Jenseits vor bösen Geistern schützen.

Qin-Staat

Der Staat Qin („Tschin" ausgesprochen) war eines der sieben Königreiche in einer Zeit, die „Zeit der Streitenden Reiche" genannt wird (um 475–221 v. Chr.). Nach zwei Jahrhunderten der Kriege setzte sich Qin als mächtigster Staat durch, unterwarf die anderen sechs Königreiche und vereinigte China.

LEGENDE

- Qin-Reich um 260 v. Chr.
- Expansion des Qin-Reiches
- Grenze des Qin-Reiches 221 v. Chr.
- ○ Hauptstadt des Reiches

„Die **Wiederbelebung** eines **Staates** … führt **niemals** zu **Stabilität**!"

Qin Shihuangdi, Kaiser des Qin-Reichs (259–210 v. Chr), zugeschrieben

Signaltürme
Entlang der Mauer wurden in regelmäßigen Abständen Signaltürme errichtet. Die erste Mauer bestand aus gestampfter Erde. Dazu wurde Erde in einen Holzrahmen gegeben und dann Schicht um Schicht verdichtet.

Dong-hu
Die Dong-hu, die „Barbaren des Ostens“, waren die Vorfahren der Mongolen. Sie wurden 206 v. Chr., kurz vor Beginn der Han-Dynastie, vom Stammesbund der Xiongnu besiegt.

Die nördliche Mauer
Im Jahr 215 v. Chr. entsandte Qin Shihuangdi 300 000 Menschen, um eine Mauer entlang der Nordgrenze seines Reichs zu bauen. Dazu wurden viele kleinere Mauern verbunden, die in der Zeit der Streitenden Reiche erbaut worden waren. Viele Arbeiter starben beim Bau der Mauer.

221–206 v. Chr.

Die Große Mauer

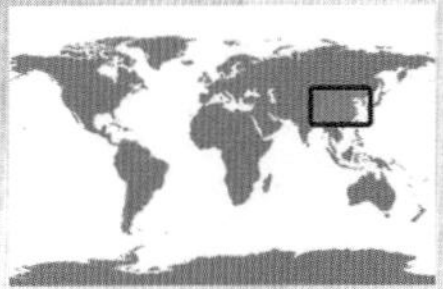

Der erste Teil der Chinesischen Mauer wurde errichtet, als das Land in viele kleine Reiche zersplittert war, die sich gegenseitig bekämpften. Einige dieser Reiche bauten Mauern, um sich gegen Überfälle der Völker aus dem Norden zu schützen. 221 v. Chr. unterwarf Ying Zheng, König des Qin-Reiches, die anderen Reiche und vereinigte China. Danach begann er damit, die Mauerteile zu einer Großen Mauer zu vereinen. Er nannte sich selbst nun Qin Shihuangdi (Erster erhabener Gottkaiser von Qin) und herrschte bis zu seinem Tod 210 v. Chr.

VON 8850 BIS 21200 KILOMETER ZUR ZEIT IHRER GRÖSSTEN AUSDEHNUNG. 35

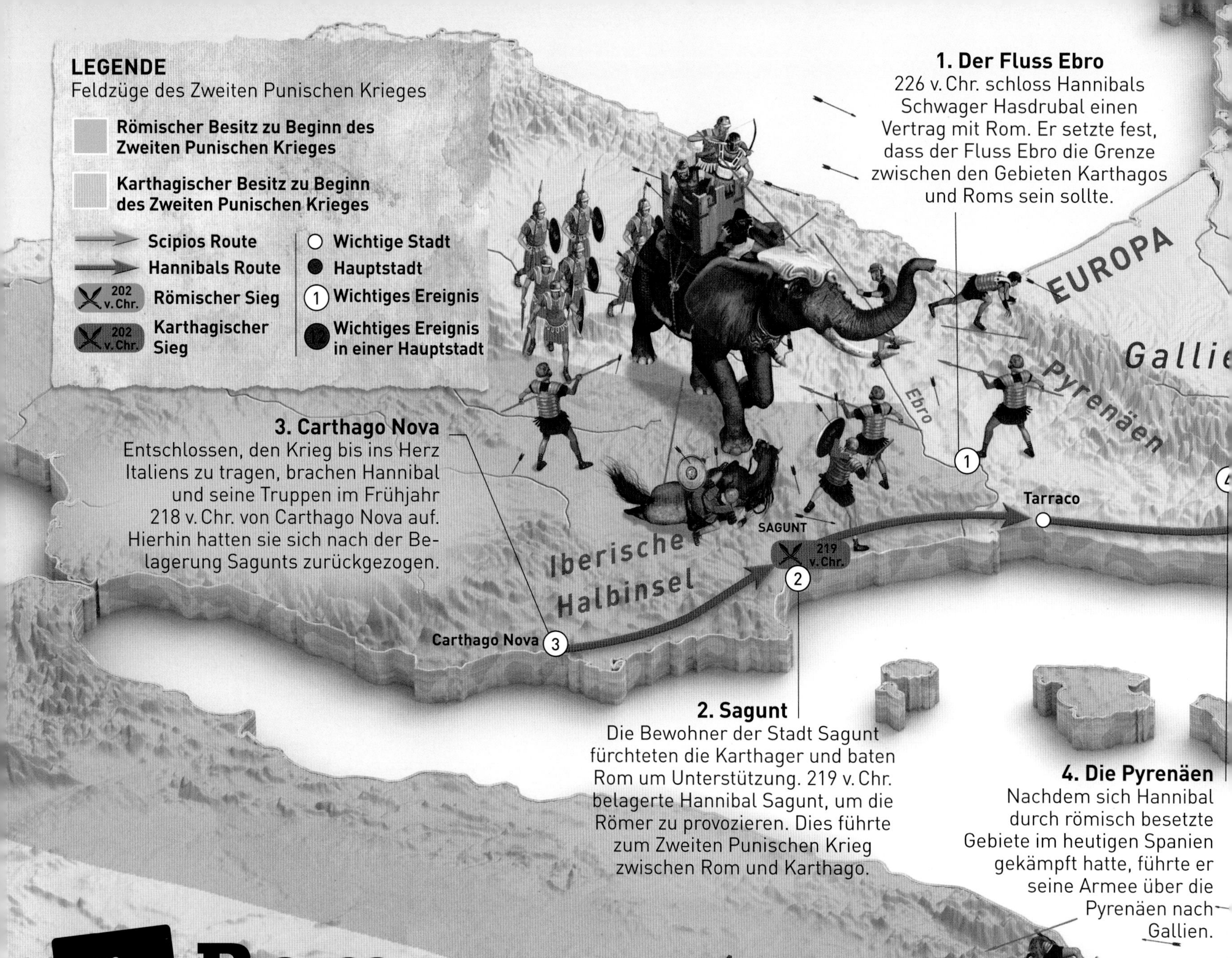
LEGENDE
Feldzüge des Zweiten Punischen Krieges
Römischer Besitz zu Beginn des Zweiten Punischen Krieges
Karthagischer Besitz zu Beginn des Zweiten Punischen Krieges
Scipios Route
Hannibals Route
202 v. Chr. Römischer Sieg
202 v. Chr. Karthagischer Sieg
Wichtige Stadt
Hauptstadt
1 Wichtiges Ereignis
Wichtiges Ereignis in einer Hauptstadt
1. Der Fluss Ebro
226 v. Chr. schloss Hannibals Schwager Hasdrubal einen Vertrag mit Rom. Er setzte fest, dass der Fluss Ebro die Grenze zwischen den Gebieten Karthagos und Roms sein sollte.
EUROPA
Galli
Pyrenäen
Ebro
3. Carthago Nova
Entschlossen, den Krieg bis ins Herz Italiens zu tragen, brachen Hannibal und seine Truppen im Frühjahr 218 v. Chr. von Carthago Nova auf. Hierhin hatten sie sich nach der Belagerung Sagunts zurückgezogen.
Tarraco
SAGUNT
219 v. Chr.
Iberische Halbinsel
Carthago Nova
2. Sagunt
Die Bewohner der Stadt Sagunt fürchteten die Karthager und baten Rom um Unterstützung. 219 v. Chr. belagerte Hannibal Sagunt, um die Römer zu provozieren. Dies führte zum Zweiten Punischen Krieg zwischen Rom und Karthago.
4. Die Pyrenäen
Nachdem sich Hannibal durch römisch besetzte Gebiete im heutigen Spanien gekämpft hatte, führte er seine Armee über die Pyrenäen nach Gallien.
AFRIKA

219–202 v. Chr.

Rom und Hannibal

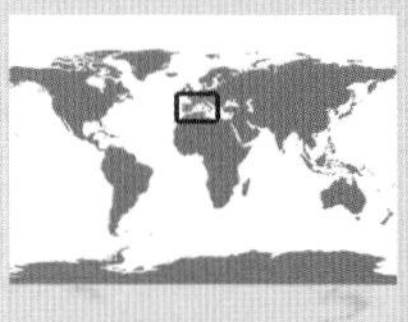

Hannibal war ein Feldherr des Reichs Karthago. Dieses Reich war von den Phöniziern gegründet worden, die von den Römern Punier genannt wurden. Weil Karthago der größte Rivale Roms war, kam es zu den Drei Punischen Kriegen. Hannibal führte 218 v. Chr. im Zweiten Punischen Krieg die karthagische Armee über die Alpen bis nach Mittelitalien. Er konnte mehrere Siege erringen und hätte Rom fast gestürzt. Schließlich endete der Krieg aber mit einer Niederlage Hannibals in der Nähe Karthagos.

DIE KARTHAGER WURDEN „PUNICI" (PURPURHÄNDLER) GENANNT, WEIL SIE

er Fluss Rhone
annibals Armee
estand nun aus
00 Mann Fußtrup-
8000 Reitern und
Kriegselefanten.
überquerten im
tember 218 v. Chr.
die Rhone.

6. Die Alpen
In einem der brillantesten militärischen Schachzüge der Geschichte führte Hannibal seine Armee über die Alpen nach Norditalien. Allerdings überlebten nur wenige der Kriegselefanten den Marsch.

Hannibal

Hannibal war einer der großen Feldherren der Antike und der einfallsreichste und größte Gegner, mit dem es die Römer je zu tun hatten. Wäre aus Karthago die nötige Unterstützung gekommen, hätte er die Römer wahrscheinlich besiegen können.

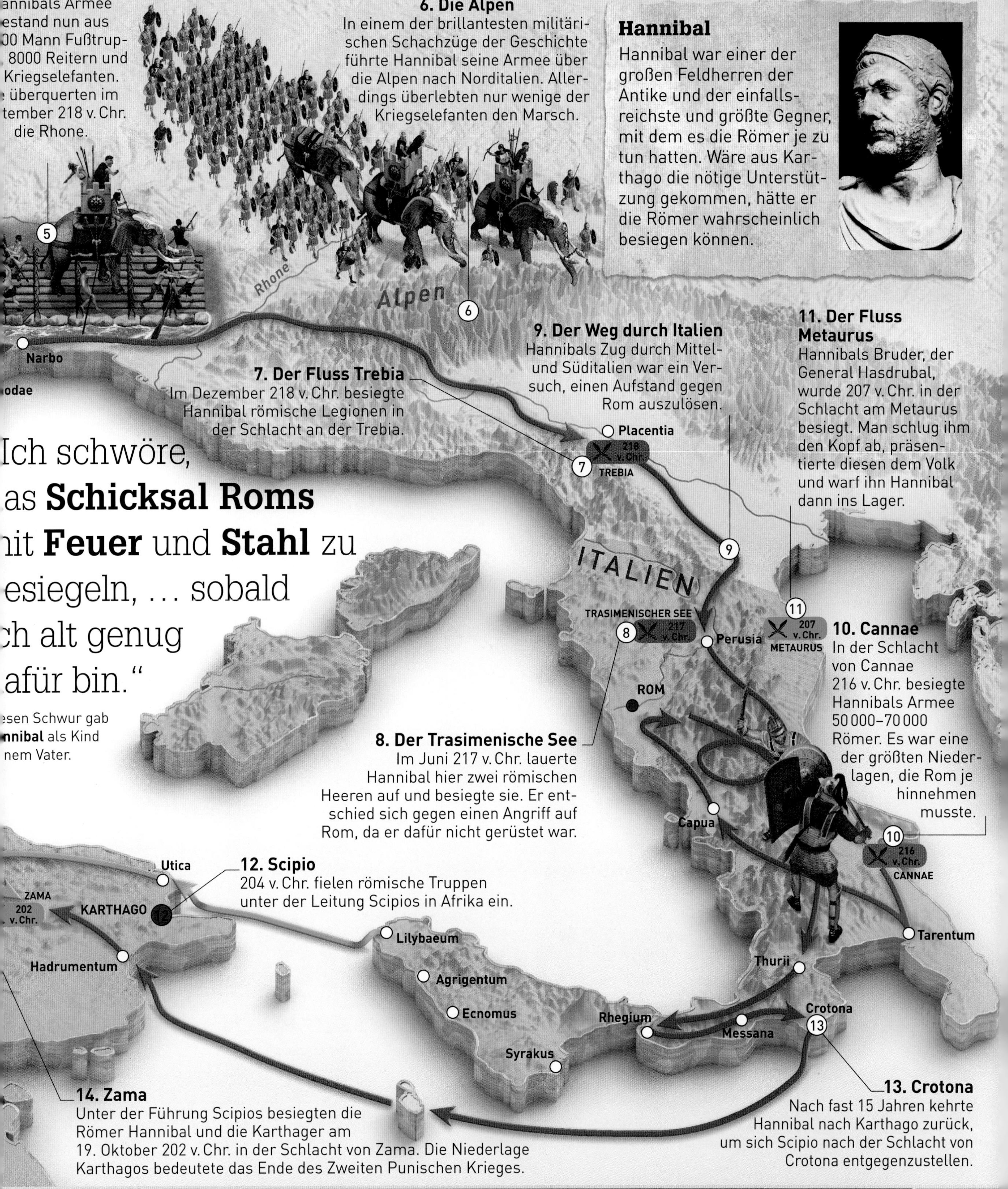

7. Der Fluss Trebia
Im Dezember 218 v. Chr. besiegte Hannibal römische Legionen in der Schlacht an der Trebia.

9. Der Weg durch Italien
Hannibals Zug durch Mittel- und Süditalien war ein Versuch, einen Aufstand gegen Rom auszulösen.

11. Der Fluss Metaurus
Hannibals Bruder, der General Hasdrubal, wurde 207 v. Chr. in der Schlacht am Metaurus besiegt. Man schlug ihm den Kopf ab, präsentierte diesen dem Volk und warf ihn Hannibal dann ins Lager.

„Ich schwöre,
as **Schicksal Roms**
nit **Feuer** und **Stahl** zu
esiegeln, … sobald
ch alt genug
afür bin."

esen Schwur gab
nnibal als Kind
nem Vater.

10. Cannae
In der Schlacht von Cannae 216 v. Chr. besiegte Hannibals Armee 50 000–70 000 Römer. Es war eine der größten Niederlagen, die Rom je hinnehmen musste.

8. Der Trasimenische See
Im Juni 217 v. Chr. lauerte Hannibal hier zwei römischen Heeren auf und besiegte sie. Er entschied sich gegen einen Angriff auf Rom, da er dafür nicht gerüstet war.

12. Scipio
204 v. Chr. fielen römische Truppen unter der Leitung Scipios in Afrika ein.

13. Crotona
Nach fast 15 Jahren kehrte Hannibal nach Karthago zurück, um sich Scipio nach der Schlacht von Crotona entgegenzustellen.

14. Zama
Unter der Führung Scipios besiegten die Römer Hannibal und die Karthager am 19. Oktober 202 v. Chr. in der Schlacht von Zama. Die Niederlage Karthagos bedeutete das Ende des Zweiten Punischen Krieges.

MIT PURPUR, DEM FARBPIGMENT FÜR KÖNIGLICHE GEWÄNDER, HANDELTEN.

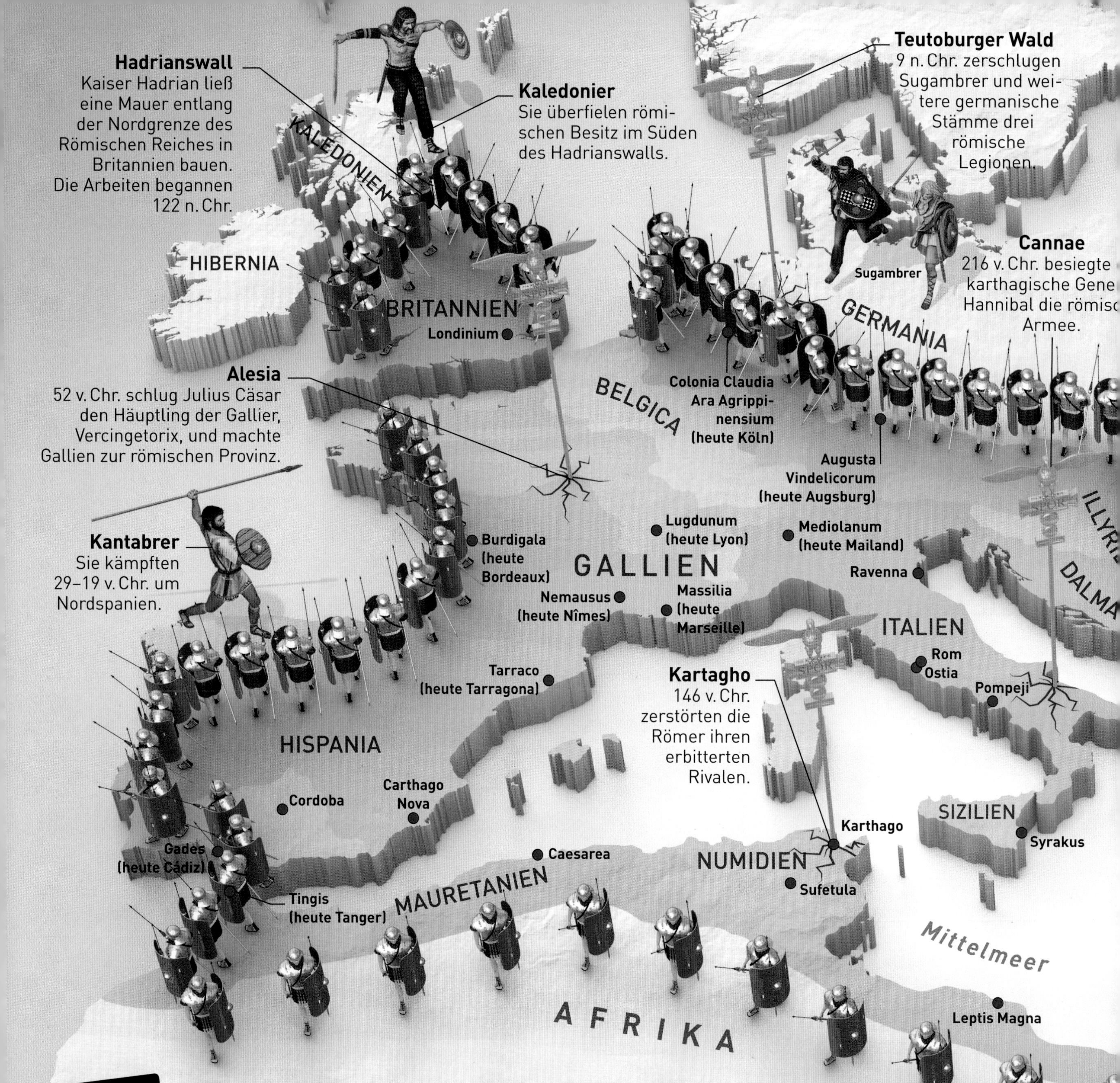

Hadrianswall
Kaiser Hadrian ließ eine Mauer entlang der Nordgrenze des Römischen Reiches in Britannien bauen. Die Arbeiten begannen 122 n. Chr.
Kaledonier
Sie überfielen römischen Besitz im Süden des Hadrianswalls.
KALEDONIEN
Teutoburger Wald
9 n. Chr. zerschlugen Sugambrer und weitere germanische Stämme drei römische Legionen.
Sugambrer
Cannae
216 v. Chr. besiegte karthagische Gene
Hannibal die römisc
Armee.
HIBERNIA
BRITANNIEN
Londinium
GERMANIA
Alesia
52 v. Chr. schlug Julius Cäsar den Häuptling der Gallier, Vercingetorix, und machte Gallien zur römischen Provinz.
BELGICA
Colonia Claudia Ara Agrippinensium (heute Köln)
Augusta Vindelicorum (heute Augsburg)
ILLYRI
DALMA
Kantabrer
Sie kämpften 29–19 v. Chr. um Nordspanien.
Burdigala (heute Bordeaux)
Lugdunum (heute Lyon)
Mediolanum (heute Mailand)
GALLIEN
Ravenna
Nemausus (heute Nîmes)
Massilia (heute Marseille)
ITALIEN
Tarraco (heute Tarragona)
Kartagho
146 v. Chr. zerstörten die Römer ihren erbitterten Rivalen.
Rom
Ostia
Pompeji
HISPANIA
Cordoba
Carthago Nova
SIZILIEN
Karthago
Syrakus
Gades (heute Cádiz)
Caesarea
NUMIDIEN
Tingis (heute Tanger)
MAURETANIEN
Sufetula
Mittelmeer
AFRIKA
Leptis Magna

27 v. Chr.–476 n. Chr.

Römisches Reich

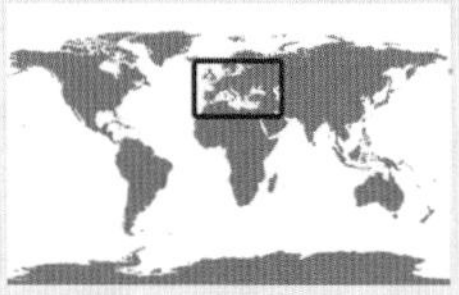

Zum Ende der Herrschaft Kaiser Trajans im Jahr 117 hatte das Römische Reich seine größte Ausdehnung erreicht. Es erstreckte sich über Europa und Nordafrika, von Großbritannien bis in den Nahen Osten.

AUF SEINEM HÖHEPUNKT HERRSCHTE ROM ÜBER 65 BIS 88 MILLIONEN

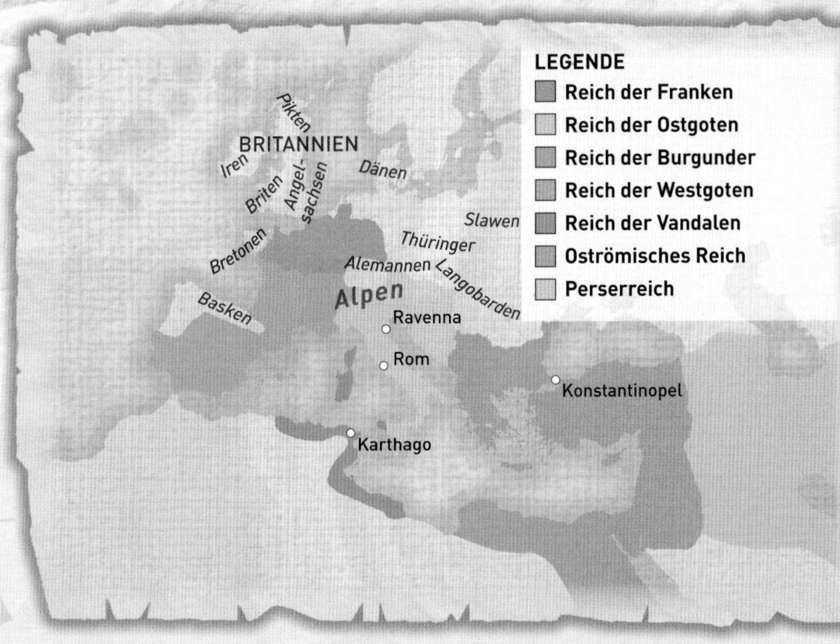

Das Ende des Reiches

Im 5. Jh. n. Chr. war das Römische Reich fast 500 Jahre alt, aber es war in eine östliche und eine westliche Hälfte zerfallen. Die Karte zeigt Europa um 500. Das Oströmische Reich mit seiner Hauptstadt Konstantinopel bestand weiter. Das Weströmische Reich wurde von Völkern aus dem Norden – den Goten Franken, Vandalen und Burgundern – überrannt.

„Ich **kam**, ich **sah**, ich **siegte**.“

Julius Cäsar nach seinem Sieg über Pharnakes II. in Kleinasien, 47 v. Chr.

MENSCHEN – MEHR ALS 20 % DER WELTBEVÖLKERUNG.

Der Apostel Paulus

Paulus hinterließ zahlreiche Spuren seiner Reisen: die Kirchen, die er baute, und seine Briefe („Episteln") an die Menschen, die er besuchte. Hier ist seine erste Reise zu sehen, wie sie in der Apostelgeschichte der Bibel beschrieben wird.

Die Ursprünge des Christentums

Jesus und seine Jünger waren Juden, auch wenn viele ihrer Glaubensvorstellungen vom traditionellen Judentum abwichen. Nach seinem Tod nannten die Jünger Jesus „Christus" (Erlöser) und verbreiteten den christlichen Glauben in alle Welt.

Frühchristliches Gemälde in den Katakomben von Rom

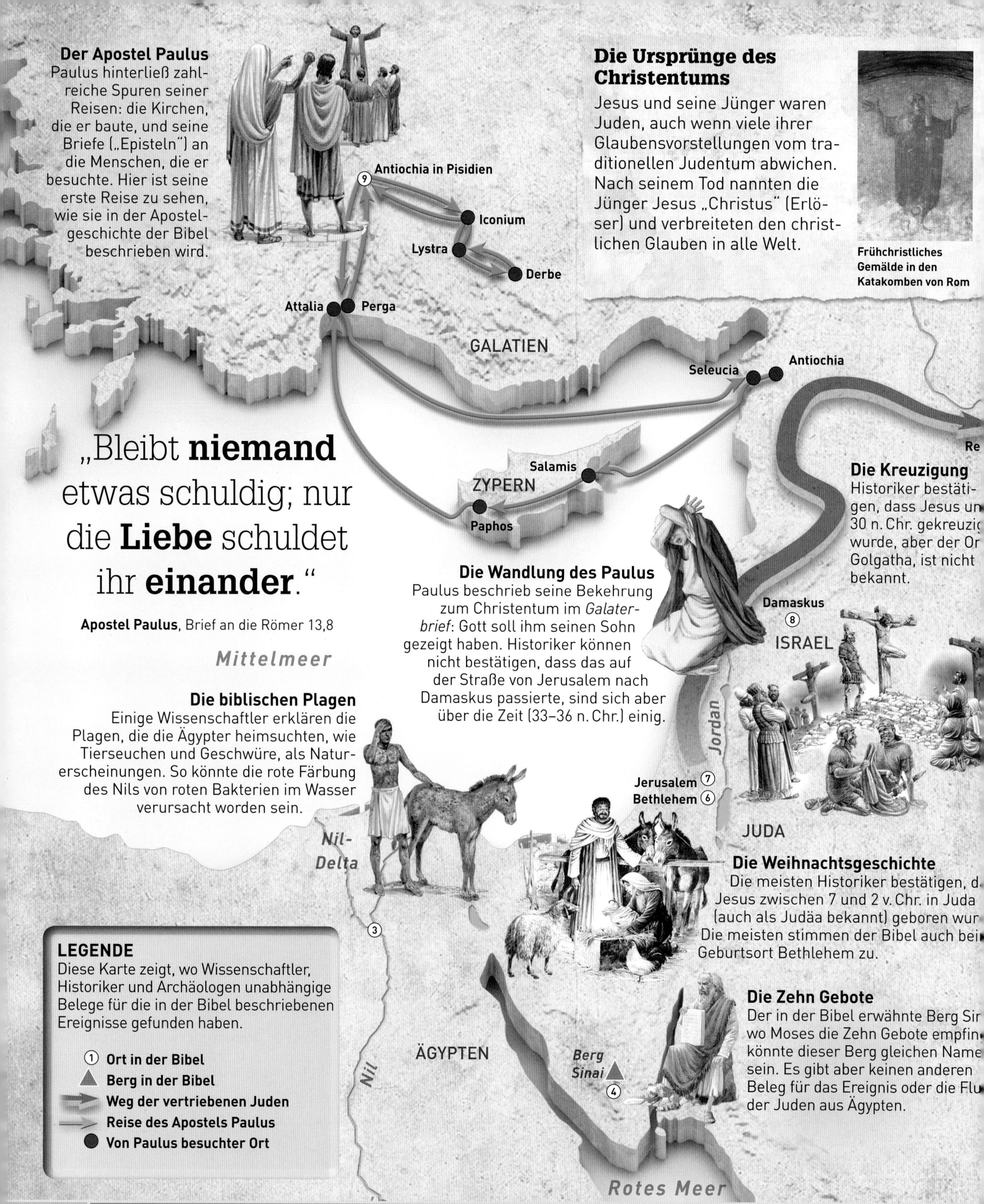

„Bleibt **niemand** etwas schuldig; nur die **Liebe** schuldet ihr **einander**."

Apostel Paulus, Brief an die Römer 13,8

Die Kreuzigung

Historiker bestätigen, dass Jesus un 30 n. Chr. gekreuzig wurde, aber der Or Golgatha, ist nicht bekannt.

Die Wandlung des Paulus

Paulus beschrieb seine Bekehrung zum Christentum im *Galaterbrief*: Gott soll ihm seinen Sohn gezeigt haben. Historiker können nicht bestätigen, dass das auf der Straße von Jerusalem nach Damaskus passierte, sind sich aber über die Zeit (33–36 n. Chr.) einig.

Die biblischen Plagen

Einige Wissenschaftler erklären die Plagen, die die Ägypter heimsuchten, wie Tierseuchen und Geschwüre, als Naturerscheinungen. So könnte die rote Färbung des Nils von roten Bakterien im Wasser verursacht worden sein.

Die Weihnachtsgeschichte

Die meisten Historiker bestätigen, d Jesus zwischen 7 und 2 v. Chr. in Juda (auch als Judäa bekannt) geboren wur Die meisten stimmen der Bibel auch bei Geburtsort Bethlehem zu.

LEGENDE

Diese Karte zeigt, wo Wissenschaftler, Historiker und Archäologen unabhängige Belege für die in der Bibel beschriebenen Ereignisse gefunden haben.

- ① **Ort in der Bibel**
- ▲ **Berg in der Bibel**
- **Weg der vertriebenen Juden**
- **Reise des Apostels Paulus**
- ● **Von Paulus besuchter Ort**

Die Zehn Gebote

Der in der Bibel erwähnte Berg Sir wo Moses die Zehn Gebote empfin könnte dieser Berg gleichen Name sein. Es gibt aber keinen anderen Beleg für das Ereignis oder die Flu der Juden aus Ägypten.

DIE BIBEL IST DER ABSOLUTE BESTSELLER: BIS HEUTE WURDEN

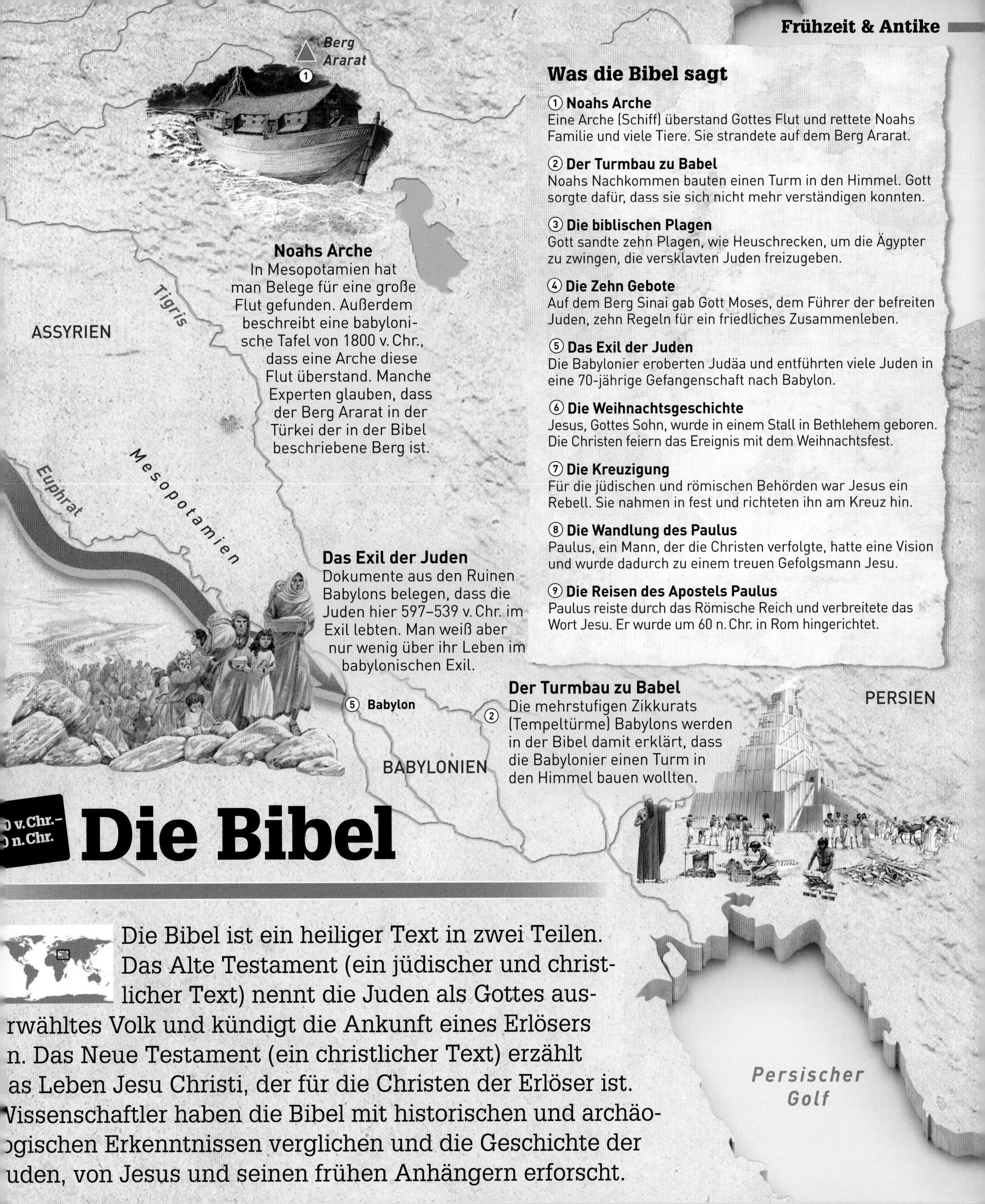

Noahs Arche
In Mesopotamien hat man Belege für eine große Flut gefunden. Außerdem beschreibt eine babylonische Tafel von 1800 v. Chr., dass eine Arche diese Flut überstand. Manche Experten glauben, dass der Berg Ararat in der Türkei der in der Bibel beschriebene Berg ist.

Das Exil der Juden
Dokumente aus den Ruinen Babylons belegen, dass die Juden hier 597–539 v. Chr. im Exil lebten. Man weiß aber nur wenig über ihr Leben im babylonischen Exil.

Der Turmbau zu Babel
Die mehrstufigen Zikkurats (Tempeltürme) Babylons werden in der Bibel damit erklärt, dass die Babylonier einen Turm in den Himmel bauen wollten.

Was die Bibel sagt

① **Noahs Arche**
Eine Arche (Schiff) überstand Gottes Flut und rettete Noahs Familie und viele Tiere. Sie strandete auf dem Berg Ararat.

② **Der Turmbau zu Babel**
Noahs Nachkommen bauten einen Turm in den Himmel. Gott sorgte dafür, dass sie sich nicht mehr verständigen konnten.

③ **Die biblischen Plagen**
Gott sandte zehn Plagen, wie Heuschrecken, um die Ägypter zu zwingen, die versklavten Juden freizugeben.

④ **Die Zehn Gebote**
Auf dem Berg Sinai gab Gott Moses, dem Führer der befreiten Juden, zehn Regeln für ein friedliches Zusammenleben.

⑤ **Das Exil der Juden**
Die Babylonier eroberten Judäa und entführten viele Juden in eine 70-jährige Gefangenschaft nach Babylon.

⑥ **Die Weihnachtsgeschichte**
Jesus, Gottes Sohn, wurde in einem Stall in Bethlehem geboren. Die Christen feiern das Ereignis mit dem Weihnachtsfest.

⑦ **Die Kreuzigung**
Für die jüdischen und römischen Behörden war Jesus ein Rebell. Sie nahmen in fest und richteten ihn am Kreuz hin.

⑧ **Die Wandlung des Paulus**
Paulus, ein Mann, der die Christen verfolgte, hatte eine Vision und wurde dadurch zu einem treuen Gefolgsmann Jesu.

⑨ **Die Reisen des Apostels Paulus**
Paulus reiste durch das Römische Reich und verbreitete das Wort Jesu. Er wurde um 60 n. Chr. in Rom hingerichtet.

0 v. Chr.–
0 n. Chr.

Die Bibel

Die Bibel ist ein heiliger Text in zwei Teilen. Das Alte Testament (ein jüdischer und christlicher Text) nennt die Juden als Gottes aus-rwähltes Volk und kündigt die Ankunft eines Erlösers n. Das Neue Testament (ein christlicher Text) erzählt as Leben Jesu Christi, der für die Christen der Erlöser ist. Vissenschaftler haben die Bibel mit historischen und archäo-ogischen Erkenntnissen verglichen und die Geschichte der uden, von Jesus und seinen frühen Anhängern erforscht.

LEGENDE
Die Pazifikinseln wurden in mehreren Wellen besiedelt.

- **Heimat der Pazifiksiedler**
- **2000–1000 v. Chr.**
- **1000 v. Chr.–1 n. Chr.**
- **1–500 n. Chr.**
- **1000–1400 n. Chr.**

Aufbruch, 2000 v. Chr
Das Volk, das die Pazifikinseln besiedelte, stammte von einer Inselgruppe, die wir heute Bismarck-Archipel nennen. Diese Volksgruppe wird auch als Lapita-Kultur bezeichnet.

Besiedlung der Marshallinseln, 1–500 n. Chr.
Seefahrer von den Fidschi-Inseln und Samoa entdeckten die Marshallinseln.

Lapita-Völkerwanderung, 2000–1000 v. Chr
Die Lapita-Kultur breitete sich bis nach Fidschi, Samoa und Tonga aus. Auf all diesen Inseln fanden Archäologen für die Lapita typische Töpferwaren, die dies beweisen.

„Wie ist es zu erklären, dass dieses Volk sich so weit über den **riesigen Ozean ausgebreitet** hat?“

Kapitän James Cook,
bei seiner Landung in Hawaii 1778

Letzte Landung, 1000 n. Chr.
Neuseeland war die letzte Pazifikinsel, die von den polynesischen Seefahrern entdeckt wurde. Sie stammten entweder von den Gesellschaftsinseln oder den Cookinseln.

Einfallsreiche Navigatoren

Die Besiedler der Pazifikinseln fanden erstaunliche Wege, um auf dem riesigen Ozean zu navigieren. Sie beobachteten Größe und Richtung der Wellen, studierten die Bewegung der Sterne und Wolken und folgten den Vögeln, die auf dem Meer Fische jagten. All diese Informationen und die Lage von Inseln hielten sie in Karten aus Zweigen fest.

Seekarte aus Zweigen

DER PAZIFIK IST DER GRÖSSTE OZEAN DER ERDE. ER BEDECKT EI

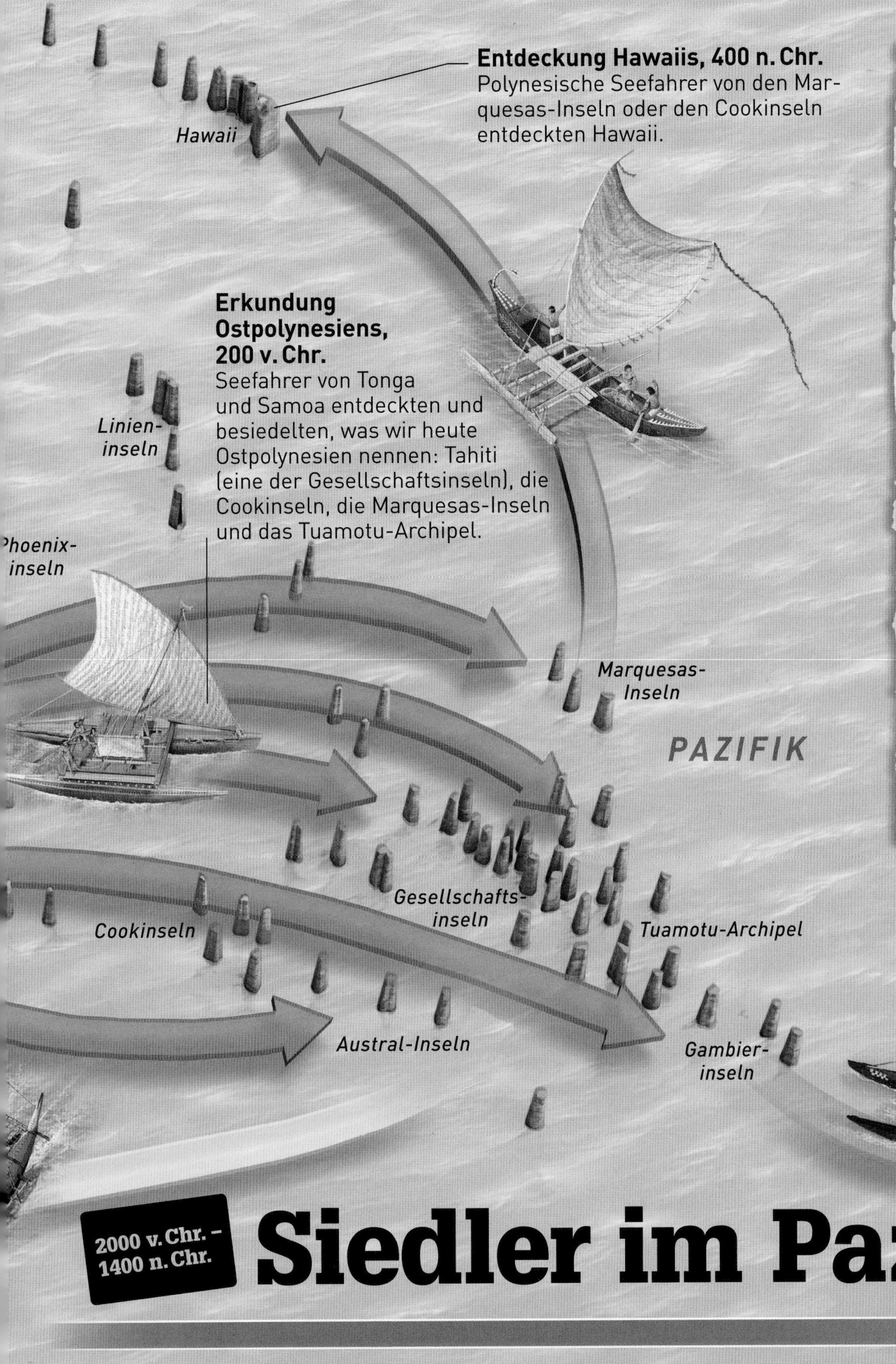

Entdeckung Hawaiis, 400 n. Chr.
Polynesische Seefahrer von den Marquesas-Inseln oder den Cookinseln entdeckten Hawaii.

Erkundung Ostpolynesiens, 200 v. Chr.
Seefahrer von Tonga und Samoa entdeckten und besiedelten, was wir heute Ostpolynesien nennen: Tahiti (eine der Gesellschaftsinseln), die Cookinseln, die Marquesas-Inseln und das Tuamotu-Archipel.

Ankunft an der entlegensten Siedlung, 500 n. Chr.
Polynesier vom Tuamotu-Archipel oder den Gambierinseln entdeckten und besiedelten die Osterinsel, auch Rapa Nui genannt. Sie ist eine der entlegensten Inseln der Erde.

Pflanzen und Tiere

Die Siedler nahmen Vorräte mit, um auf ihren Reisen zu überleben und um sich auf den neu gefundenen Inseln versorgen zu können.

Taro
Der Taro hat essbare Rhizome. Er wurde in Süßwassermarschen und in angelegten Gruben angebaut.

Schweine
Die Schweine Polynesiens sind Nachfahren von Wildschweinen aus Eurasien.

Pazifische Ratte
Die Ratten waren kein Proviant, sondern blinde Passagiere. Sie eroberten jede von den Menschen entdeckte Insel.

2000 v. Chr. – 1400 n. Chr.

Siedler im Pazifik

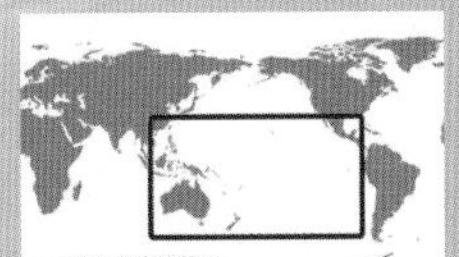

Die Besiedlung der Pazifikinseln ist ein spannendes Kapitel in der Siedlungsgeschichte der Menschheit. Diese ersten Hochseesegler und Navigatoren waren kühne Entdecker, die den riesigen Pazifik in einfachen Auslegerbooten zu einer Zeit überquerten, zu der die Europäer nur in Sichtweite der Küste segelten.

Tempel der Artemis
Dieser Tempel wurde drei Mal wieder aufgebaut, jedes Mal größer und schöner als zuvor. Der dritte hatte 127 Säulen, wurde aber 401 n. Chr. endgültig zerstört.

Hagia Sophia
Die 537 n. Chr. in Istanbul gebaute Kirche wurde 1453 in eine Moschee umgewandelt. Heute ist sie ein Museum.

Zeus-Statue des Phidias
Der griechische Bildhauer Phidias schuf 430 v. Chr. eine Statue des Gottes Zeus aus Gold, Elfenbein, Ebenholz und Edelsteinen. Sie wurde im 5. Jh. n. Chr. durch ein Feuer zerstört.

Koloss von Rhodos
Die riesige (kolossale) Statue des griechischen Gottes Helios wurde errichtet, um ihm für die Rettung der Stadt Rhodos vor Feinden zu danken. Sie wurde nach nur 54 Jahren 226 v. Chr. von einem Erdbeben zerstört.

Akropolis
Die im 5. Jh. v. Chr. erbaute Zitadelle von Athen umfasste auch den Parthenon, einen riesigen Tempel.

Grab von Maussolos in Halikarnassos
Das um 350 v. Chr. erbaute riesige Grab des persischen Statthalters Maussolos hat den Begriff „Mausoleum" geprägt.

LEGENDE
Diese Karte zeigt die Sieben Weltwunder der Antike rund ums Mittelmeer.

- **Sieben Weltwunder**
- **Andere Großbauten der Antike**

Leuchtturm von Alexandria
Das Feuer des 283 v. Chr. gebauten Leuchtturms auf der Insel Pharos war noch aus 50 km Entfernung zu sehen. Er wurde durch drei Erdbeben beschädigt und 1323 n. Chr. endgültig zerstört.

Petra
Die zwischen 100 v. Chr. und 100 n. Chr. aus dem Fels gehauene Stadt war ein arabisches Handelszentrum im heutigen Jordanien.

Cheops-Pyramide
Die große Pyramide (2500 v. Chr.) ist das Grab des Pharaos Cheops. Es dauerte rund 20 Jahre, um die 2 Mio. Steinblöcke zur Pyramide aufzuschichten.

„Als ich sah, wie sich das **heilige Haus** der **Artemis** in die Wolken erhob, trat alles andere in den **Schatten**."

Antipatros von Sidon, antiker griechischer Dichter, um 140 v. Chr.

MIT 146,5 METERN HÖHE WAR DIE CHEOPS-PYRAMIDE NAHEZU 4000 JAHRE

Schwarzes Meer

ANATOLIEN

Mittelmeer

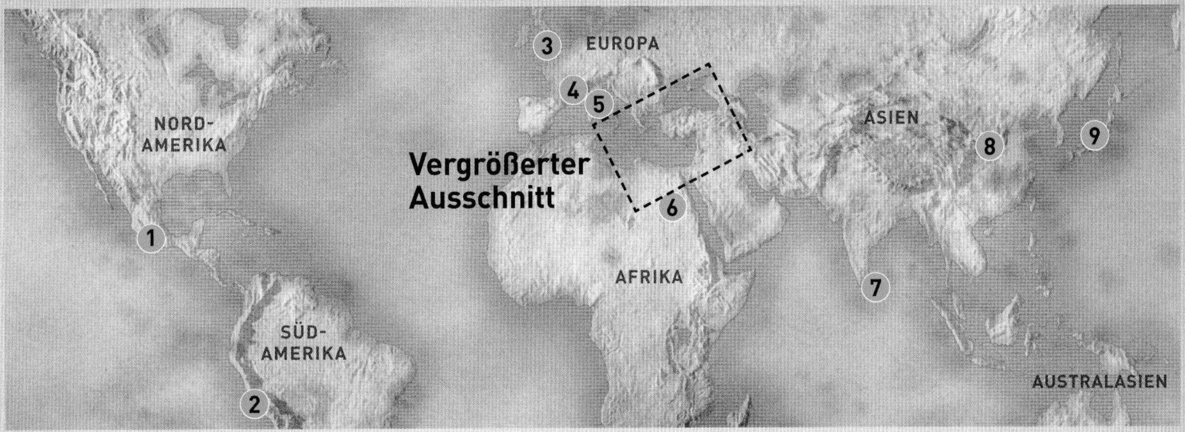

Wunder in aller Welt

Auch in der übrigen Welt findet man Wunder der Baukunst aus uralten Zeiten. Hier sind neun von ihnen aufgelistet.

1 **Pyramide von Cholula** 300 v. Chr. in Mexiko erbaut, ist dies weltweit die Pyramide mit dem größten Volumen.

2 **Nazca-Linien** Diese fantastischen, riesigen Muster, Tier- und Pflanzenbilder wurden 350 v. Chr.–650 n. Chr. in den Wüstenboden Perus gekratzt.

3 **Stonehenge** Die Kreise aus 4 Tonnen schweren Felsblöcken wurden 3100–1600 v. Chr. in Großbritannien aufgestellt. Niemand kennt den Grund.

4 **Pont du Gard** Der römische Aquädukt (eine Wasser führende Brücke) in Frankreich wurde 19 v. Chr. erbaut und ist 50 m hoch.

5 **Kolosseum** Das Stadion mit 50 000 Plätzen wurde 80 n. Chr. erbaut, um darin Gladiatorenkämpfe zu veranstalten.

6 **Tempel von Abu Simbel** Die zwei Felsentempel wurden 1264–1244 v. Chr. zu Ehren des Pharaos Ramses II. und seiner Frau Nefertari erbaut.

7 **Sigiriya** Die Felsenfestung auf Sri Lanka wurde im Jahr 495 aus dem massiven Fels gehauen und wird von einem riesigen Löwenkopf bewacht.

8 **Terrakotta-Armee** Eine Armee aus 8000 lebensgroßen Tonkriegern bewacht das Grab des ersten Kaisers von China.

9 **Daisen Kofun** Dieser im 5. Jh. erbaute Grabhügel ist der größte der Welt. Aus der Luft betrachtet, ist er wie ein Schlüsselloch geformt.

ASIEN

Hängende Gärten von Babylon
Um 600 v. Chr. baute König Nebukadnezar für seine Frau Amytis eine Reihe von Terrassengärten. Sie wurden im 1. Jh. n. Chr. restlos zerstört.

2500 v. Chr.– 650 n. Chr.

Die Weltwunder

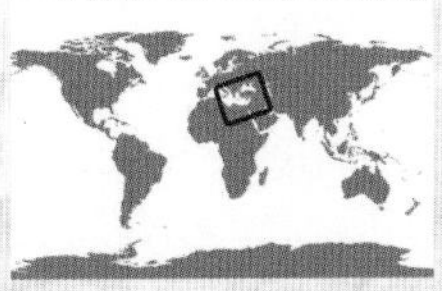

In der Antike entstanden zahlreiche unglaubliche Bauten. Besonders berühmt sind die sogenannten Sieben Weltwunder. Im alten Griechenland bezeichnete man damit eine Gruppe von Gebäuden und Statuen, von denen eines spektakulärer war als das andere. Alle sieben Bauten standen rund um das Mittelmeer, der Region, die die Griechen bereisten und kannten. Heute steht nur noch eines dieser Wunderwerke: die Cheops-Pyramide.

BABYLONIEN

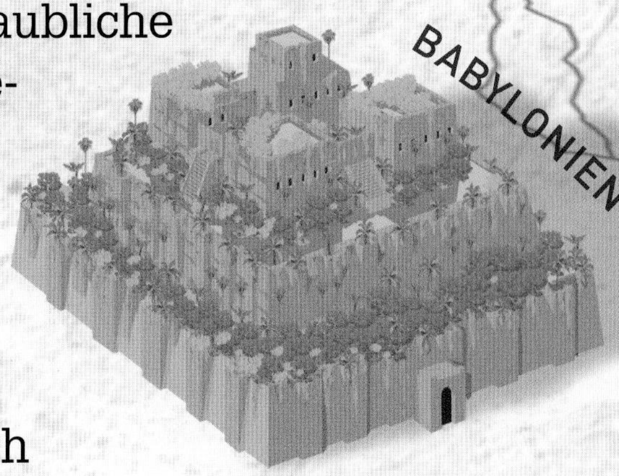

EUROPA

Musikinstrumente, vor 43 000–40 000 Jahren
Die ältesten bekannten Musikinstrumente sind Flöten aus Mammutknochen, die auf der Schwäbischen Alb in Deutschland gefunden wurden.

Fahrzeug auf Rädern, 3200 v. Chr.
Die ältesten bekannten Räder für den Transport wurden 2002 in Slowenien gefunden. Man vermutet, sie gehörten zu einem zweirädrigen Karren.

Landkarte, vor 13 000 Jahren
Ein Felsbrocken, der 1993 in der Höhle von Abauntz in Spanien gefunden wurde, zeigt die älteste bekannte Landkarte – sie beschreibt die Umgebung der Höhle.

Ziegel, 7500 v. Chr.
Die ersten Ziegel wurden aus Lehm und Stroh gefertigt. Experten glauben, dass sie aus Anatolien (Türkei) stammen.

Aquädukt, 2000 v. C
Aquädukte sind Kanäle, frisches Quell- oder Flu wasser zu den Siedlungen Menschen transportieren. liegen unter oder über Erde, teils führen sie so über Brücken. Die ers Aquädukte wurden in antiken Stadt Nin (heute Mossul Irak) erba

Münzen, 610–600 v. Chr.
Die ersten Münzen wurden im Königreich Lydien (heute Türkei) in Umlauf gebracht. Sie trugen das Bildnis eines brüllenden Löwen.

Bronze, 3200 v. Chr.
Archäologische Funde deuten an, dass Bronze erstmals im alten Ägypten zur Herstellung von Werkzeug und Waffen benutzt wurde.

Glas, 3500 v. Chr.
Glas wurde vielleicht zuerst in Mesopotamien (heute Irak) hergestellt. Schon vor mehr als 5000 Jahren machte man dort Glasperlen.

Seife, 2800
Seife aus Öle und Salzen w zuerst in Bab (heute Irak) z Säubern von hergestellt.

Sonnenuhr, 1500 v. Chr.
Im alten Ägypten diente ein einfacher Stab als Sonnenuhr. Die Länge seines Schattens gab die Tageszeit an.

Feuer, vor 790 000 Jahren
(siehe Kasten unten)

Töpferscheibe, 3500 v. Chr.
Mit der Töpferscheibe konnte man gleichmäßig runde Gefäß herstellen. Forscher glauben, dass sie in Mesopotamien erfunden wurde.

AFRIKA

Herr über das Feuer

In Israel fanden Archäologen Hinweise darauf, dass bereits die Vorfahren des Menschen, etwa der *Homo erectus*, Feuer nutzten. Man fand immer wieder Feuerstellen. Die Beherrschung des Feuers bedeutete, dass der *Homo erectus* in kältere Regionen vordringen, gefährliche Tiere verjagen und Nahrung kochen konnte.

DAS RAD WURDE URSPRÜNGLICH ZUM TÖPFERN ERFUNDEN UND ERS

or 790 000 Jahren – 50 v. Chr.

Frühe Erfindungen

Bei den meisten großen Erfindungen der Antike ist der Ursprung sehr schwer festzustellen, da sie gemacht wurden, bevor der Mensch Dinge aufschrieb. Daher nutzen Historiker rchäologische Funde und können so zumindest das früheste bekannte uftreten vieler dieser Erfindungen nachweisen.

„**Notwendigkeit** ist die **Mutter** der **Erfindung**."

Platon, griechischer Philosoph, 428–348 v. Chr.

Schmelzofen, 500 v. Chr.
Schmelzöfen wurden in China erfunden, um Gusseisen herzustellen. Das war für die Herstellung von Werkzeugen und Kochtöpfen wichtig.

Rohrleitungen, 2600 v. Chr.
berreste des frühesten bekannten Abwassersystems wurden im Tal des Indus (heute Pakistan) gefunden. Sie leiteten Regenwasser in Gräben um und verhinderten so, dass die Städte Harappa und ohenjo-Daro überflutet wurden.

Papier, 1. Jh. v. Chr.
Papier wurde während der Han-Dynastie in China erfunden. Es war preiswert herzustellen und ersetzte teurere Schreibmaterialien wie Bambus und Seide.

Tinte, 2600 v. Chr.
Die erste Tinte aus Ruß und Klebstoff wurde in China zum Malen von Schatten verwendet. Die Tinte hatte die Form eines festen Blocks und musste angefeuchtet werden.

Steigbügel, 500–200 v. Chr.
ntike Skulpturen lassen vermuten, s Steigbügel zuerst in Indien verwendet rden. Ein Steigbügel ab dem Reiter mehr Kontrolle über sein ferd, was den Kampf n Sattel erleichterte.

Keramik, 18 000 v. Chr.
Archäologen fanden 2012 in Jiangxi (China) die ältesten bisher bekannten Keramikgefäße.

RUND 300 JAHRE SPÄTER ALS TRANSPORTHILFE UMFUNKTIONIERT.

Das Mittelalter

Azteken-Kalender
Als eine der fortschrittlichsten Zivilisationen des Mittelalters entwickelten die Azteken in Mesoamerika einen Kalender. Der „Stein der Sonne“ zeigt diesen Kalender: Er trägt in der Mitte den Sonnengott Tonatiuh.

Das Mittelalter

Zu Beginn des Mittelalters, etwa 500 n. Chr., zerfiel das Römische Imperium. Nur im östlichen Mittelmeerraum konnte es sich halten und lebte dort als Byzantinisches Reich weiter. Ab dem 7. Jh. breitete sich das Kalifenreich im Nahen Osten aus. China war in dieser Epoche das fortschrittlichste und wohlhabendste Land der Erde.

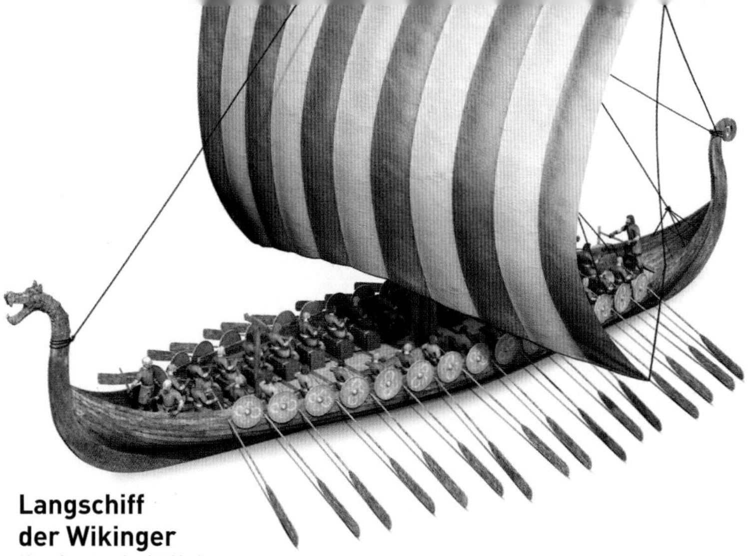

Langschiff der Wikinger Ihr fortschrittlicher Schiffsbau erlaubte es den Wikingern, die Ozeane zu überqueren und neue Länder zu besiedeln.

500 n. Chr.

BYZANTINISCHES REICH (555) Das Oströmische Reich, auch Byzantinisches Reich genannt, erreichte seine größte Ausdehnung.

KLASSIK DER MAYA (6. Jh.) Die Maya-Kultur in Zentralamerika hatte ihre Blütezeit. »S. 70–71

TANG-DYNASTIE IN CHINA (618–907) Das Reich Chinas dehnte s bis zum Perserreich a »S. 56–57

MOHAMMEDS FLUCHT NACH MEDINA (622) Der Prophet Mohammed floh nach Mekka und begründete in Medina (Saudi-Arabien) die neue Religion des Islam.

KAISERREICH ABESSINIEN (1137–1974) Mit der Zagwe-Dynastie nahm das ostafrikanische Kaiserreich seinen Anfang. »S. 68–69

KÖNIGREICH SIMBABWE (12.–15. Jh.) Groß-Simbabwe kontrollierte den Elfenbein- und Goldhandel von der Küste bis ins Landesinnere. »S. 68–69

2. KREUZZUG (1147–1149) Die Armeen der Kreuzfahrer wurden in Anatolien (in der heutigen Türkei) besiegt. »S. 60–61

3. KREUZZUG (1189–1192) Ein weiterer Versuch, Jerusalem für die Christen einzunehmen, scheiterte. »S. 60–61

SEIDENSTRASSE (13. Jh.) Von China über Indien nach Europa führend, war sie im 13. Jh. die geschäftigste Handelsroute der Welt. »S. 52–53

4. BIS 7. KREUZZUG (1202–1270) Es wurden vier weitere große Kreuzzüge geführt. Sie alle richteten sich gegen Nichtchristen. »S. 60–61

Mongolischer Krieger

MONGOLEN VEREINIGT (1206) Dschingis Khan vereinte die sich bekämpfenden mongolischen Stämme und gründete das erste Khanat (Mongolenreich). »S. 62–63

BLÜTEZEIT DES MONGOLENREICHES (1279) Das Mongolenreich erstreckte sich von der Ukraine bis nach Ostchina. »S. 62–63

BRILLE (1286) In Italien wurde die erste Brille erfunden. »S. 72–73

Brille

MONGOLISCHE KHANATE (1294) Das Mongolenreich teilte sich während der Yuan-Dynastie in China in vie Khanate auf. »S. 62–63

OSMANISCHES REICH (1301–1922) Herrscher Osman I. gründete in der Türkei sein Reich. Es wuchs zu einer führenden islamischen Macht im östlichen Mittelmeerraum heran.

ENDE VON BYZANZ (1453) Der osmanisch Sultan Mehmed II. eroberte Konstantinopel und beendete das Byzantinische Reich.

1500 n. Chr.

Der osmanische Sultan Mehmed II.

DAS ÄLTESTE VOLLSTÄNDIG ERHALTENE GEDRUCKTE BUCH IST EINE

ISLAMISCHE EXPANSION
(632–750) Nach Mohammeds Tod breitete sich der Islam schnell aus. Von Marokko bis Indien erstreckte sich ein Kalifat. »S. 68–69

MAURISCHES SPANIEN
(711–1492) Mauren aus Nordafrika überfielen Spanien und brachten es unter islamische Herrschaft.

ANKUNFT DER WIKINGER
(793) Ihr erster Überfall außerhalb Skandinaviens zerstörte die Abtei der Insel Lindisfarne. »S. 54–55

PAPIERGELD (900)
In China wurde erstmals Papiergeld verwendet. »S. 72–73

WINDMÜHLEN (644)
:e wurden in Persien zum Mahlen von Getreide und um Pumpen von Wasser erfunden. »S. 72–73

KARRENPFLUG (um 650)
Die Erfindung des Karrenpflugs erlaubte die Bewirtschaftung schwerer Lehmböden. »S. 72–73

ZEIT DER WIKINGER (9.–10. Jh.)
Sie breiteten sich von Skandinavien nach England, Irland, Island, Grönland und Frankreich aus. »S. 54–55

Die Burg Krak des Chevaliers in Syrien, im 12. Jh. von Kreuzfahrern errichtet

1. KREUZZUG
(1096–1099) Die Kreuzfahrer nahmen Jerusalem ein, verloren es aber 50 Jahre später wieder. »S. 60–61

ENDE DES REICHES VON GHANA (1076) Das westafrikanische Reich von Ghana wurde von marokkanischen Berbern erobert. »S. 68–69

BLÜTEZEIT DES BURGENBAUS (11./12. Jh.)
In Europa und im Nahen Osten wurden befestigte Wohnsitze errichtet. »S. 58–59

.UFRUF ZUM KREUZZUG
5) Papst Urban II. rief die :n Europas zur Befreiung alems aus muslimischer Herrschaft auf. »S. 60–61

KOMPASS (1040–1044)
Das chinesische Militär benutzte erstmals einen Kompass zur Navigation. »S. 72–73

AMERIKA ENTDECKT
(1001) Der Wikinger Leif Eriksson landete als erster Europäer auf dem Kontinent. »S. 54–55

SONG-DYNASTIE IN CHINA (960–1279) Gewehre, Raketen und der Druck mit beweglichen Lettern wurden erfunden. »S. 56–57

HUNDERTJÄHRIGER KRIEG
(1337–1453) 116 Jahre langer Krieg zwischen Frankreich und England, aus dem Frankreich siegreich hervorging.

SCHWARZER TOD (1347–1351)
Die Pest wütete in Europa, übertragen durch Ratten aus Zentralasien. »S. 64–65

REICH DER INKA (1400–1531)
Das größte Reich Südamerikas breitete sich von Peru über die Anden aus, bis es durch die spanischen Eroberer zerstört wurde. »S. 70–71

SANDUHR (1338)
Vermutlich für die Seefahrt erfunden, war die Sanduhr das erste genaue Zeitmessgerät. »S. 72–73

ENDE DER MONGOLEN
(1368) Die mongolische Yuan-Dynastie in China wurde von der chinesischen Ming-Dynastie gestürzt.

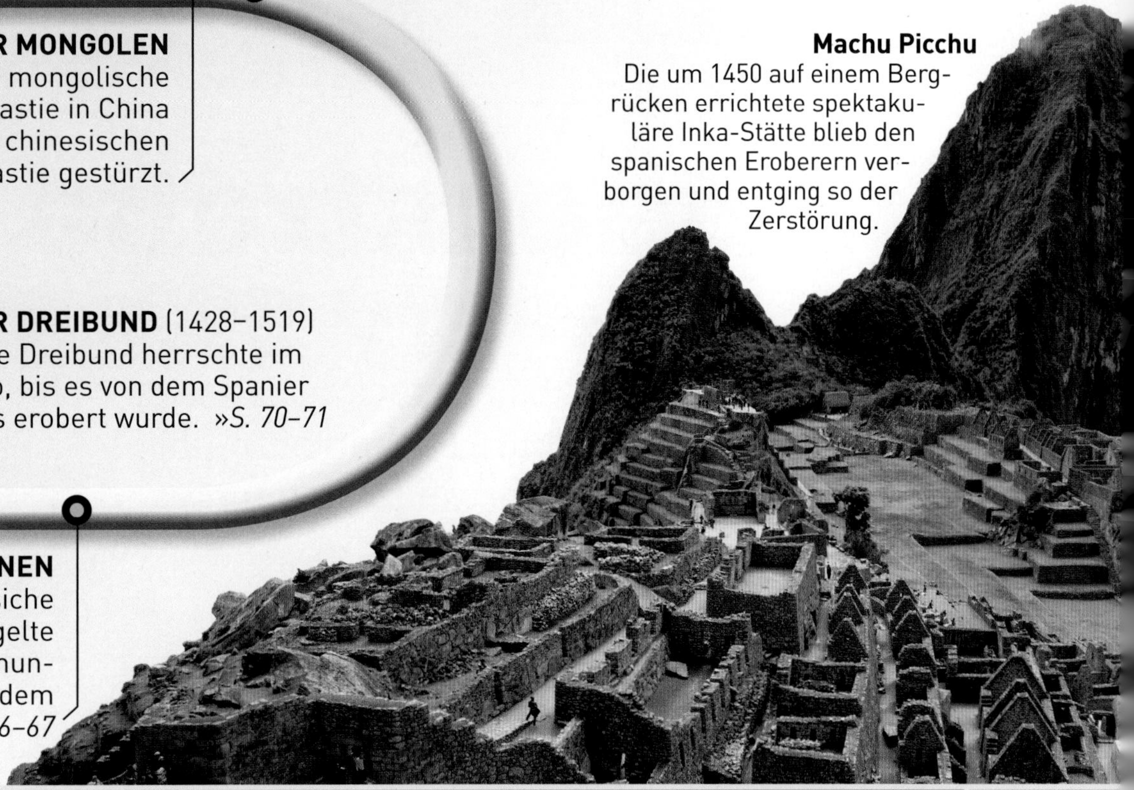
Machu Picchu
Die um 1450 auf einem Bergrücken errichtete spektakuläre Inka-Stätte blieb den spanischen Eroberern verborgen und entging so der Zerstörung.

ENDE DER SEIDENSTRASSE
(um 1450) Das Osmanische Reich beendete aus Protest gegen die Kreuzzüge den Handel entlang der Seidenstraße.

AZTEKISCHER DREIBUND (1428–1519)
Der Aztekische Dreibund herrschte im Tal von Mexiko, bis es von dem Spanier Hernán Cortés erobert wurde. »S. 70–71

DRUCKERPRESSE
(1440) Die Erfindung der Druckerpresse ermöglichte einen ·uen Zugang zu Informationen. »S. 72–73

ZHENG HES EXPEDITIONEN
(1405–1433) Der chinesiche Admiral Zheng He segelte u. a. nach Afrika und ermunterte zum Handel mit dem Westen. »S. 66–67

AUSGABE DES BUDDHISTISCHEN DIAMANT-SUTRA AUS DEM JAHR 868.

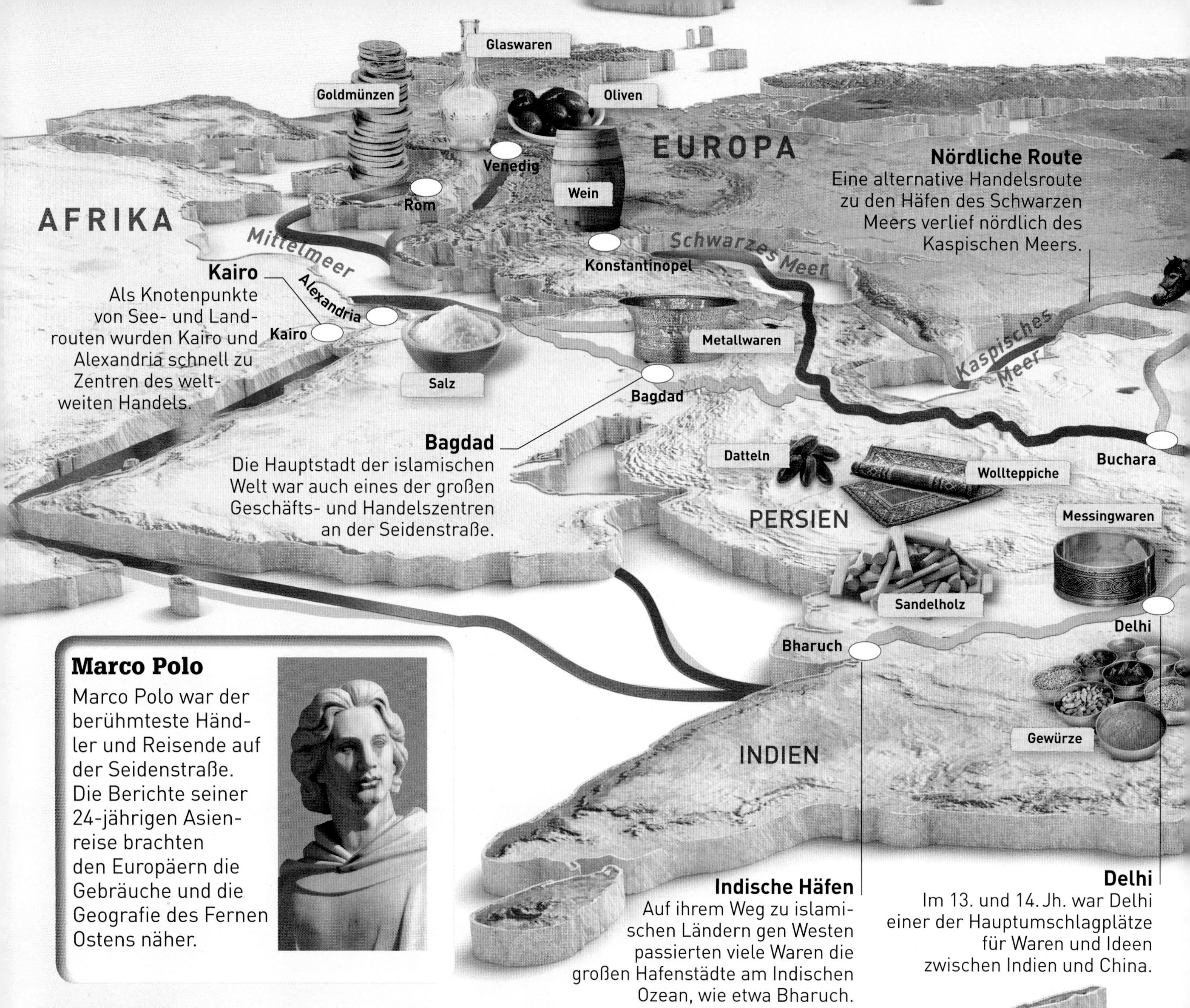

Nördliche Route
Eine alternative Handelsroute zu den Häfen des Schwarzen Meers verlief nördlich des Kaspischen Meers.

Kairo
Als Knotenpunkte von See- und Landrouten wurden Kairo und Alexandria schnell zu Zentren des weltweiten Handels.

Bagdad
Die Hauptstadt der islamischen Welt war auch eines der großen Geschäfts- und Handelszentren an der Seidenstraße.

Marco Polo
Marco Polo war der berühmteste Händler und Reisende auf der Seidenstraße. Die Berichte seiner 24-jährigen Asienreise brachten den Europäern die Gebräuche und die Geografie des Fernen Ostens näher.

Indische Häfen
Auf ihrem Weg zu islamischen Ländern gen Westen passierten viele Waren die großen Hafenstädte am Indischen Ozean, wie etwa Bharuch.

Delhi
Im 13. und 14. Jh. war Delhi einer der Hauptumschlagplätze für Waren und Ideen zwischen Indien und China.

200 v. Chr.– 1400 n. Chr.

Seidenstraße

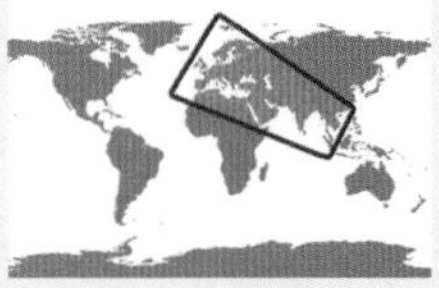

Die Seidenstraße erstreckte sich fast 7000 km von China bis ans Mittelmeer und war eines der am längsten bestehenden und wichtigsten Handelsnetze der Geschichte. Durch sie kam es nicht nur zum Austausch von Waren sondern auch von Ideen, Religionen und Kultur.

IM TAUSCH GEGEN SEIDE WURDE IM 1. JH. N. CHR. SO VIEL GOLD AUS

Neue Produkte

Über die Seidenstraße gelangten manche Waren zum ersten Mal von West nach Ost und umgekehrt.

WESTEN → OSTEN: Glas, Wollwaren, Trauben, Feigen, Walnüsse

OSTEN → WESTEN: Seide, Papier, Schwarzpulver, Porzellan, Orangen

Kaschgar
Kaschgar war ein Knotenpunkt am westlichen Ende der Taklamakan-Wüste.

Dunhuang
Dunhuang war eine wichtige Oasenstadt nahe dem Kreuzungspunkt zwischen dem nördlichen und dem südlichen Zweig der Seidenstraße.

Chang'an
Chinas Hauptstadt war die bevölkerungsreichste Stadt der Erde.

Lhasa
Die Hauptstadt Tibets war eine wichtige Station am Abzweig Südwestliche Seidenstraße.

Lanzhou
Als bedeutender Ort zur Überquerung des Gelben Flusses war Lanzhou ein wichtiger Halt am nördlichen Zweig der Seidenstraße.

Exotische Waren
Elfenbein gelangte bereits im 1. Jh. v. Chr. über die Seidenstraße von China in den Westen.

„Ich habe **nicht die Hälfte** von dem erzählt, was **ich gesehen habe**."

Marco Polos letzte Worte, 1324

LEGENDE
Die Seidenstraße war vom 3. Jh. v. Chr. bis ins 14. Jh. n. Chr. eine der weltweit bedeutendsten Haupthandelsrouten. Die Karte zeigt die Seidenstraße im Jahr 1200 n. Chr.

- Stadt
- Hauptrouten
- Nebenrouten
- Seerouten
- Gehandelte Waren

ROM ABTRANSPORTIERT, DASS DER KAISER DEN EDLEN STOFF VERBOT. 53

LEGENDE
Heimatgebiete
Wikinger-Landnahmen bis:
9. Jahrhundert
10. Jahrhundert
11. Jahrhundert
Überfallene, aber nicht besiedelte Gebiete
Große Überfälle
Entdeckungsfahrten
Erik der Rote, Route nach Grönland, 983–986
Entdeckungsreise nach Vinland, um 1000–1050
Jagd- und Handelsrouten, 1050–1350
Grönland
986 gründete Erik der Rote die erste dauerhafte Siedlung in Grönland, das er „Grünland" nannte.
HELLULAND
GRÖNLAND
ISLAND
Island
Bereits 870 begannen die Wikinger auf Island zu siedeln.
ATLANTIK
Markland
Leif Eriksson, der Sohn Eriks des Roten, war 1001 der erste Europäer, der in Nordamerika anlandete. Vermutlich ging er an einem Ort an der Küste Labradors an Land, den die Wikinger „Markland" nannten.
MARKLAND
L'Anse aux Meadows
L'Anse aux Meadows
Auf Neufundland, das die Wikinger vermutlich „Vinland" nannten, haben Archäologen in L'Anse aux Meadows eine Wikingersiedlung gefunden.
Dublin
841 gründeten die Wikinger eine erste dauerhafte Siedlung, wo heute Dublin liegt.
VINLAND
NORD-AMERIKA
Nordamerika
Zum Bauen und Heizen benötigten die Wikinger Holz. Das gab es in Grönland nicht. Wahrscheinlich unternahmen sie deshalb Erkundungsfahrten an die Küste Nordamerikas.

793–1001 n. Chr.

Die Wikinger

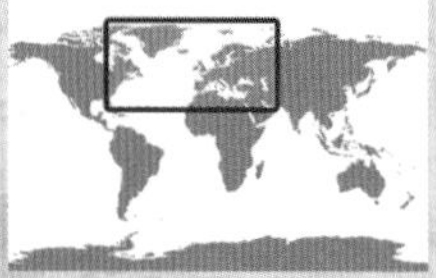

Die Wikinger waren im Europa des Mittelalters große Eroberer, Händler, Entdecker und Siedler. Von Skandinavien aus errichteten sie Außenposten auf den britischen Inseln, in Irland, Island, Grönland, Frankreich, im Mittelmeerraum und in Russland. Wahrscheinlich waren sie auch die ersten Europäer, die Nordamerika erreichten – schon rund 500 Jahre vor der Ankunft von Christoph Kolumbus.

DAS WORT „WIKINGER" STAMMT AUS DER ALTNORDISCHEN SPRACHE UND

„**Nie zuvor** brach ein solches **Entsetzen** über Britannien herein.“

kuin von York 793 in einem Brief an König Ethel-
d von Northumberland (im Nordosten Englands)
über den Wikingerüberfall auf Lindisfarne

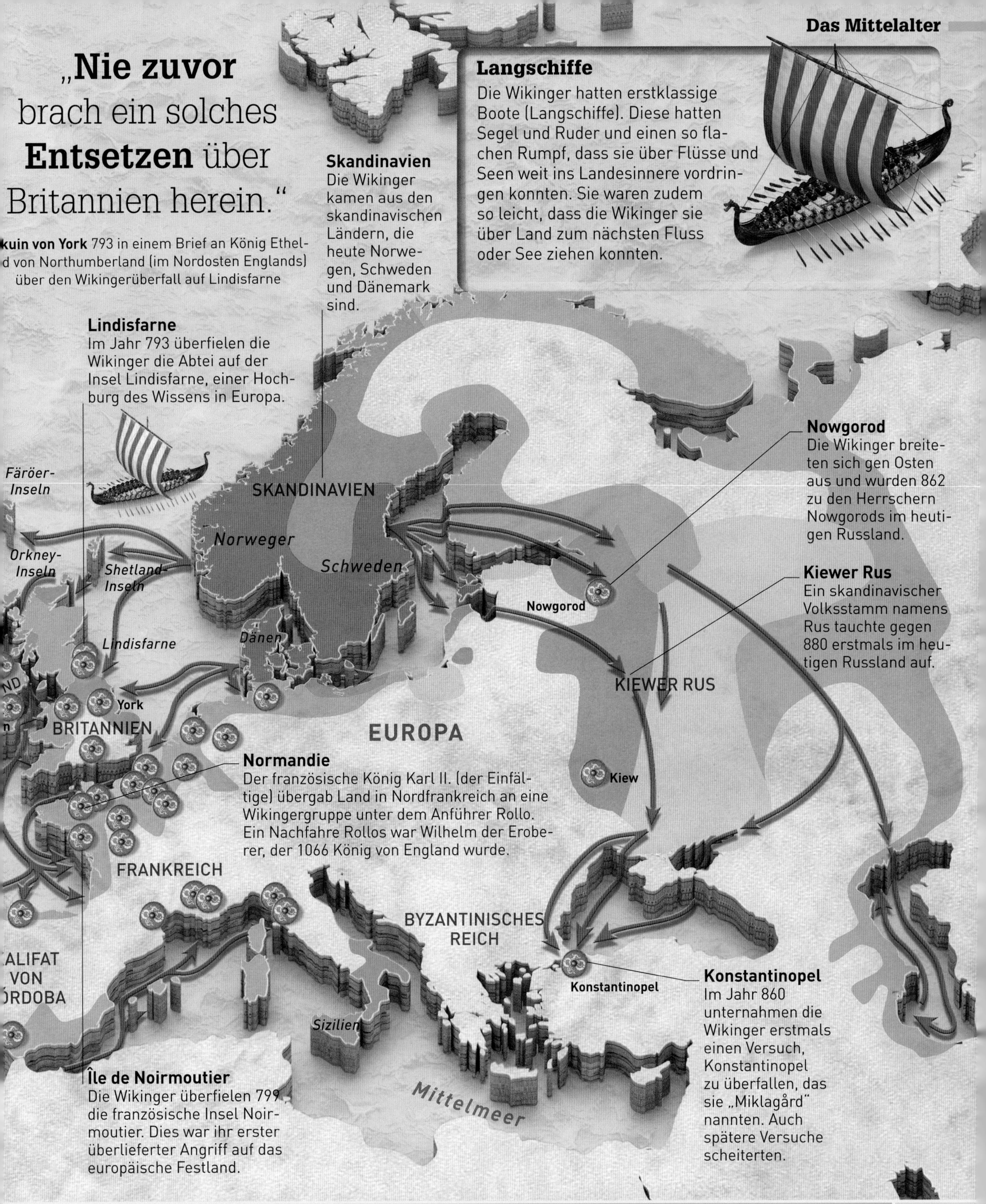

Langschiffe

Die Wikinger hatten erstklassige Boote (Langschiffe). Diese hatten Segel und Ruder und einen so flachen Rumpf, dass sie über Flüsse und Seen weit ins Landesinnere vordringen konnten. Sie waren zudem so leicht, dass die Wikinger sie über Land zum nächsten Fluss oder See ziehen konnten.

Skandinavien
Die Wikinger kamen aus den skandinavischen Ländern, die heute Norwegen, Schweden und Dänemark sind.

Lindisfarne
Im Jahr 793 überfielen die Wikinger die Abtei auf der Insel Lindisfarne, einer Hochburg des Wissens in Europa.

Nowgorod
Die Wikinger breiteten sich gen Osten aus und wurden 862 zu den Herrschern Nowgorods im heutigen Russland.

Kiewer Rus
Ein skandinavischer Volksstamm namens Rus tauchte gegen 880 erstmals im heutigen Russland auf.

Normandie
Der französische König Karl II. (der Einfältige) übergab Land in Nordfrankreich an eine Wikingergruppe unter dem Anführer Rollo. Ein Nachfahre Rollos war Wilhelm der Eroberer, der 1066 König von England wurde.

Konstantinopel
Im Jahr 860 unternahmen die Wikinger erstmals einen Versuch, Konstantinopel zu überfallen, das sie „Miklagård“ nannten. Auch spätere Versuche scheiterten.

Île de Noirmoutier
Die Wikinger überfielen 799 die französische Insel Noirmoutier. Dies war ihr erster überlieferter Angriff auf das europäische Festland.

BEDEUTET: „JEMAND, DER SICH AUF LANGE SEEFAHRT BEGIBT“.

SOGDIEN

DSUNGAREI

WESTLICHES TURKESTAN

FARG'ONA

Talas

Dunhuang

TIBET

Brahmaputra

Chengdu

Leshan

Gelb

KHMER-REICH

Angkor

CHAMPA

Andamanensee

Porzellan
Während der Tang-Dynastie entwickelten chinesische Handwerker das Verfahren zur Porzellanherstellung und schufen Töpfe, Vasen und Schmuck, die in andere Länder Asiens und nach Afrika exportiert wurden.

Die Pilgerreise Xuanzang
Der Mönch Xuanzang reiste 627–645 nach Indien, um buddhistische Schriften von dort zu holen. Seine Abenteuer dienten als Vorlage für den klassischen chinesischen Roman *Die Pilgerreise nach dem Westen*.

Talas
Die Ausdehnung des Tang-Kaiserreiches nach Westen wurde 751 durch das islamische Abbasiden-Kalifat in der Schlacht am Talas gestoppt. Der Legende nach gelangte das Geheimnis der Papierherstellung damals durch chinesische Gefangene in den Westen.

Großer Buddha von Leshan
Der Buddhismus breitete sich während der Tang-Dynastie von Indien nach China aus. Dieser Buddha wurde 713–803 aus dem Fels gehauen. Mit 71 m Höhe ist er die mit Abstand größte Statue von der Antike bis ins Mittelalter.

Die Tang-Dynastie, 618–907

Die Tang-Herrscher weiteten ihre Macht nach Zentralasien aus. Ihre Hauptstadt Chang'an machte Bagdad den Titel der größten Stadt der Welt streitig. Aus dieser Blütezeit von Wissenschaft und Kunst stammt das älteste gedruckte Buch.

Seite der Diamant-Sutra, dem ältesten gedruckten Buch, 868

Die Song-Dynastie, 960–1279

Die Zeit des Umsturzes nach dem Ende der Tang-Dynastie wurde von der Song-Dynastie beendet. Sie machte Kaifeng zu ihrer Hauptstadt und zur neuen größten Stadt der Welt. Ihre Herrschaft war eine Blüte der Dichtung und Malerei.

Tuschezeichnung auf Seide, Song-Dynastie, 12. Jh.

Pfeilwerfer und Schusswaffen
Schwarzpulver wurde erstmals im 10. oder 11. Jh. zur Kriegsführung verwendet. Die Formel für Schwarzpulver wurde zum ersten Mal 1044 für das Militär gedruckt. Pfeilwerfer und Schusswaffen waren ab dem 13. Jh. in Gebrauch.

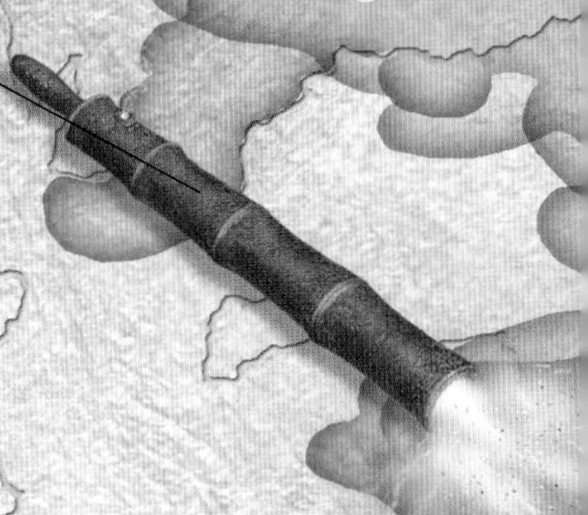

CHANG'AN, HAUPTSTADT DER TANG-DYNASTIE, WAR DAS ZENTRUM DES

„Der **Herrscher** ist vom **Staat** abhängig und der **Staat** von seinem **Volk**.“

Taizong, Kaiser der Tang-Dynastie, 626–649

Große Wildganspagode
Die heute noch erhaltene Pagode wurde 652 in Chang'an (heute Xi'an, China) für die buddhistischen Schriften errichtet, die der Mönch Xuanzang aus Indien mitgebracht hatte.

Kompass
Es waren Seeleute der Song-Dynastie, die irgendwann vor 1117 erstmals einen magnetischen Kompass benutzten, um sich auf See zu orientieren. Der Kompass war schon über 1000 Jahre früher in der Han-Zeit erfunden worden.

Gyeongju
Die Hauptstadt des Silla-Königreiches in Korea war wie ihr Vorbild Chang'an im Schachbrettmuster angelegt.

Bewegliche Lettern
Der Druck mit beweglichen Lettern wurde im China der Song-Dynastie erfunden.

Nara
Die japanischen Hauptstädte Nara und Kyoto wurden ebenfalls nach dem Vorbild Chang'ans erbaut.

Kriegsschiffe
Die Song-Herrscher gründeten die erste feste Marine, um Handelsschiffe auf dem Weg zu den Häfen Koreas, Japans, des Champa- und Khmer-Reiches zu beschützen.

618–1279 n. Chr.

Chinas goldene Ära

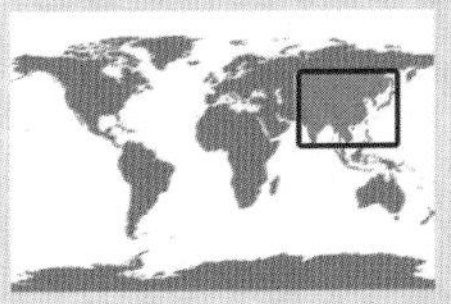

China war in der Zeit der Tang- und Song-Dynastie das reichste Land der Welt mit der größten Bevölkerung. Das chinesische Schriftsystem und die schachbrettartige Anlage seiner Städte breitete sich nach Korea und Japan aus. Führend waren auch chinesische Erfindungen, wie Druck, Porzellan und Schwarzpulver.

Windsor Castle
Die Burg wurde zuerst 1070 von Wilhelm dem Eroberer als Festung zur Kontrolle seiner neuen Gebiete erbaut. Seitdem war sie immer Wohnsitz der englischen und britischen Monarchen.

Prager Burg
Dies ist die größte geschlossene Burganlage der Welt. Sie war ab dem 9. Jh. der Wohnsitz der tschechischen Könige. Die Burg wurde mehrfach zerstört und wieder aufgebaut.

Europa
Die frühesten mittelalterlichen Burgen wurden in Europa erbaut. Könige und Fürsten mussten für Ordnung sorgen, Armeen aufstellen und ihre Heimat gegen Nachbarn und Eindringlinge verteidigen.

Die Blütezeit des **Burgenbaus** war in **Deutschland** im **12. und 13. Jh.**

Palacio Cortés
Konquistador Hernán Cortés baute sich diesen Palast 1526 in Mexiko als Wohnsitz, um sich gegen die Azteken zu schützen, die er unterworfen hatte.

Krak des Chevaliers
Diese Burg wurde im 11. Jh. in Syrien errichtet. Sie diente den Kreuzrittern, die Jerusalem erobern wollten, als Bollwerk.

Castle of Good Hope
Die von der Niederländischen Ostindien-Kompanie erbaute Festung (auch Kasteel de Goede Hoop) ist das älteste noch erhaltene Gebäude der Kolonialzeit in Südafrika.

MIT 570 METERN LÄNGE UND 128 METERN BREITE BEDECKT DIE PRAGER

Moskauer Kreml
Innerhalb der Mauern dieser riesigen Burg finden sich mehrere Paläste russischer Herrscher. Früher war sie von einem breiten Wassergraben umgeben.

Neuer Sommerpalast
Im 18. Jh. wurde der Palast als Sommersitz des Kaisers gebaut. Er befindet sich in einer prächtigen Gartenanlage nahe des Alten Sommerpalasts, von dem nur Ruinen erhalten sind.

Burg Matsumoto
Die Burg wurde 1593 in Japan erbaut und war 300 Jahre lang der Stützpunkt einiger mächtiger Daimyo (Fürsten). Sie wurde auch Krähenburg genannt.

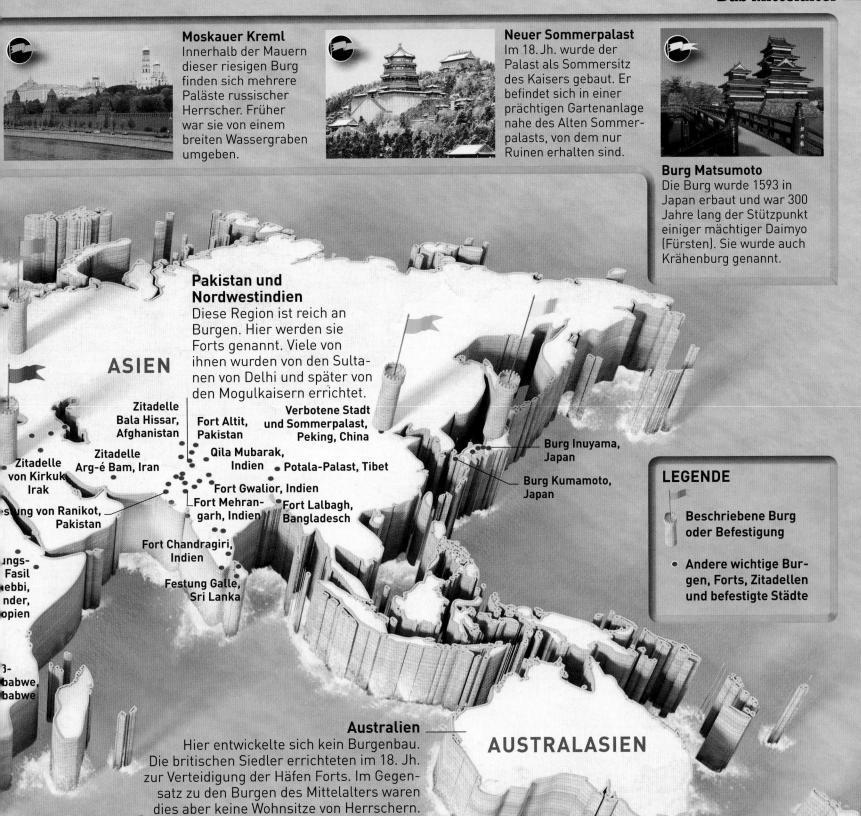

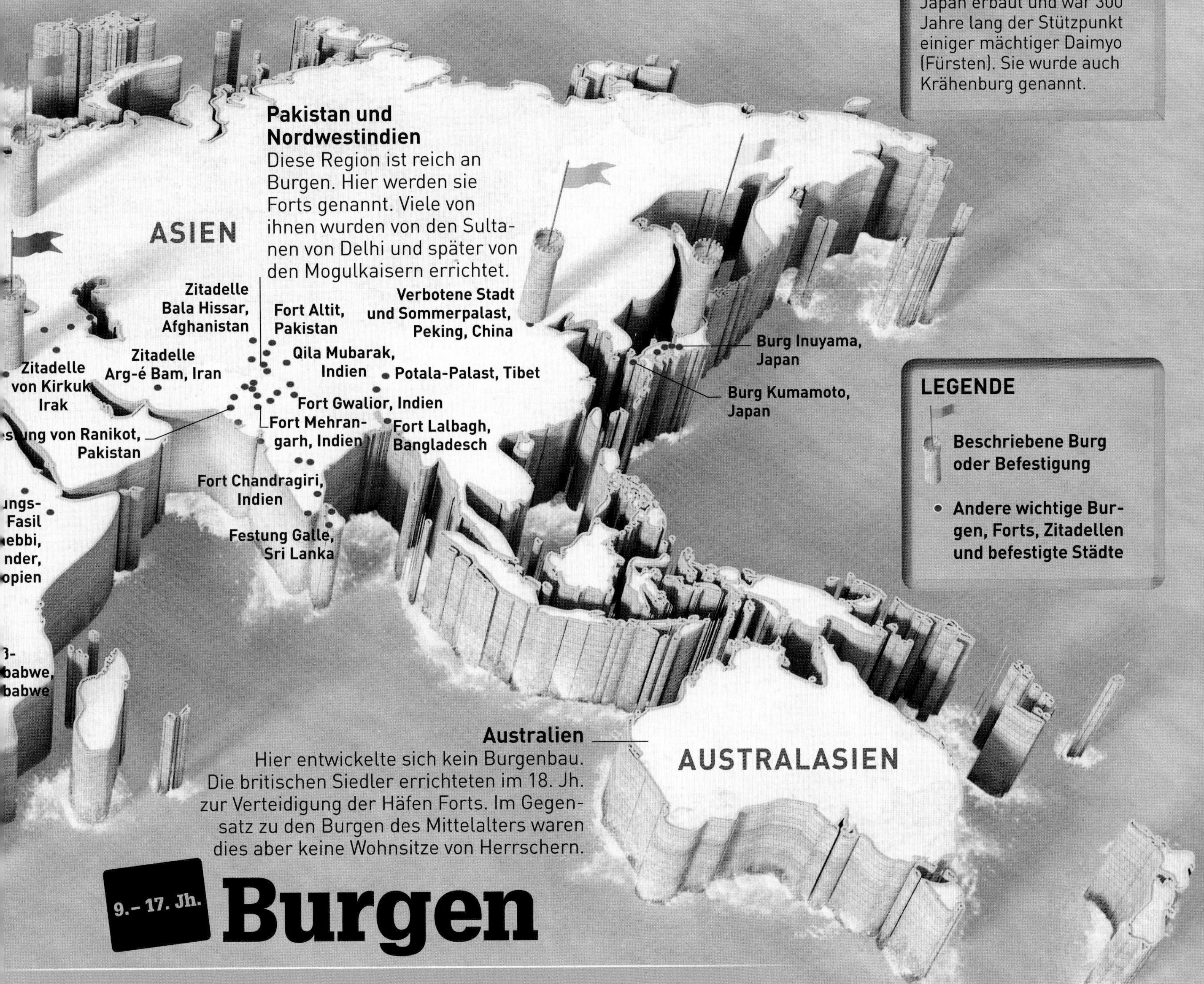

Pakistan und Nordwestindien
Diese Region ist reich an Burgen. Hier werden sie Forts genannt. Viele von ihnen wurden von den Sultanen von Delhi und später von den Mogulkaisern errichtet.

LEGENDE
- Beschriebene Burg oder Befestigung
- Andere wichtige Burgen, Forts, Zitadellen und befestigte Städte

Australien
Hier entwickelte sich kein Burgenbau. Die britischen Siedler errichteten im 18. Jh. zur Verteidigung der Häfen Forts. Im Gegensatz zu den Burgen des Mittelalters waren dies aber keine Wohnsitze von Herrschern.

9.– 17. Jh.

Burgen

Das Mittelalter war die Blütezeit des Burgenbaus, denn es war eine olitisch unruhige Epoche mit vielen Aufständen. So entschlossen sich önige, Adlige und andere reiche und mächtige Menschen, ihre Wohntätten zu Festungen auszubauen, um sich vor Überfällen zu schützen.

URG EINE FLÄCHE, DIE GRÖSSER IST ALS SIEBEN FUSSBALLFELDER.
59

10. Vézelay
In Vézelay trafen sich die Truppen Englands und Frankreichs, um zum Dritten Kreuzzug aufzubrechen. Friedrich I. Barbarossa erklärte in Mainz seine Teilnahme.
„Tretet den **Weg** zum Heiligen Grab an. **Gott will es**."
Papst Urban II. in seiner Rede beim Konzil von Clermont, 1095
Kreuzritter
ENGLAND
London
Mainz
DEUTSCH-LAND
Speyer
Metz
FRANK-REICH
Vézelay
10
Clermont
1. Clermont
1
Papst Urban II. rief die Christen beim Konzil von Clermont im Jahr 1095 zu den Waffen.
12. Konstantinop
Im April 1204 plünderten Truppen d Vierten Kreuzzugs die byzantinisc Hauptstadt Konstantinopel. Sie w zwar christlich, aber mit einig Kreuzrittergruppen verfeindet. Oh die Unterstützung des byzantinisch Reiches wurde das Heer der Kreu fahrer von Griechen und Bulgar aufgerieben. Es erreich Jerusalem n
Wien
Venedig
Belgrad
Genua
Zara
ITALIEN
BULGARIEN
Marseille
Rom
BYZANTINISCHES REICH
GRIECHEN-LAND
Messina
SIZILIEN
Mittelmeer

1095–1270

Die Kreuzzüge

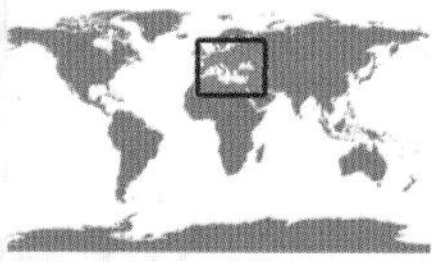

Im Jahr 1095 hielt Papst Urban II. beim Konzil von Clermont in Frankreich eine der einflussreichsten Reden des Mittelalters. In dieser Rede drängte er die Adligen und Ritter, die Waffen zu ergreifen und die Heilige Stadt Jerusalem zurückzuerobern, die seit 637 in der Hand der Muslime war. In den folgenden rund 200 Jahren kam es daher zu sieben großen Kriegen zwischen Christen und Muslimen. Sie werden Kreuzzüge genannt.

NACH SALADINS SIEG IN DER SCHLACHT VON 1187 LIESS ER ÄRZTE

Ritterliche Tugenden

Man sagt den Rittern tugendhaftes Verhalten nach. Mit den Kreuzzügen entstand die Legende vom Goldenen Zeitalter der Ritterlichkeit. Kreuzfahrer wie König Richard Löwenherz von England (rechts) und sein Rivale Saladin, Sultan von Ägypten und Syrien, galten als perfekte Ritter, die die Tugenden Ehre, Tapferkeit, Mut und Würde verkörperten.

2. Nikaia
Die ersten offiziellen Kreuzfahrer griffen im Mai 1097 die wichtige Festungsstadt Nikaia an, die sich im Juni ergab.

7. Doryläum
Zu Beginn des Zweiten Kreuzzugs wurde das Heer des deutschen Königs Konrad III. 1147 in der Schlacht von Doryläum von den Muslimen vernichtend geschlagen.

3. Antiochia
Nach acht Monaten Belagerung besiegten die Kreuzritter in Antiochia die Muslime (1097–1098).

5. Kreuzfahrerstaaten
Nach Ende des Ersten Kreuzzugs gründeten die Kreuzfahrer vier Kreuzfahrerstaaten: die Grafschaften Edessa und Tripolis, das Fürstentum Antiochia und das Königreich Jerusalem.

6. Edessa
Die Muslime eroberten Edessa 1144 zurück, was den Verlust eines der Kreuzfahrerstaaten bedeutete. Daraufhin rief Papst Eugen III. zu einem zweiten Kreuzzug auf.

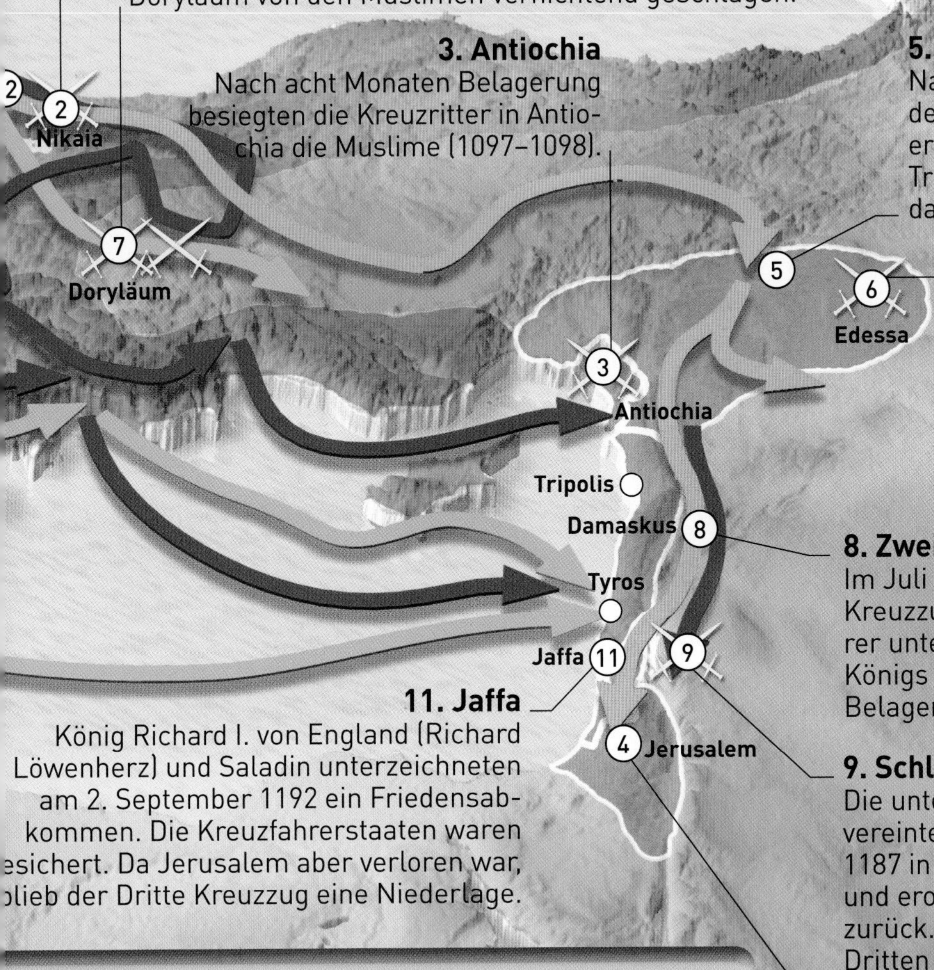

8. Zweiter Kreuzzug
Im Juli 1148 endete der Zweite Kreuzzug ergebnislos. Die Kreuzfahrer unter Führung des französischen Königs Ludwig VII. mussten die Belagerung von Damaskus aufgeben.

11. Jaffa
König Richard I. von England (Richard Löwenherz) und Saladin unterzeichneten am 2. September 1192 ein Friedensabkommen. Die Kreuzfahrerstaaten waren gesichert. Da Jerusalem aber verloren war, blieb der Dritte Kreuzzug eine Niederlage.

9. Schlacht von Hattin
Die unter ihrem neuen Anführer Saladin vereinten Muslime besiegten die Christen 1187 in der Schlacht von Hattin und eroberten Jerusalem zurück. Dies führte zum Dritten Kreuzzug.

4. Jerusalem
Im Jahr 1099 eroberten die Kreuzritter Jerusalem. Tausende Muslime und Juden wurden niedergemetzelt. Dies markierte das Ende des Ersten Kreuzzugs.

Sarazenische Reiter

LEGENDE
- 1096 muslimische Länder, ohne spätere Kreuzfahrerstaaten
- 1096 christliche Länder
- Wichtige Schlachten
- Ab 1135 Kreuzfahrerstaaten (1096 noch muslimisch)
- 1. Kreuzzug, 1096–1099
- 2. Kreuzzug, 1147–1149
- 3. Kreuzzug, 1189–1192
- 4. Kreuzzug, 1202–1204
- (1) Bedeutender Ort
- ○ Bedeutende Stadt

HOLEN, UM ALLE VERWUNDETEN ZU VERSORGEN – AUCH DIE CHRISTEN.

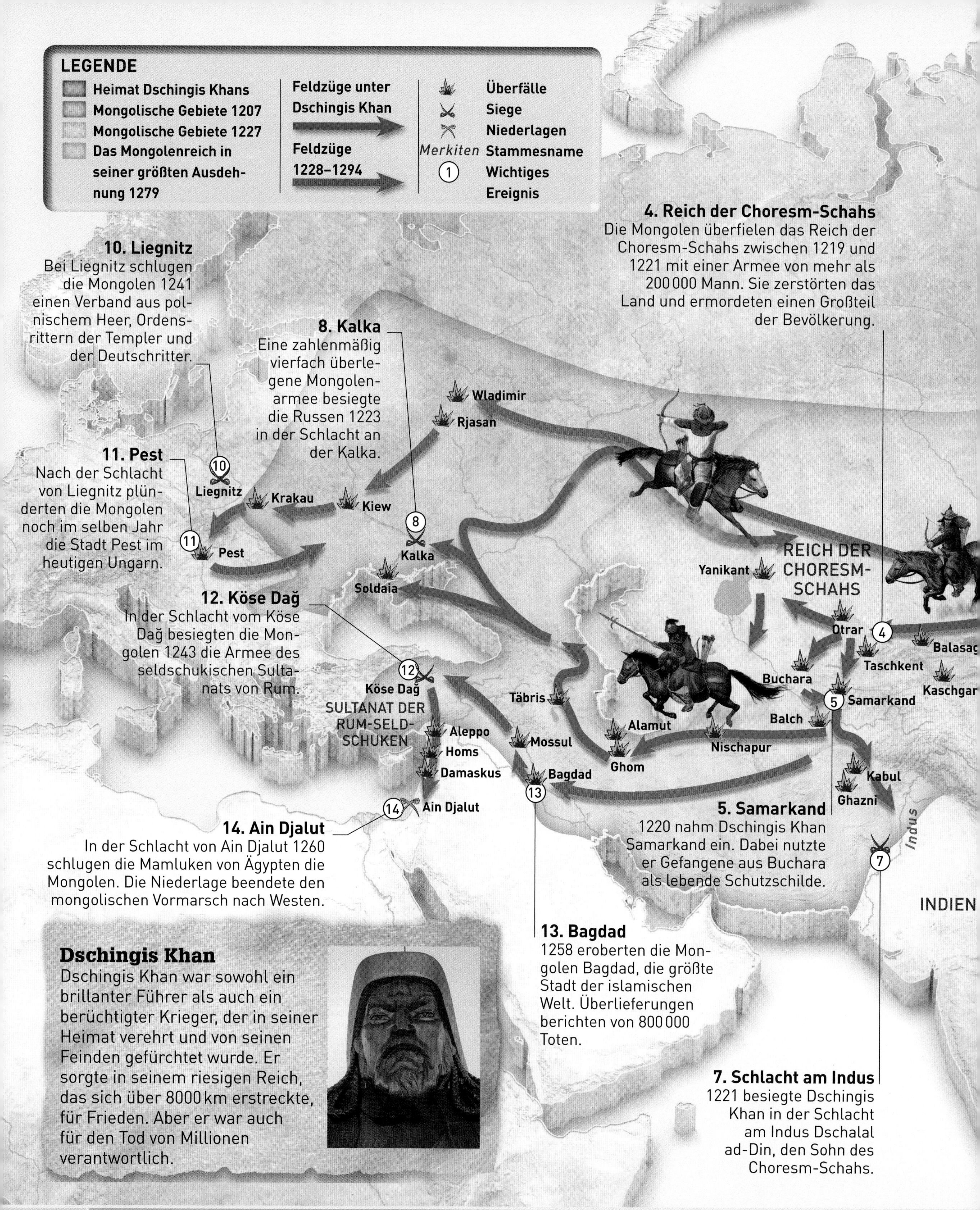

4. Reich der Choresm-Schahs

Die Mongolen überfielen das Reich der Choresm-Schahs zwischen 1219 und 1221 mit einer Armee von mehr als 200 000 Mann. Sie zerstörten das Land und ermordeten einen Großteil der Bevölkerung.

10. Liegnitz

Bei Liegnitz schlugen die Mongolen 1241 einen Verband aus polnischem Heer, Ordensrittern der Templer und der Deutschritter.

8. Kalka

Eine zahlenmäßig vierfach überlegene Mongolenarmee besiegte die Russen 1223 in der Schlacht an der Kalka.

11. Pest

Nach der Schlacht von Liegnitz plünderten die Mongolen noch im selben Jahr die Stadt Pest im heutigen Ungarn.

12. Köse Dağ

In der Schlacht vom Köse Dağ besiegten die Mongolen 1243 die Armee des seldschukischen Sultanats von Rum.

5. Samarkand

1220 nahm Dschingis Khan Samarkand ein. Dabei nutzte er Gefangene aus Buchara als lebende Schutzschilde.

14. Ain Djalut

In der Schlacht von Ain Djalut 1260 schlugen die Mamluken von Ägypten die Mongolen. Die Niederlage beendete den mongolischen Vormarsch nach Westen.

13. Bagdad

1258 eroberten die Mongolen Bagdad, die größte Stadt der islamischen Welt. Überlieferungen berichten von 800 000 Toten.

Dschingis Khan

Dschingis Khan war sowohl ein brillanter Führer als auch ein berüchtigter Krieger, der in seiner Heimat verehrt und von seinen Feinden gefürchtet wurde. Er sorgte in seinem riesigen Reich, das sich über 8000 km erstreckte, für Frieden. Aber er war auch für den Tod von Millionen verantwortlich.

7. Schlacht am Indus

1221 besiegte Dschingis Khan in der Schlacht am Indus Dschalal ad-Din, den Sohn des Choresm-Schahs.

DAS MONGOLISCHE REICH WAR DAS GRÖSSTE REICH IN DER GESCHICHTE. IN

06–1294

Die Zeit der Mongolen

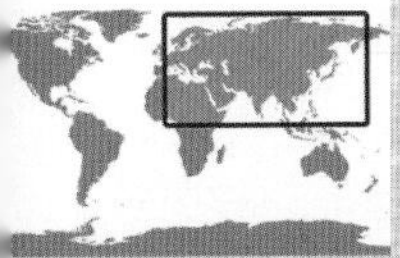

Im 13. Jahrhundert waren die Mongolen die meistgefürchteten Krieger der Welt. Seit Dschingis Khan sie 1206 geeint hatte, versetzten sie die Völker von Russland und Polen bis nach China und Korea in Angst und chrecken. Sie errichteten das größte Reich, das die Menschheit je gesehen hatte.

1. Mongolei
Temüdschin vollendete 1206 die Unterwerfung rivalisierender mongolischer Stämme und erhielt den Titel „Dschingis Khan" (allmächtiger Herrscher).

arakorum
ingis Khan hte Karam 1220 Haupttier der golen.

3. Zhongdu
1215 hungerte Dschingis Khan die Stadt Zhongdu aus, bis sich die Bewohner ergaben. Zhongdu wurde geplündert und niedergebrannt.

15. Japan
Beide Versuche der Mongolen (1274 und 1281), Japan zu erobern, scheiterten an heftigen Stürmen. Bis zum Zweiten Weltkrieg blieben es die einzigen Angriffe auf Japan.

2. Ningxia
ährend seines ersten Feld- gegen die Xia-Dynastie im r 1210 ließ Dschingis Khan ei der Belagerung Ningxias en Gelben Fluss aufstauen.

16. Hangzhou
Die Mongolen eroberten 1276 die chinesische Hauptstadt Hangzhou und ersetzten die chinesische Song-Dynastie durch die mongolische Yuan-Dynastie.

9. Xiangyang
General Meng der dlichen Song-Dynastie oberte Xiangyang 1239 zurück. Die Mongolen en die Stadt drei Jahre zuvor erobert.

„Wie **Ameisen** und **Heuschrecken schwärmten** die Mongolen aus allen Richtungen."

Raschid ad-Din, persischer Politiker und Historiker über den mongolischen Angriff auf Bagdad 1258

17. Annam
1288 gaben die Mongolen ihren Krieg gegen Annam ach vier Jahren auf. Krankheiten, Hitze und Guerillaktiken hatten sie zermürbt.

EINER BLÜTEZEIT WAR ES FÜNFMAL GRÖSSER ALS DAS RÖMISCHE REICH. 63

1347–1351

Der Schwarze Tod

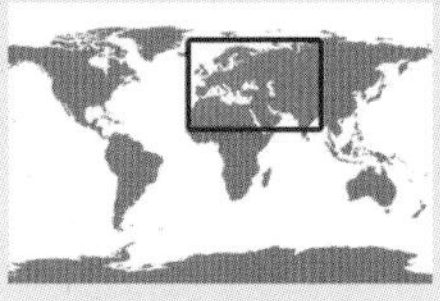

Die Pest war die größte Katastrophe in der Geschichte Europas. Der Pandemie fielen zwischen 1347 und 1351 geschätzte 75–200 Mio. Menschen zum Opfer (30–60 % der Bevölkerung Europas). Sie begann in Asien, breitete sich mit den Flöhen von Ratten über die Seidenstraße aus und war hochansteckend.

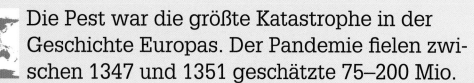

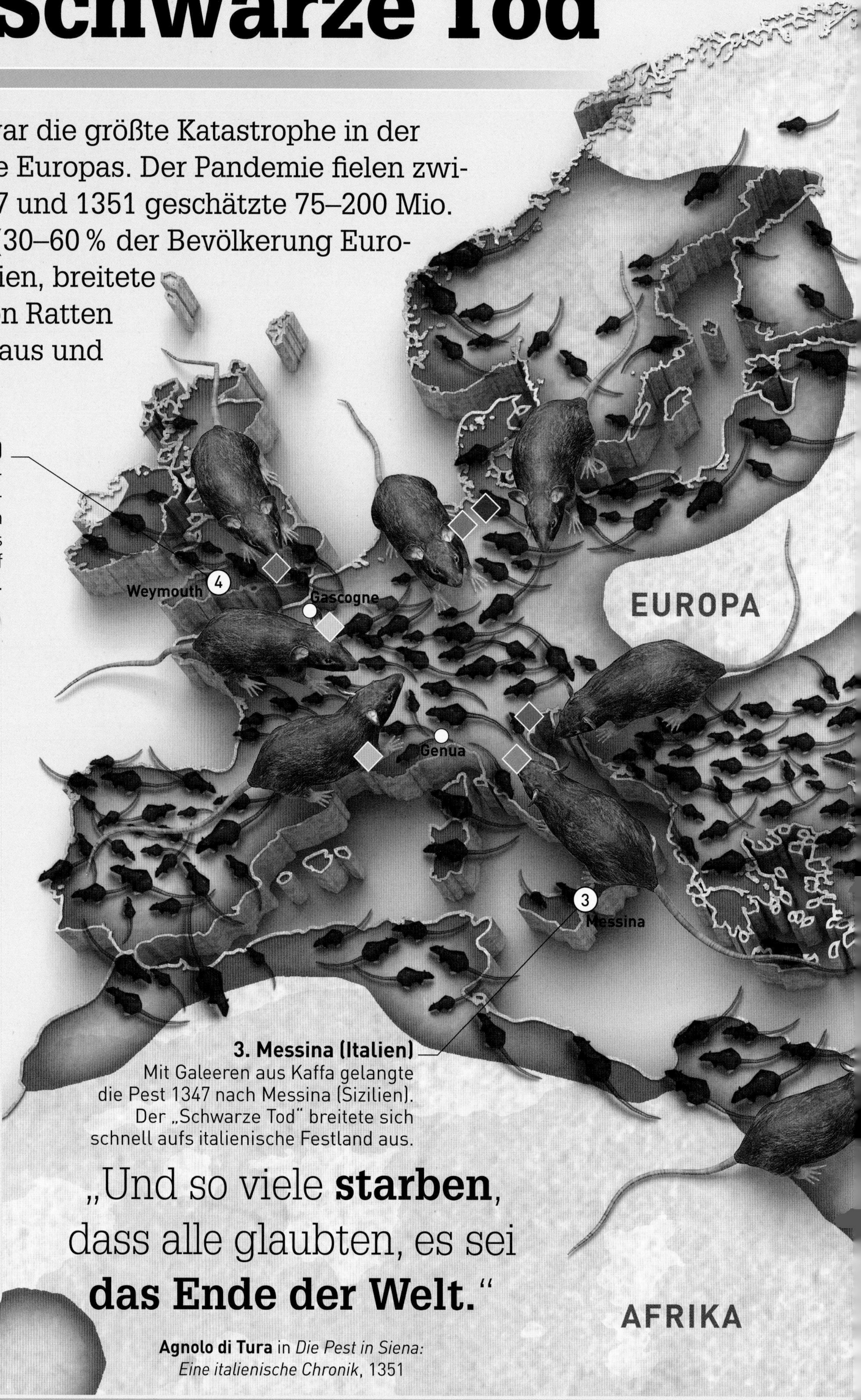

4. Weymouth (England)
Ein Schiff mit infizierten Seeleuten aus der Gascogne (Frankreich) legte am 7. Juli 1348 in Weymouth an. Innerhalb eines Jahres breitete sich die Pest auf den Britischen Inseln aus.

LEGENDE

- 1351 von der Pest erreichte Gebiete
- Große Ausbrüche der Pest
- ① Wichtige Orte in der Geschichte der Ausbreitung der Pest

Prozentsatz an der Pest gestorbener Bewohner großer Städte:

- **Bremen, Deutschland: 60 %**
- **Hamburg, Deutschland: 60 %**
- **Venedig, Italien: 60 %**
- **Florenz, Italien: 55 %**
- **Paris, Frankreich: 50 %**
- **Avignon, Frankreich: 50 %**
- **Kairo, Ägypten: 40 %**
- **London, England: 40 %**
- **Damaskus, Syrien: 38 %**
- **Bagdad, Irak: 33 %**
- **Isfahan, Iran: 33 %**
- ○ **Andere wichtige Orte**

3. Messina (Italien)
Mit Galeeren aus Kaffa gelangte die Pest 1347 nach Messina (Sizilien). Der „Schwarze Tod" breitete sich schnell aufs italienische Festland aus.

„Und so viele **starben**, dass alle glaubten, es sei **das Ende der Welt.**"

Agnolo di Tura in *Die Pest in Siena: Eine italienische Chronik*, 1351

64 AUCH KöNIGSFAMILIEN VERLOREN VIELE ANGEHöRIGE DURCH DIE PEST

Vormarsch der Pest

Mit Schiffen aus dem Schwarzen Meer erreichte der „Schwarze Tod“ im September 1347 Messina (Sizilien). Die Karte rechts zeigt, wie die Pest sich bis 1351 über Westeuropa ausbreitete.

LEGENDE

- 1347
- 1348
- 1349
- 1350
- 1351
- ○ Stadt
- → Ausbreitung der Pest

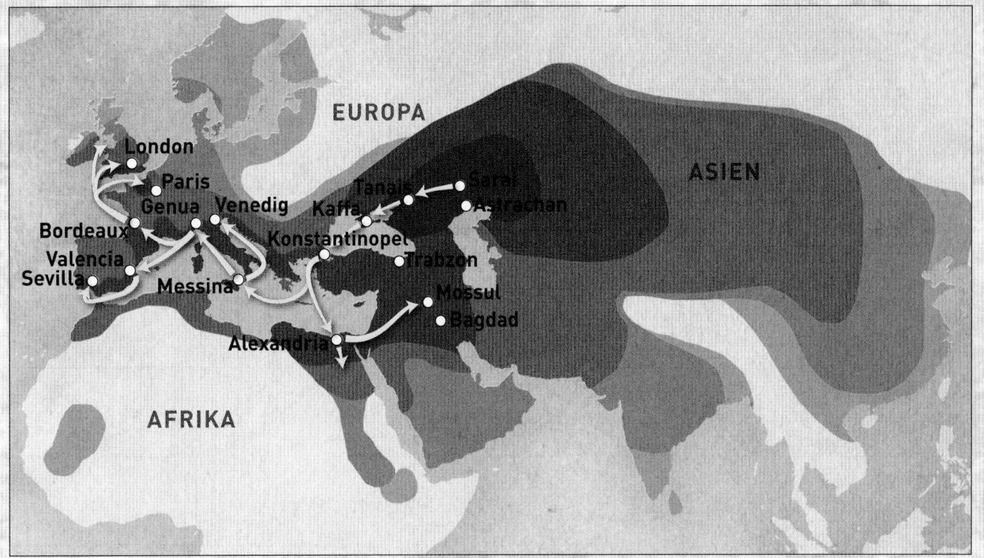

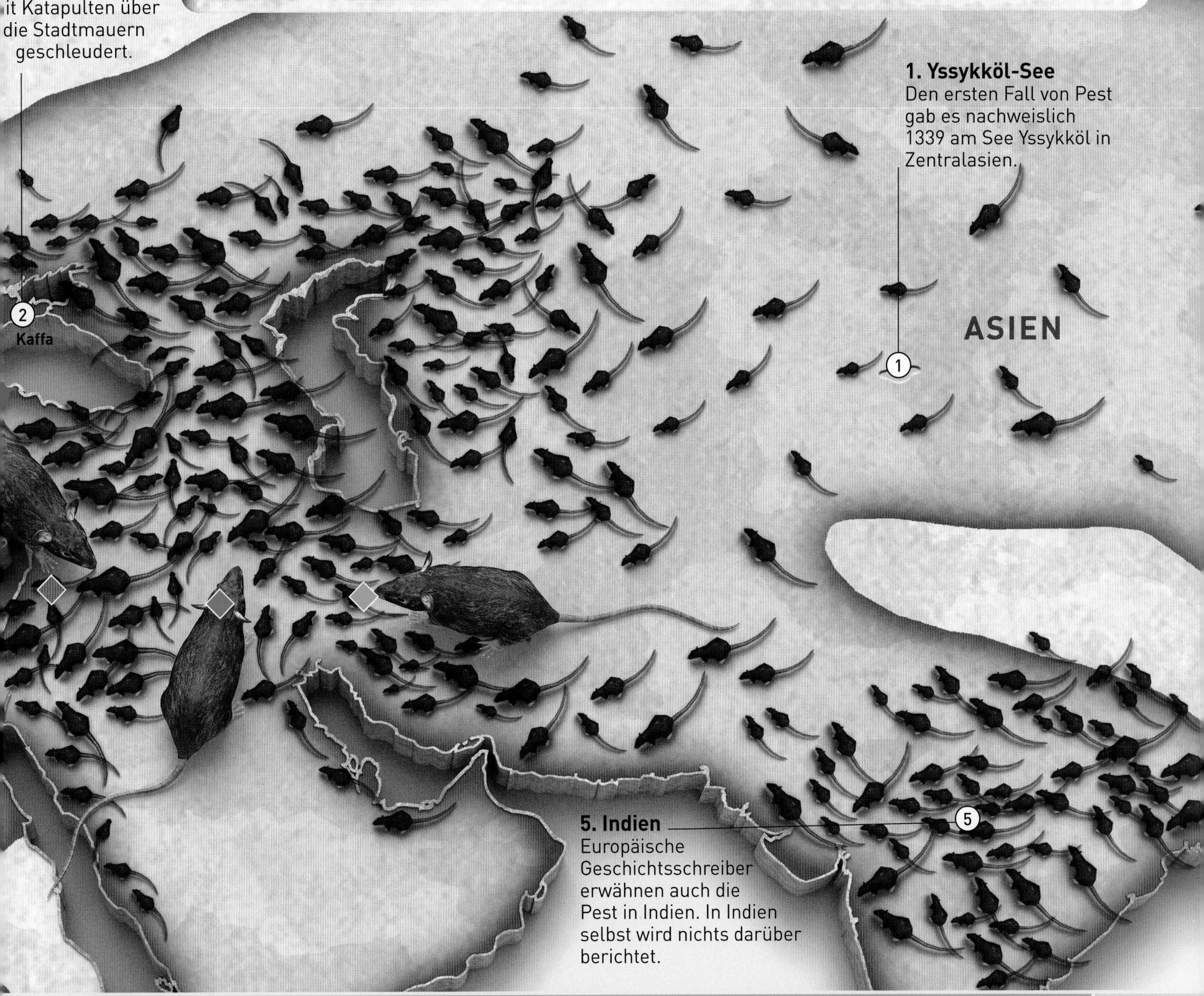

2. Kaffa
ändler aus Genua infizierten sich während der Belagerung von Kaffa 346 mit der Pest: e Pesttoten wurden it Katapulten über die Stadtmauern geschleudert.

1. Yssykköl-See
Den ersten Fall von Pest gab es nachweislich 1339 am See Yssykköl in Zentralasien.

5. Indien
Europäische Geschichtsschreiber erwähnen auch die Pest in Indien. In Indien selbst wird nichts darüber berichtet.

LS EINZIGER KöNIG STARB NUR ALFONS XI. VON KASTILIEN UND LEON.

Pilgerfahrt nach Mekka
Zheng He war Muslim und wollte eine Pilgerfahrt nach Mekka unternehmen. Er selbst schaffte es nie, aber auf seiner letzten Reise (1431–1433) entsandte er Besatzungsmitglieder an seiner Stelle.
PERSIEN
Präsente aus Hormus
Auf seiner fünften Reise (1417–1419) schenkte der Fürst von Hormus Zheng He Löwen, „Leoparden mit goldenen Punkten" und „große westliche Pferde".
LEGENDE
Handelszentrum
Andere Stadt
Schlacht
Hormus
Geschenke aus Aden
Der Sultan von Aden gab Zheng He Giraffen und Oryx-Antilopen.
Dschidda
Mekka
INDIEN
Arabien
Dhofar
Al-Mukalla
Gewürze aus Calicut
Auf den drei ersten Reisen Zheng Hes war jeweils das indische Gewürzhandelszentrum Calicut seine letzte Anlaufstation.
Aden
AFRIKA
Calicut
Cochin
Quilon
Arabisches Meer
Tribut aus Mogadischu
Zu den Geschenken aus dieser Hafenstadt gehörten Zebras und Löwen.
Eroberung von Kotte
König Alekeshvara von Kotte in Ceylon (heute Sri Lanka) war den Chinesen feindlich gesinnt. Er und seine Familie wurden gefangen genommen, nach Nanjing gebracht, dort aber vom Kaiser begnadigt.
CEYLON
Ga
Gaben aus Baraawa
In Baraawa bot man Zheng He Kamele und „Kamelvögel" (Strauße) an.
Mogadischu
Baraawe
Lamu
Malindi
Mombasa
SUAHELI-KÜSTE
Handel mit Sofala
Aufzeichnungen belegen, dass einige von Zheng Hes Schiffen sogar bis nach Sofala im heutigen Mosambik vordrangen.
Sofala
Madagaskar

1405–1433

Chinesische Schatzschiffe

Der chinesische Kaiser Yongle, der dritte Kaiser der Ming-Dynastie, wollte den Einfluss seines Reiches vergrößern und der Welt zeigen, dass er der Herrscher von China war. Daher entsandte er seinen Admiral Zheng He 1405 auf sechs unglaubliche Fahrten. Zheng Hes riesige Schiffsflotte reiste nach Asien und Afrika, tauschte Geschenke, transportierte Diplomaten und bestrafte jeden, der sich Chinas Wünschen widersetzte. Nach dem Tod des Kaisers unternahm Zheng He noch eine siebte Reise.

ZHENG HES ERSTE FLOTTE WAR EINE SCHWIMMENDE STADT AUS ÜBE

Chinas Hauptstadt Nanjing
Chinas Hauptstadt war Startpunkt aller sieben Reisen des Zheng He. In der Stadt wurde ein Fremdspracheninstitut gegründet, um Sprachwissenschaftler auf die Reisen vorzubereiten.

Ein Tempel für Zheng He
Zheng He und seine Flotte waren so beeindruckend, dass man in Malakka einen Tempel zu seinen Ehren errichtete.

Schatzschiffe
Nach alten Berichten waren die größten Schiffe „Schatzschiffe", die 134 m lang waren und neun Masten und vier Decks besaßen. Damit wären sie die größten je gebauten Schiffe, bis im 19. Jh. Schiffe mit eisernem Rumpf erfunden wurden.

chlacht mit Sekandar
Auf ihrer vierten Reise „bestrafte" Zheng Hes Flotte Sekandar, einen „falschen König", der en Thron von Samudera ohne Chinas Erlaubnis bestiegen hatte.

Schlacht mit dem Piraten Chen Zuyii
Auf der ersten Reise (1405–1407) besiegte Zheng Hes Flotte den Piraten, der die Meerenge zwischen Sumatra und Malakka kontrollierte, und richtete ihn hin.

„**Unsere Segel**, erhaben gebläht wie Wolken, folgten **Tag und Nacht** ihrem Kurs, **schnell** wie die **Sterne**."

Zheng He, Inschrift in Changle, Provinz Fujian, China, 1431

„Um ihren **Hals** tragen sie **Reife** aus **Gold** und **Silber**."

Al-Bakri, andalusischer Geograf und Historiker im 11. Jh. über die Hunde des Königs von Ghana

Kalifat der Umayyaden, 661–750
Das Reich im Norden war ein riesiger muslimischer Staat, der sich von Arabien aus ausbreitete. Im Gegensatz zu den anderen hier genannten Reichen hatte er keine afrikanischen Wurzeln.

Reich Kanem 700–1380 u. 1381–19. Jh
Das Reich Kanem wurde vo Nomaden gegründet, zerbrac und wurde als Kanem-Bornu ne gegründet. Die gepanzer ten Pferde und Reite gewannen im 16. Jh viele Schlachten

Songhai-Reich, 1464–1591
Nach Überfällen auf Mali wurden die Songhai die führende Macht in Westafrika, bis sie selbst erobert wurden.

Königreich Oyo, 1400–1895
Das Königreich Oyo wurde im 18. Jh. zu einem der größten und mächtigsten Staaten in Westafrika.

Königreich Benin, 12. Jh.–1897
Dieses Reich war für seine geschickten Handwerker berühmt die mit dem Wachsau schmelzverfahren, da von früheren Kulturen der Region entwickelt wurde, erlesene Bronzen fertigten.

Königreich Dahomey, 17. Jh.–1894
Das Reich war für seine Armee berühmt, die auch Frauenregimenter besaß. Es kämpfte mit Oyo um die Kontrolle der „Sklavenküste" und verkaufte Sklaven an europäische Menschenhändler.

Mali-Reich, 1230–17. Jh.
Das Handelsimperium von Mali erlangte Berühmtheit bis nach Europa, als sein Herrscher Mansa Musa 1325 mit Gold beladen nach Mekka pilgerte.

Reich von Ghana, 6. Jh.–1076
Der Wohlstand des Reiches von Ghana entstammte den Goldminen. Das Edelmetall wurde über die Westsahara-Goldroute ausgeführt. Ghana wurde 1076 von den Berbern erobert.

Aschanti-Reich, 1670–1902
Das Aschanti-Reich wurde durch Gold wohlhabend und breitete sich mit Militärmacht aus. Goldschmiede schufen Dolche, Schmuck und Tierfiguren für den König.

Die Einfriedung Groß-Simbabwes

Der Königssitz Groß-Simbabwe wurde erbaut, als das Königreich durch Goldexporte nach Asien reich wurde. Die große Einfriedung im Zentrum hatte 11 m hohe Mauern. Sie umschloss runde, strohgedeckte Häuser für den Herrscher und seinen Hofstaat, einen massiven, konischen Turm und vie niedrige Säulen mit Vogelstatuen aus Speckstein.

IM 13. JAHRHUNDERT WAR DIE HANDELSSTADT TIMBUKTU IM HEUTIGEN MAL

Afrikas große Königreiche

100 v. Chr. – 1974 n. Chr.

Die Königreiche Afrikas gelangten durch Handel und Bodenschätze zu Macht. Sie waren auch für ihr Kunsthandwerk berühmt, mit dem sie Herrscher und Götter ehrten. Einige dieser Reiche gab es Hunderte von Jahren, aber keines besteht heute noch. Die späteren Königreiche wurden in der Kolonialzeit im 19. und 20. Jahrhundert aufgelöst, als europäische Mächte Afrika besetzten.

Abessinien, 1137–1974
In diesem Kaiserreich wurden um 1200 unter der Zagwe-Dynastie in der Stadt Lalibela mehrere Kirchen direkt aus dem Fels gemeißelt.

Aksumitisches Reich, 100 v. Chr.–7. Jh. n. Chr.
Das Handel treibende Königreich war vor allem für seine hohen Steinstelen (Säulen) berühmt, die wahrscheinlich als Grabsteine dienten.

Königreich Luba, 16. Jh.–1889
Luba wurde von Königen regiert, die sich als Nachfahren eines mythischen Jägers sahen. Geschnitzte Holzobjekte priesen ihren göttlichen Status.

Königreich Lunda, 17. Jh.–1884
Das militärisch starke Reich eroberte viele Nachbarländer. In den 1740er-Jahren breitete es sich stark aus.

Königreich Ndongo, 16. Jh.–1671
Ndongo spaltete sich in den 1660er-Jahren von Kongo ab. Es betrieb Sklavenhandel mit Portugal. Als Portugal sich 1623 gewaltsam Sklaven nahm und diese nicht zurückgeben wollte, kam es zum Krieg.

Königreich Kongo, 1390–1857
Als die Portugiesen 1483 erstmals eintrafen, war Kongo ein Handelszentrum für Stoffe und Töpferwaren. Der König ließ sich als João Nzinga taufen und das Königreich unterhielt mehrere Hundert Jahre lang gute Beziehungen zu Portugal.

Königreich Simbabwe, 12. Jh.–1450
Durch den Handel mit Vieh und Gold gewann das mittelalterliche Simbabwe an Wohlstand. Es erreichte seine Blütezeit im frühen 15. Jh.

Königreich Zululand, 1816–1897
Der Staat, den der Kriegerkönig Shaka gründete, war der mächtigste in Südafrika – bis die Briten ihn Ende des 19. Jh. als Kolonialmacht übernahmen.

Chinook
Die Chinook lebten in festen Siedlungen im Pazifischen Nordwesten. Die Völker dieser Region schnitzten Totempfähle, von denen aber nur solche erhalten sind, die nach 1800 entstanden sind.

Inuit
Die Inuit passten sich auf vielfältige Weise an ihre Umwelt an, z. B. indem sie Fische durch Löcher im Eis angelten.

Gwich'in
Die Gwich'in waren Jäger und Sammler, die in Alaska lebten und erst 1789 in Kontakt mit Europäern kamen.

„Wir haben **die Erde** nicht von unseren Vorfahren **geerbt**, wir haben sie von **unseren Kindern geliehen**."

Indianisches Sprichwort

Sioux
Die Sioux waren große Büffeljäger und Krieger, die in den Great Plains, der Prärie, lebten.

um 1492

Amerika um 1492

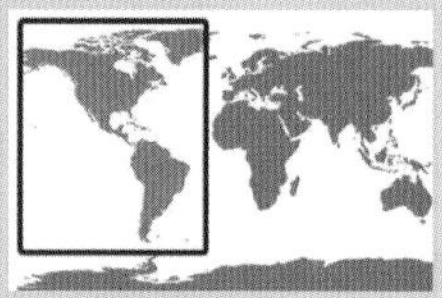

Schon bevor Christoph Kolumbus 1492 landete, waren Nord- und Südamerika seit Jahrtausenden bewohnt. Die Indianer im Norden waren einerseits umherziehende Jäger und Sammler, andererseits Bauern, die in großen Siedlungen lebten. Die größten Ansiedlungen lagen in Mittel- und Südamerika, wo sich einige der bedeutendsten Hochkulturen der Zeit entwickelten.

Azteken-Reich

Die ursprünglich aus der Wüste stammenden Azteken besiedelten im frühen 14. Jh. das Tal von Mexiko. Zu ihrer Blütezeit beherrschten sie ein Reich mit rund 10 Mio. Menschen. Die Hauptstadt Tenochtitlan (Zeichnung rechts) war mit geschätzten 300 000 Einwohnern eine der größten Städte der Welt zu dieser Zeit.

MAN WEISS NICHT, WIE VIELE MENSCHEN VOR 1492 IN AMERIKA LEBTEN.

Inuit
Wie die Inuit in Kanada und Alaska jagten auch die Inuit Grönlands Robben mit dem Kajak.

LEGENDE
Wissenschaftler teilen die amerikanischen Völker nach Klimazonen und Landschaften ein (auf der Karte farbig dargestellt), die die Kultur und die Lebensweise der Menschen beeinflussten. So zogen die Büffel jagenden und im Tipi lebenden Nomaden über die Prärien, während die sesshaften Bauern eher im Südosten lebten.

- Arktis
- Subarktis
- Nordöstliches Waldland
- Südosten
- Ebenen (Prärien)
- Großes Becken
- Hochebene
- Pazifischer Nordwesten
- Kalifornien
- Südwesten
- Mittelamerika
- Karibik
- Anden
- Amazonas
- Südamerika

Maya
Um 1492 lebten die Maya in rivalisierenden Städten im heutigen Mexiko, Guatemala, Belize und Honduras.

Munduruku
Nach Ankunft der Europäer überfielen diese Krieger portugiesische Dörfer entlang des Amazonas.

Regenwaldjäger
Im Amazonas-Regenwald lebten viele verschiedene Stämme. Manche jagten Tiere mit dem Blasrohr.

Azteken
Die Azteken beherrschten vom 14. bis zum 16. Jh. große Teile Mittelamerikas.

Inka
1492 erstreckte sich das Inka-Reich vom heutigen Kolumbien über Chile bis nach Nordwestargentinien.

nka-Reich

as Inka-Reich war 1492 as größte Reich in ganz merika. Es entstand im 3. Jh. im Hochland von Peru nd beherrschte im 15. Jh. n Gebiet, das fast so groß ar wie das Römische Reich. as Land war von einem fast 9 000 km langen Netz von traßen durchzogen.

Mapuche
Die Mapuche, die „Menschen der Erde", bewohnten ein riesiges Gebiet im heutigen Chile und Argentinien.

DIE ZAHL SCHWANKT ZWISCHEN 10 UND 100 MILLIONEN EINWOHNERN.

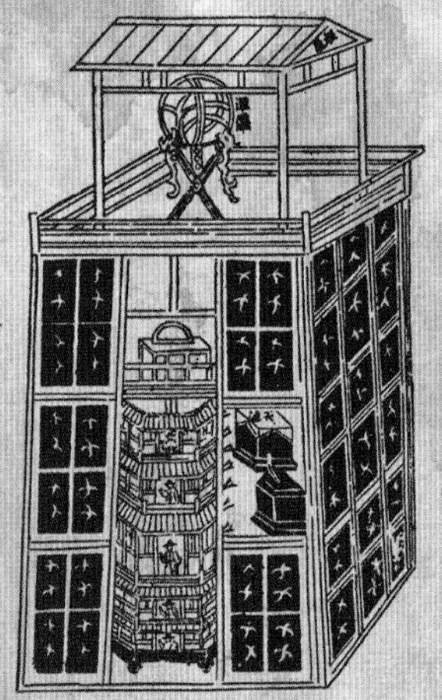

Zeitmessung

Die erste mechanische Uhr wurde von dem Chinesen Su Sung erfunden. Es war eine Wasseruhr: Das Wasser lief in einen Eimer, der regelmäßig geleert werden musste. Die erste Uhr mit mechanischem Uhrwerk, das über eine Feder angetrieben wird, tauchte erstmals 200 Jahre später in Europa auf.

Druckerpresse, 1440
Mit der von Johannes Gutenberg in Deutschland erfundenen Presse konnten Bücher schneller gedruckt werden als mit dem bisherigen Blockdruck, bei dem von Hand gedruckt wurde.

Hufeisen, 400–450
Metallbeschläge wurden erstmals auf den Pferdehuf genagelt.

Langbogen, 1200
Der englische Langbogen war schlagkräftiger als ein normaler Bogen und verhalf den Engländern zu vielen Siegen gegen die Franzosen. Erfunden wurde der Bogen in Wales.

EUROPA

Artesischer Brunnen, 1126
Ein artesischer Brunnen ermöglicht den Zugang zu Grundwasser, ohne dass dieses nach oben gepumpt werden muss. Die Erfindung verdankt ihren Namen der Stadt Artois (heute Frankreich), wo der erste Brunnen dieser Art entstand.

Hinteres drehbares Steuerruder, 1180
Das Ruder ermöglichte ein einfacheres Steuern von Schiffen. Die ersten Zeugnisse dieser Ruder finden sich auf Kunstwerken in Belgien.

Brille, 1286
1286 beschrieb der italienische Mönch Giordano da Pisa eine Brille in einem Manuskript – es ist weltweit die erste Erwähnung einer solchen Sehhilfe.

Sanduhr, 1338
Das von den Venezianern erfundene Stundenglas war ideal für die Seefahrt, da die Zeitmessung auch bei schwerem Seegang exakt blieb.

Karrenpflug, 650
Der Karrenpflug erla
die Bewirtschaftung
schwerer Lehmböd
Dadurch konnte di
Nahrungsprodukt
gesteigert werde

SÜDAMERIKA

Seilbrücke, 600
Die früheste bekannte Seilbrücke wurde in Peru erbaut. Ihre Bauform dient seitdem vielen großen Hängebrücken als Vorbild.

„Die größten **Erfindungen** wurden in der **Zeit der Unwissenheit** gemacht."

Jonathan Swift, britischer Autor, in
Gedanken über verschiedene Gegenstände, 1727

CHINESISCHE ALCHEMISTEN (CHEMIKER) ENTDECKTEN SCHWARZPULVE

450–1500 n. Chr.

Weitere Erfindungen

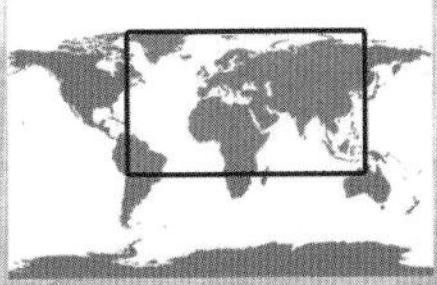

Das Mittelalter – die Zeit zwischen 450 und 1500 – war in ganz Europa und im Fernen Osten eine Zeit großen Fortschritts. Während dieser Ära kam es auch durch europäische Seefahrer zu einem Ideenaustausch mit der islamischen Welt und China.

ASIEN

Windmühle

Windmühle, 644
Erste Windmühlen tauchten in Persien auf, wo sie zum Mahlen von Korn und zum Pumpen von Wasser genutzt wurden.

Schwarzpulver, 850
Die Chinesen nutzten Schwarzpulver ursprünglich, um böse Geister zu vertreiben. Später erst verwendeten sie es für Sprengsätze und Flammenwerfer.

Pferdekummet, 470–500
Durch das Kummet konnten Pferde mehr als drei Mal so viel Gewicht ziehen. Erste Zeugnisse davon finden sich in den Mogao-Grotten in China.

Blockdruck, 650
Die Technik wurde im China der Tang-Dynastie erfunden und erlaubte den schnelleren Druck von Büchern und Schriftrollen. Man sagt auch Holztafeldruck.

Spinnrad

Spinnrad, 1150
Mit dem in China erfundenen Spinnrad wurden Wolle- und Pflanzenfasern zu Fäden versponnen, um Kleidung herzustellen.

Kompass, 1040–1044
Das chinesische Militär entwickelte den Kompass für das Navigieren auf dem Meer. In Europa war er um 1117 bekannt.

Mechanische Uhr, 1088
(siehe Kasten gegenüber)

AFRIKA

Papiergeld

Papiergeld, 900
Papiergeld tauchte erstmals in der großen Handelsmetropole Chengdu in China auf.

UFÄLLIG. SIE SUCHTEN NACH EINEM TRANK, DER UNSTERBLICH MACHT.

Die Neuzeit

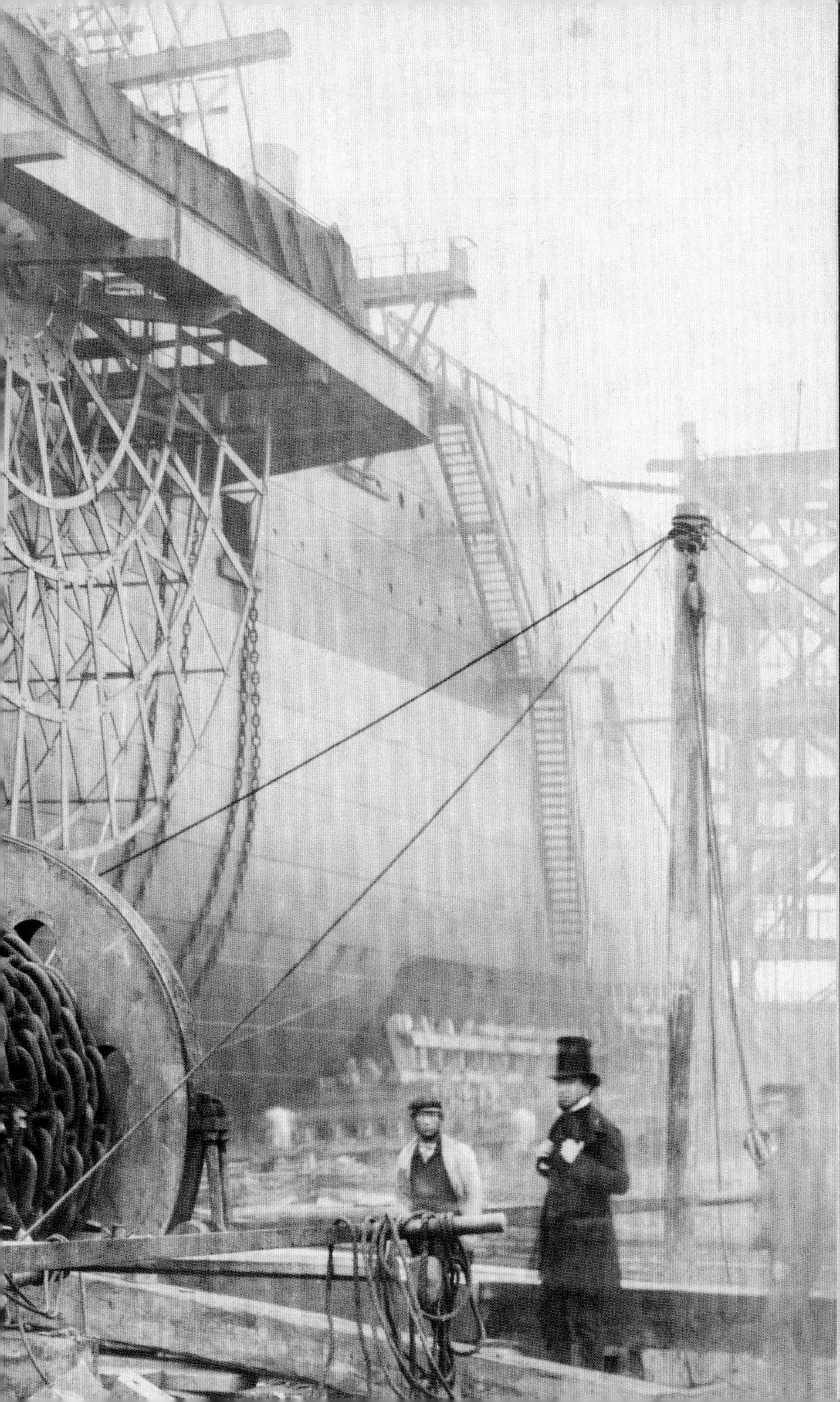

Moderne Technologie
Isambard Kingdom Brunel, einer der größten Ingenieure des 19. Jh., überwacht 1857 den Bau des Dampfers *Great Eastern*. Dieser konnte die gesamte Kohleladung für die Fahrt von Großbritannien bis nach Australien auf einmal aufnehmen. Er läutete eine neue Ära des Transports ein.

Die Neuzeit

Das Ende des 15. Jahrhunderts markierte den Beginn des Zeitalters der Entdeckungen. Neue Technologien erlaubten den Europäern, weite Reisen zu unternehmen und neue Handelsrouten zu finden. Kolumbus' Landung in Amerika („Neue Welt“) brachte unbekannte Waren, Lebensmittel und Gold in die „Alte Welt“ (Europa). Mit ihr begannen aber auch Kolonialismus, Piraterie und Sklavenhandel.

Navigationshilfe
Der um 1730 erfundene Sextant sagt Seeleuten, wo sie sich auf dem Ozean befinden, indem er den Winkel von Sonne, Mond und Sternen über dem Horizont misst.

1488

ÄRA DER ENTDECKUNGEN (1488–1597) Die Europäer entdeckten neue Handelsrouten und Länder jenseits des Atlantik. *»S. 78–79*

EINE NEUE WELT (1492) Der Seefahrer Christoph Kolumbus wollte einen Handelsweg von Spanien nach Asien finden und landete stattdessen in Amerika. *»S. 78–79*

VASCO DA GAMA (1497) Der portugiesische Entdecker fand eine neue Handelsroute nach Asien. *»S. 78–79*

SKLAVENHANDEL (16.–19. Jh.) Mehr als 12,5 Mio. Afrikaner wurden versklavt und nach Amerika verschleppt. *»S. 90–91*

REFORMATION (1517) Martin Luther begründete mit seinen Thesen gegen katholische Kirche den P testantismus. *»S. 84–85*

ENDE DER AZTEKEN (1521) Der spanische Conquistador Hernán Cortés zerstörte das Azteken-Reich in Mittelamerika. *»S. 80–81*

KAUTSCHUK (1735) Der Franzose Charles-Marie de la Condamine brachte den Kautschuk aus Ecuador nach Europa. *»S. 120–121*

BLACKBEARD (1716–1718) Der Blackbeard genannte Pira Edward Teach terrorisierte di Karibik und die Südostküst Amerikas. *»S. 86–8*

AMERIKANISCHER UNABHÄNGIGKEITSKRIEG (1775–1781) Die amerikanischen Kolonien erkämpften die Unabhängigkeit von Großbritannien. *»S. 92–93*

INDUSTRIELLE REVOLUTION (1770–1870) Maschinen übernahmen zunehmend die Arbeit und machten Produktion und Transport von Waren effizienter. *»S. 104–105*

FRANZÖSISCHE REVOLUTION (1789–1794) Die Menschen rebellierten unter dem Motto „Freiheit, Gleichheit, Brüderlichkeit“ gegen den König. *»S. 96–97*

GEFÄNGNIS AUSTRALIEN (1788) Die Briten verschifften 1500 Straftäter nach Botany Bay und gründeten die Strafkolonie Port Jackson (heute Sydney). *»S. 94–95*

HMS *Sirius*, das Flaggschiff der ersten Verschiffung nach Australien

NAPOLEONISCHE KRIEGE (1792–1815) Napoleon Bonaparte weitete seinen Einfluss in Europa aus, wurde aber bei Waterloo geschlagen. *»S. 98–99*

ERSTE FREIE SIEDLER IN AUSTRALIEN (1793) Die ersten Freiwilligen siedelten von England nach Australien über. *»S. 94–95*

SCHUTZIMPFUNG (1796) Edward Jenner entwickelte die Schutzimpfung gegen die Pocken. *»S. 120–121*

SÜDAMERIKANISCHE REVOLUTIONEN (1808–1826) Nach 300 Jahren europäischer Herrschaft wurden viele südamerikanische Kolonien unabhängig. *»S. 100–1*

DAMPFEISENBAHN (1825) In Nordengland eröffnete die erste öffentliche Eisenbahnlinie der Welt. *»S. 116–117*

GOLDRAUSCH IN SÜDAFRIKA (1886) Während des Goldrauschs in Witwatersrand entwickelte sich Johannesburg zu einer reichen Großstadt. *»S. 110–111*

TRANSSIBIRISCHE EISENBAHN (1891–19 Die längste Eisenbahnstrecke der Welt entst in Russland. *»S. 116–*

1900

1804 LEBTEN 1 MILLIARDE MENSCHEN AUF DER ERDE. HEUT

SULEIMAN DER PRÄCHTIGE (1520–1566) Suleiman I. dehnte das Osmanische Reich nach Europa aus. »*S. 118–119*

ENDE DER INKA (1531) Auf seiner dritten Expedition nach Peru zerstörte der Conquistador Francisco Pizarro das Inka-Reich. »*S. 80–81*

FREIBEUTERTUM (1560–1586) Der englische Freibeuter Sir Francis Drake raubte in der Karibik Schiffe aus. »*S. 78–79, 86–87*

KOLONISIERUNG NORDAMERIKAS (1565) Die Spanier gründeten die erste Kolonie auf dem Gebiet der heutigen USA. »*S. 88–89*

RUND UM DIE WELT (1521–1522) Ferdinand Magellans Schiff vollendete die allererste Weltumseglung. »*S. 78–79*

PIRATEN IN DER KARIBIK (1550–1720) Briten, Franzosen und Holländer versuchten den Spaniern das in Amerika erbeutete Gold abzunehmen. »*S. 86–87*

NEUE SPEISEN (1565) Mit den spanischen Schiffen kam die Kartoffel aus Mexiko nach Europa. »*S. 82–83*

ERSTER GOLDRAUSCH (1693) In Mina Gervais (Brasilien) wurde Gold gefunden. Bis 1720 strömten 400 000 Goldsucher nach Brasilien. »*S. 110–111*

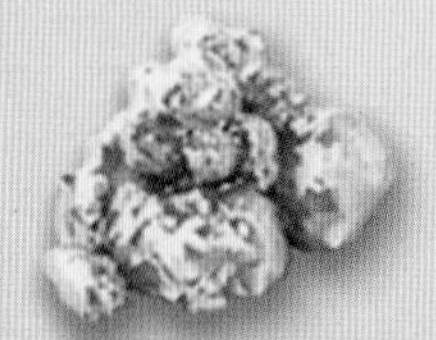

Gold

EDO-ZEIT, JAPAN (1603–1868) Ein Militärführer, Shogun, herrschte in Japan, das keinen Kontakt zum Ausland wollte. »*S. 114–115*

QUEBEC (1608) Die erste französische Kolonie in Amerika entstand im heutigen Kanada. »*S. 88–89*

QING-DYNASTIE, CHINA (1644–1912) Die Mandschu aus Nordchina stürzten den Ming-Kaiser und begründeten ie Qing-Dynastie. »*S. 118–119*

NEU-AMSTERDAM (1614) Die Niederländische Westindien-Kompanie gründete eine Stadt in Nordamerika. Die Engländer übernahmen sie 1665 und nannten sie New York. »*S. 88–89*

JAMESTOWN, VIRGINIA (1607) Siedler begründeten die erste erfolgreiche englische Kolonie in Amerika. »*S. 88–89*

DARWINS REISE (1831–1836) Auf einer Weltreise entwickelte Charles Darwin seine Evolutionslehre. »*S. 102–103*

REVOLUTION (1848) In ganz Europa kämpften die Menschen für bessere Arbeitsbedingungen und das Stimmrecht. »*S. 106–107*

JAPAN ÖFFNET SICH (1854) Die USA zwangen Japan zum ersten Handelsabkommen mit einem fremden Land. »*S. 114–115*

Dampflokomotive
Die erste dampfgetriebene Lokomotive fuhr 1804. Bis ins 20. Jh. wurden Züge von Dampfmaschinen gezogen. Die *King Edward II* wurde 1930 gebaut.

GOLDRAUSCH IN KALIFORNIEN (1848–1855) Mehr als 300 000 Goldsucher strömten nach Kalifornien. »*S. 110–111*

Revolutionäre in Europa, 1848

BRITISCHE RAJ (1858–1947) Die Briten übernahmen nach der Rebellion von 1875 die Herrschaft über Indien (Raj). »*S. 118–119*

KAMPF UM AFRIKA (1880er-Jahre–1914) Europäische Mächte wollten in Afrika den Sklavenhandel beenden, eroberten aber dabei die Länder des Kontinents. »*S. 118–119*

MEIJI-RESTAURATION (1868) Gegner des Shogun in Japan setzten den Kaiser wieder ein. Damit begann die Meiji-Zeit. »*S. 114–115*

ELEKTRISCHES LICHT (1879) Thomas Edison erfand die sichere Glühbirne. »*S. 120–121*

SCHLACHT AM LITTLE BIGHORN (1876) Indianer schlugen die US-Armee vernichtend. »*S. 108–109*

BÜRGERKRIEG (1861–1865) Der schwerste Krieg in der Geschichte der USA beendete die Sklaverei. »*S. 112–113*

SIND ES WELTWEIT MEHR ALS 7 MILLIARDEN.

Der Vertrag von Tordesillas

1494 schlossen Spanien und Portugal einen Vertrag, der die Welt in zwei Hälften teilte. Er sollte einen Konflikt der Seemächte um neue Gebiete verhindern. Alles östlich der gedachten Linie sollte Portugal gehören, alles westlich davon fiel an Spanien. Der Vertrag scheiterte, als weitere neue Gebiete entdeckt wurden.

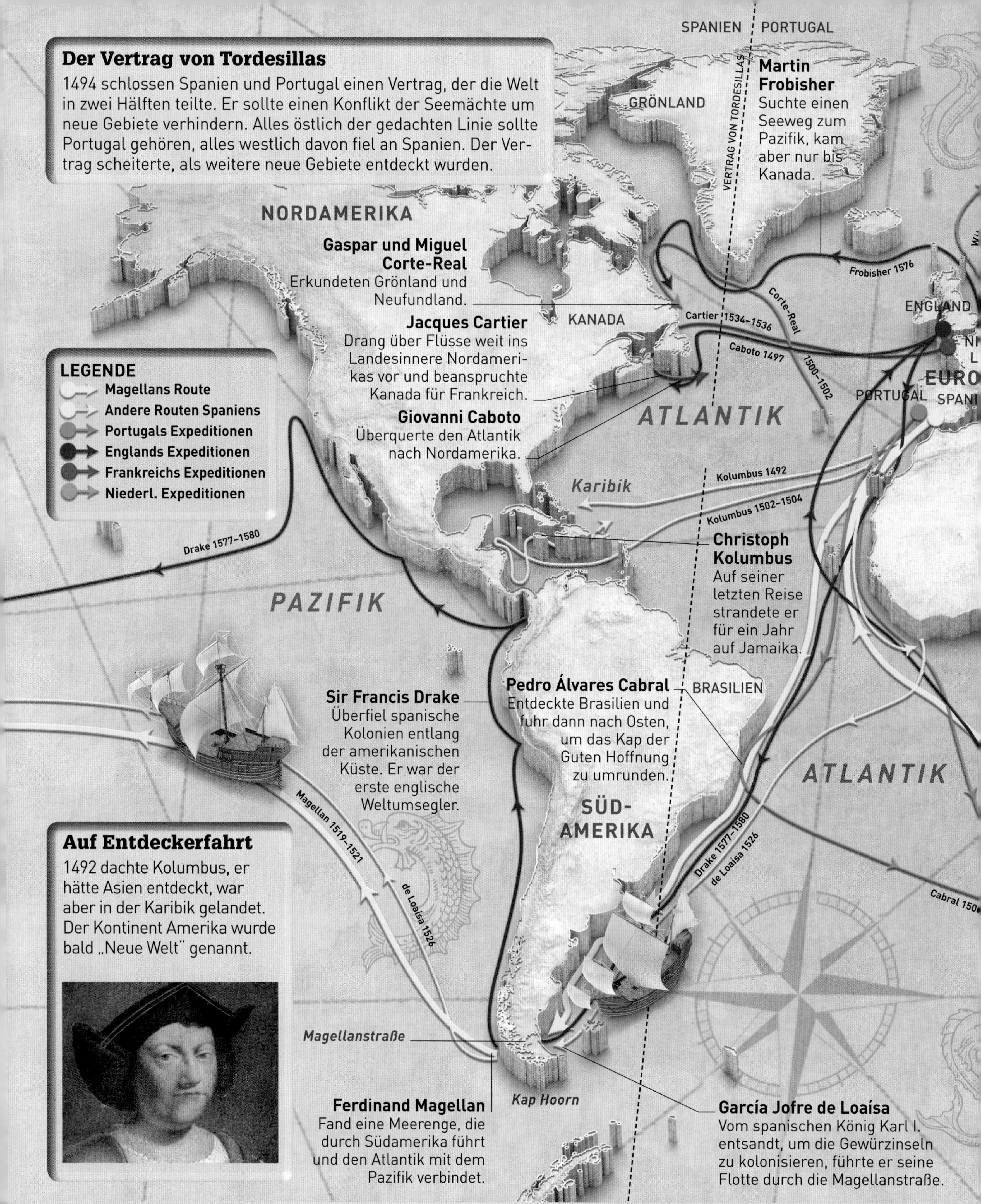

Martin Frobisher
Suchte einen Seeweg zum Pazifik, kam aber nur bis Kanada.

Gaspar und Miguel Corte-Real
Erkundeten Grönland und Neufundland.

Jacques Cartier
Drang über Flüsse weit ins Landesinnere Nordamerikas vor und beanspruchte Kanada für Frankreich.

Giovanni Caboto
Überquerte den Atlantik nach Nordamerika.

Christoph Kolumbus
Auf seiner letzten Reise strandete er für ein Jahr auf Jamaika.

Sir Francis Drake
Überfiel spanische Kolonien entlang der amerikanischen Küste. Er war der erste englische Weltumsegler.

Pedro Álvares Cabral
Entdeckte Brasilien und fuhr dann nach Osten, um das Kap der Guten Hoffnung zu umrunden.

Ferdinand Magellan
Fand eine Meerenge, die durch Südamerika führt und den Atlantik mit dem Pazifik verbindet.

García Jofre de Loaísa
Vom spanischen König Karl I. entsandt, um die Gewürzinseln zu kolonisieren, führte er seine Flotte durch die Magellanstraße.

Auf Entdeckerfahrt

1492 dachte Kolumbus, er hätte Asien entdeckt, war aber in der Karibik gelandet. Der Kontinent Amerika wurde bald „Neue Welt" genannt.

MATROSEN MUSSTEN MINDESTENS 16 JAHRE ALT SEIN. AN BORD

NORDPOLARMEER
SIBIRIEN
Barents 1594–1597
„Für die **Reise nach Indien** nutzte ich weder **Intelligenz** noch **Mathematik** oder **Karten**.“
Christoph Kolumbus, italienischer Entdecker, um 1502
Sir Hugh Willoughby und William Barents
Beide segelten nördlich von Sibirien, fanden aber keinen Weg in den Pazifik.
PAZIFIK
ASIEN
Fernão Pires de Andrade
Erreichte Kanton und begründete den Handel zwischen Portugal und China.
CHINA
Kanton
Juan Sebastián Elcano
Übernahm nach Magellans Tod auf den Philippinen das Kommando. Sein Schiff vollendete die erste Weltumseglung aller Zeiten. Sie dauerte drei Jahre.
INDIEN
PHILIPPINEN
FRIKA
Andrade 1517
Drake 1577–1580
Cabral 1500
Gewürzinseln
da Gama 1497–1498
Vasco da Gama
Umsegelte als Erster Afrika und brachte aus Indien Zimt und Pfeffer nach Portugal.
de Loaísa 1526
INDISCHER OZEAN
Magellan 1519–1521
AUSTRALASIEN
ap der
uten
offnung
Elcano (nach Magellans Tod) 1521–1522
Victoria
Elcanos Schiff war eine Karacke: ein großes, schweres Segelschiff, das von den Portugiesen zur Überquerung des Atlantik entwickelt worden war.

88–1597

Zeit der Entdeckungen

litte des 15. Jahrhunderts suchten die Mächte Europas nach neuen Wegen von West ach Ost, da die wichtigsten Landwege von muslimischen Herrschern kontrolliert wuren. Das führte zur Entdeckung von Regionen, die bis dahin in Europa unbekannt waren.

Sieg über die Azteken

1519 stellte Hernán Cortés eine riesige Armee aus Ureinwohnern auf, die sich gegen die Azteken erheben wollten. Sie nahmen die Azteken-Hauptstadt Tenochtitlan ein, aber als Cortés durch den Kampf gegen seinen Rivalen und Landsmann Pánfilo de Narváez abgelenkt war, eroberten die Azteken sie zurück. Cortés kehrte 1521 zurück, die Stadt kapitulierte.

Ein 1552–1585 entstandenes Buch berichtet von der Eroberung der Azteken.

Francisco Vásquez de Coronado, 1540
Führte eine Expedition ins heutige Arizona, New Mexico, Texas, Oklahoma und Kansas (USA). Mitglieder eines seiner Erkundungstrupps sahen als erste Europäer den Fluss Colorado und den Grand Canyon.

Hernando de Soto, 1539–1542
Anführer des ersten weiten europäischen Vorstoßes auf das Gebiet der heutigen USA. Historiker glauben, dass er der erste Europäer war, der den Mississippi überquerte.

Alvar Núñez Cabeza de Vaca, 1528
Ein Mitglied der Narváez-Expedition von 1528 nach Florida, die nur vier Männer von 600 überlebten. Er versuchte einen Landweg nach New Mexico zu finden, wurde aber von Indianern gefangen genommen und acht Jahre festgehalten. Er schrieb das erste Buch eines Europäers über den Alltag der amerikanischen Ureinwohner.

Hernán Cortés, 1519
Erkundete auf das mittelamerikanische Festland. Er griff mit einer riesigen Armee die Azteken-Hauptstadt Tenochtitlan an und zerstörte das Azteken-Reich.

Francisco de Montejo, 1527
Versuchte 1527 den Osten der Yucatán-Halbinsel zu erobern, wurde aber von den Maya zurückgeschlagen. Sein Sohn Francisco hatte 1545 mehr Erfolg.

1513–1570

Konquistadoren

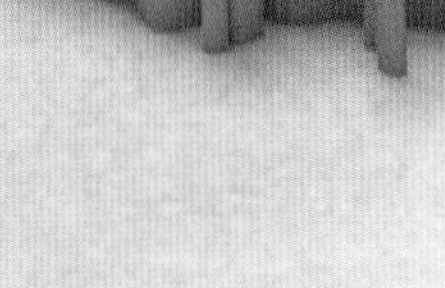

Als Kolumbus 1492 die Neue Welt entdeckte, folgte ihm eine ganze Welle ehrgeiziger Spanier. Sie wurden „Konquistadoren“ (Eroberer) genannt und suchten Ruhm und Reichtum. Manche eroberten ganze Königreiche und häuften unermessliche Schätze an, andere verloren alles, manchmal sogar ihr Leben.

EIN JAHRHUNDERT NACH ANKUNFT DER KONQUISTADOREN WAREN 90

Der letzte Inka-Herrscher

1531 erreichte Francisco Pizzaro mit 180 Mann das Inka-Reich. Er traf sich mit dem Inka-Herrscher Atahualpa in einem Armeelager im Norden Perus. Pizarro nahm Atahualpa als Geisel und forderte ein riesiges Lösegeld. Er bekam das Gold, brachte Atahualpa aber trotzdem um, um seine Soldaten zu unterhalten. Zwei Jahre später war das mächtige Inka-Reich zerstört.

Moderne Illustration von Pizarro und Atahualpa

Juan Ponce de León, 1513
Erkundete das Land nördlich der Insel Hispaniola. Entdeckte am 2. April 1513 Land, das er für eine Insel hielt und Florida nannte.

Vasco Núñez de Balboa, 1513–1514
Ist am ehesten für seine Expedition durch Panama bekannt. Er war der erste Europäer, der den Pazifik von der Neuen Welt aus erreichte.

Pedro de Alvarado, 1522
War bei Cortés' erfolgreicher Expedition gegen die Azteken dabei und der brutalste der Konquistadoren. Er eroberte große Teile Mittelamerikas für Spanien.

„Ich und **meine Landsleute** leiden an einer **Krankheit des Herzens**, die nur **Gold heilen** kann."

Hernán Cortés in einem Appell an den Azteken-Herrscher, 1519

Wo kamen sie her?

Die Konquistadoren waren ehrgeizige Männer, die Spanien verließen, um Ruhm und Reichtum in der Neuen Welt zu finden. Diese Karte zeigt, wie die führenden Konquistadoren von Spanien aus den Atlantik überquerten und wo sie in der Neuen Welt an Land gingen.

Francisco Pizarro, 1524–1533
Gelockt von Berichten über die Reichtümer Perus, führte er 1524 und 1526 zwei erfolglose Expeditionen an. 1531 kehrte er nochmals zurück und zerstörte das Inka-Reich.

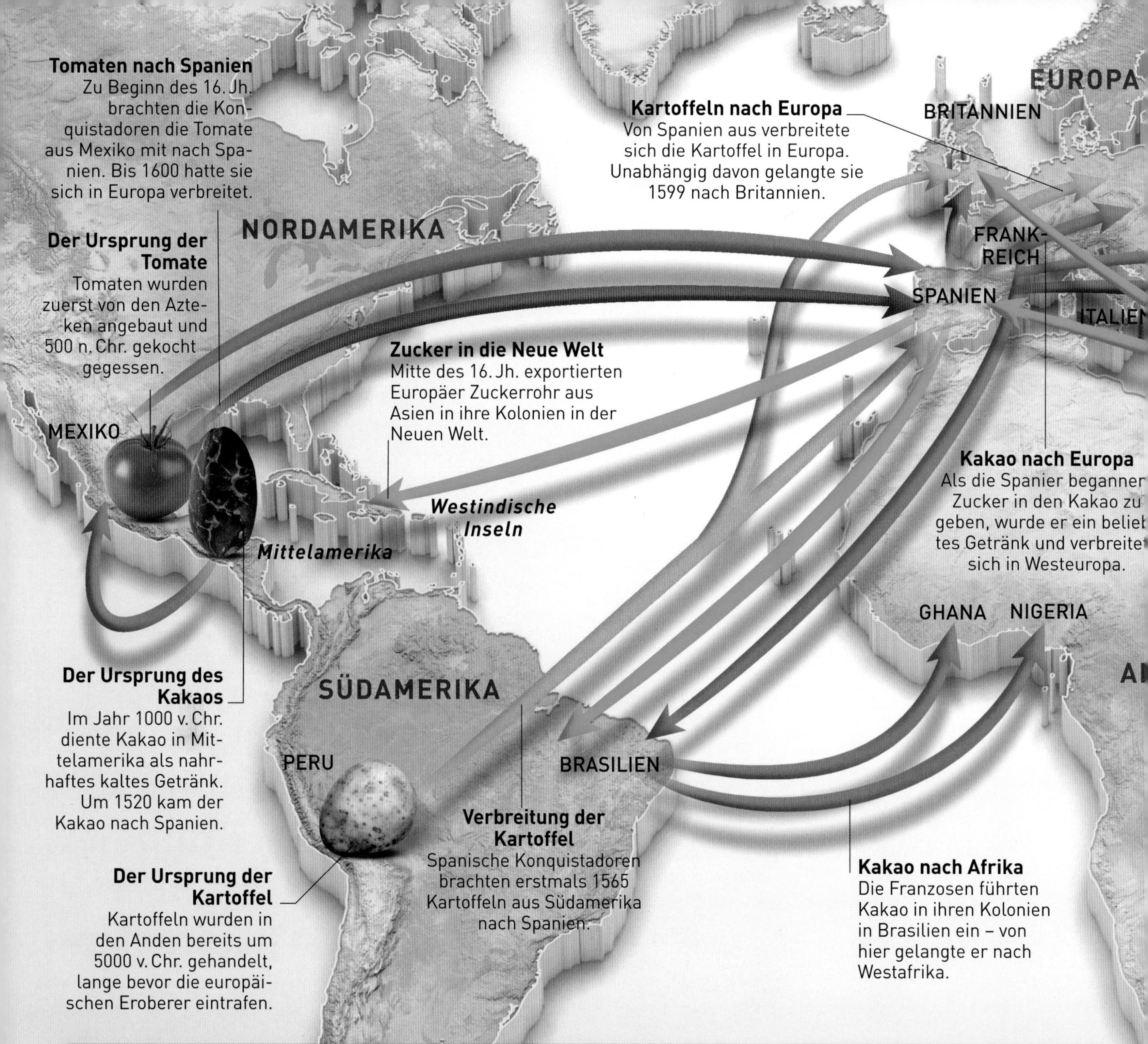

Tomaten nach Spanien
Zu Beginn des 16. Jh. brachten die Konquistadoren die Tomate aus Mexiko mit nach Spanien. Bis 1600 hatte sie sich in Europa verbreitet.

Kartoffeln nach Europa
Von Spanien aus verbreitete sich die Kartoffel in Europa. Unabhängig davon gelangte sie 1599 nach Britannien.

Der Ursprung der Tomate
Tomaten wurden zuerst von den Azteken angebaut und 500 n. Chr. gekocht gegessen.

Zucker in die Neue Welt
Mitte des 16. Jh. exportierten Europäer Zuckerrohr aus Asien in ihre Kolonien in der Neuen Welt.

Kakao nach Europa
Als die Spanier begannen Zucker in den Kakao zu geben, wurde er ein beliebtes Getränk und verbreitete sich in Westeuropa.

Der Ursprung des Kakaos
Im Jahr 1000 v. Chr. diente Kakao in Mittelamerika als nahrhaftes kaltes Getränk. Um 1520 kam der Kakao nach Spanien.

Verbreitung der Kartoffel
Spanische Konquistadoren brachten erstmals 1565 Kartoffeln aus Südamerika nach Spanien.

Der Ursprung der Kartoffel
Kartoffeln wurden in den Anden bereits um 5000 v. Chr. gehandelt, lange bevor die europäischen Eroberer eintrafen.

Kakao nach Afrika
Die Franzosen führten Kakao in ihren Kolonien in Brasilien ein – von hier gelangte er nach Westafrika.

Der Kolumbus-Effekt

Als im 16. Jh. die Alte und die Neue Welt aufeinandertrafen, tauschten sie Obst, Getreide, Gemüse und Nutztiere. Dies nennt man den Kolumbus-Effekt oder Kolumbianischen Austausch. Es wurden aber auch unbewusst Krankheiten eingeschleppt – viele Ureinwohner Amerikas starben.

Neue Welt (Amerika)
Dazu gehören: Obst, Gemüse und Samen wie beispielsweise Avocados, Bohnen, Chilischoten, Kakao, Erdnüsse, Ananas, Kartoffeln, Süßkartoffeln, Kürbisse, Tomaten und Vanille; Getreide wie Mais; Nutztiere wie der Truthahn; nicht essbare Pflanzen, wie Tabak; Krankheiten wie die Syphilis.

Alte Welt (Europa, Afrika und Asien)
Dazu gehören: Obst, Gemüse und Samen wie beispielsweise Bananen, Zitrusfrüchte, Kaffee, Oliven, Zwiebeln, Pfirsiche, Birnen und Zuckerrohr; Getreide wie Gerste, Hafer, Reis und Weizen; Nutztiere wie Hühner, Kühe und Schafe; Krankheiten wie Windpocken, Pocken und Malaria.

IM 17. JAHRHUNDERT WAR KAKAO IN EUROPA SEHR BELIEBT UND WURD

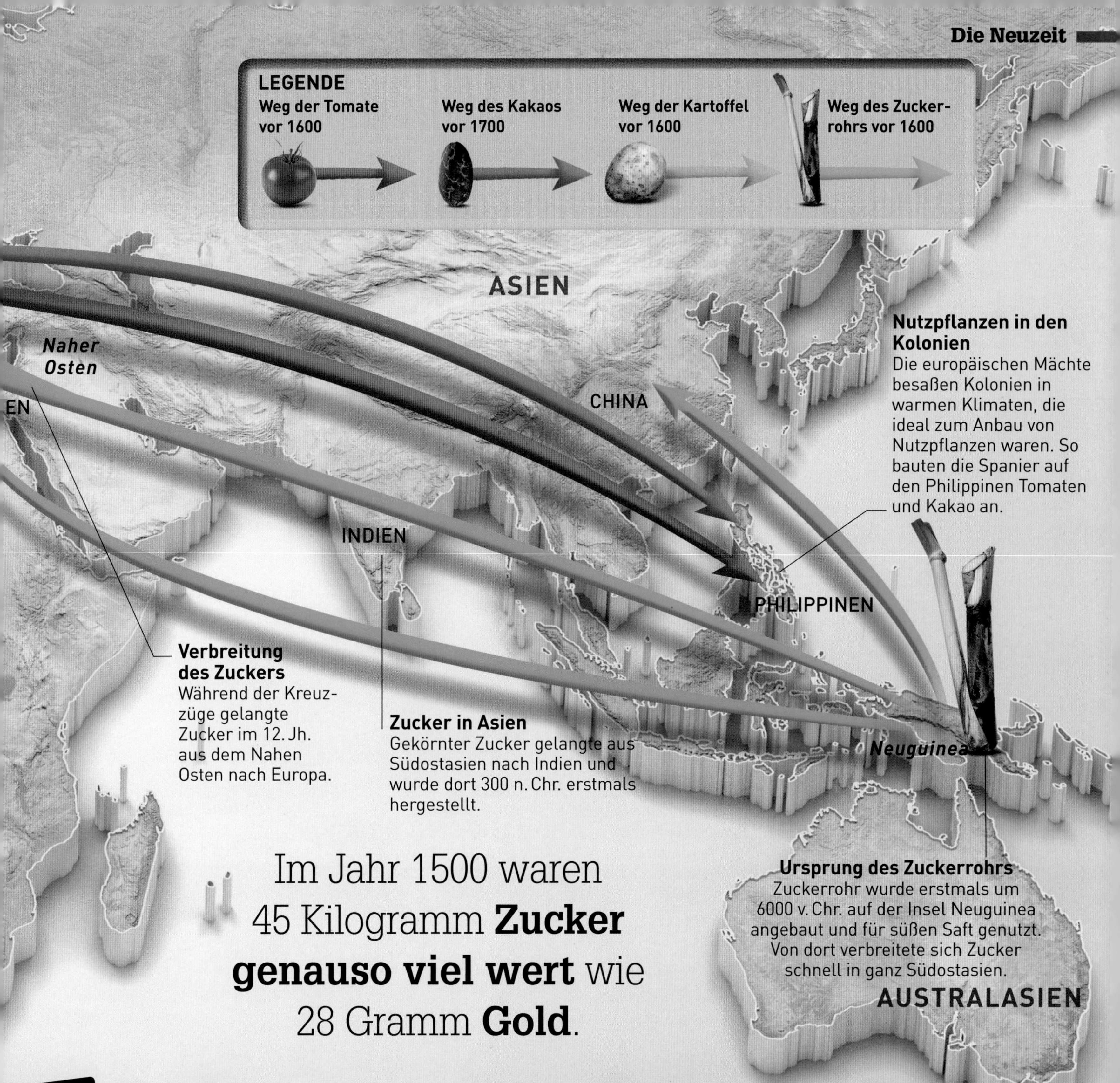
LEGENDE
Weg der Tomate vor 1600
Weg des Kakaos vor 1700
Weg der Kartoffel vor 1600
Weg des Zuckerrohrs vor 1600
ASIEN
Naher Osten
EN
CHINA
INDIEN
PHILIPPINEN
Neuguinea
AUSTRALASIEN
Nutzpflanzen in den Kolonien
Die europäischen Mächte besaßen Kolonien in warmen Klimaten, die ideal zum Anbau von Nutzpflanzen waren. So bauten die Spanier auf den Philippinen Tomaten und Kakao an.
Verbreitung des Zuckers
Während der Kreuzzüge gelangte Zucker im 12. Jh. aus dem Nahen Osten nach Europa.
Zucker in Asien
Gekörnter Zucker gelangte aus Südostasien nach Indien und wurde dort 300 n. Chr. erstmals hergestellt.
Ursprung des Zuckerrohrs
Zuckerrohr wurde erstmals um 6000 v. Chr. auf der Insel Neuguinea angebaut und für süßen Saft genutzt. Von dort verbreitete sich Zucker schnell in ganz Südostasien.
Im Jahr 1500 waren 45 Kilogramm **Zucker genauso viel wert** wie 28 Gramm **Gold**.

000 v. Chr.–
600 n. Chr.

Lebensmittelhandel

Venn Kulturen aufeinandertreffen, lernen sie auch die Nahrung des jeweils anderen ennen. Der größte Austausch von Nahrung fand wahrscheinlich statt, als Europa im 6. Jahrhundert auf die Neue Welt traf. Die Menschen auf beiden Seiten des Atlantiks amen dabei mit völlig unbekannten Lebensmitteln in Berührung.

1517–1648

Die Reformation

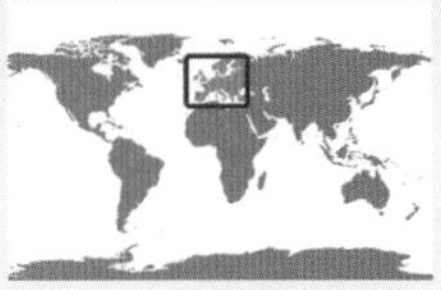

Die katholische Kirche war in Westeuropa seit 1000 vorherrschend, als 1517 der Mönch Martin Luther eine Liste mit 95 Beschwerden (Thesen) an ein Kirchenportal in Wittenberg heftete. Luthers Ideen lösten 130 Jahre Kriege und Verfolgung aus, aber sie änderten (reformierten) die Kirche und begründeten eine neue christliche Konfession, den Protestantismus.

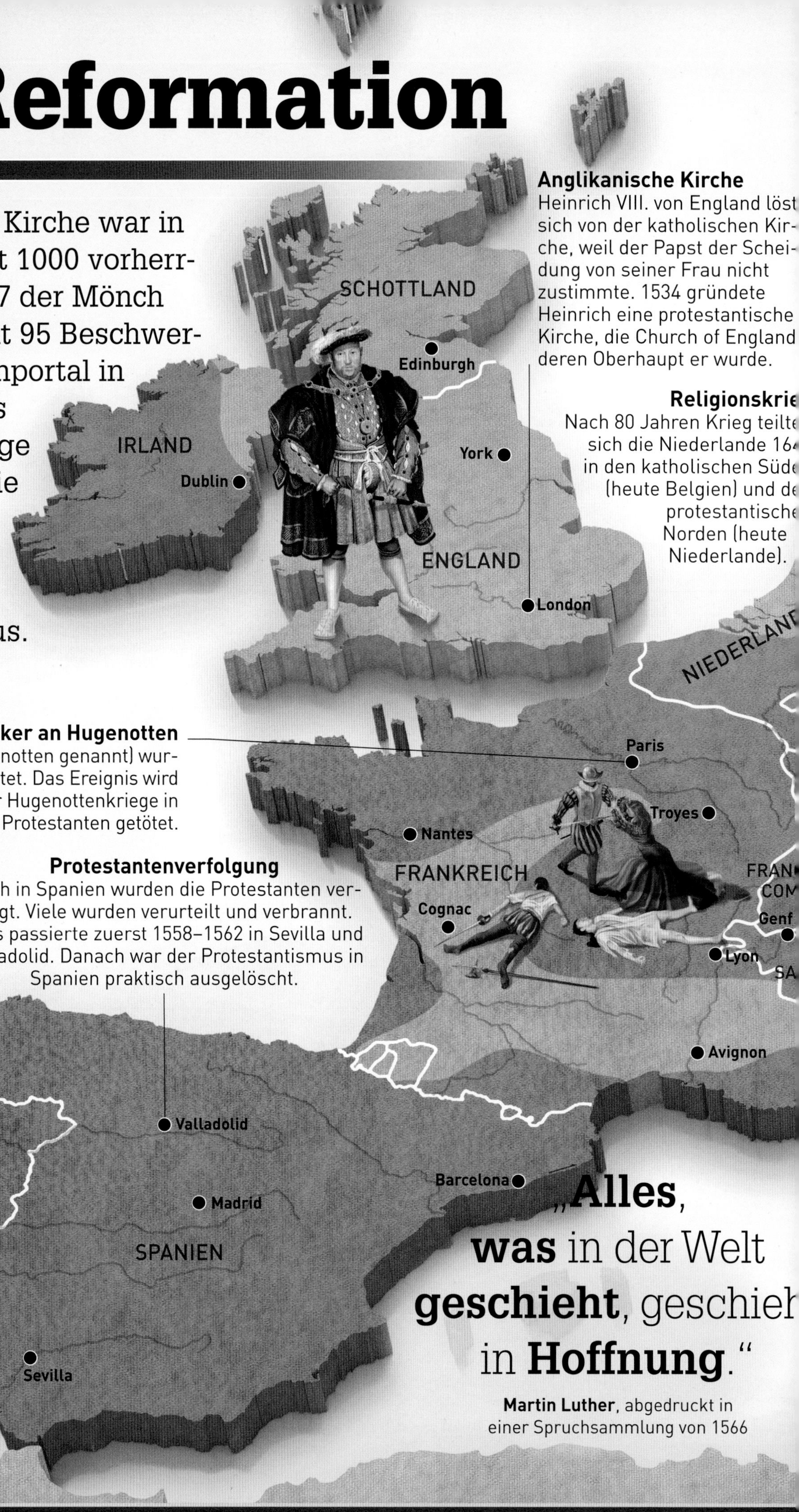

Anglikanische Kirche
Heinrich VIII. von England löst sich von der katholischen Kirche, weil der Papst der Scheidung von seiner Frau nicht zustimmte. 1534 gründete Heinrich eine protestantische Kirche, die Church of England deren Oberhaupt er wurde.

Religionskrie
Nach 80 Jahren Krieg teilte sich die Niederlande 16 in den katholischen Süde (heute Belgien) und de protestantische Norden (heute Niederlande).

Massaker an Hugenotten
Führende Protestanten (in Frankreich Hugenotten genannt) wurden 1572 bei einem Massaker in Paris getötet. Das Ereignis wird Bartholomäusnacht genannt. Während der Hugenottenkriege in Frankreich (1562–1598) wurden viele Protestanten getötet.

Protestantenverfolgung
Auch in Spanien wurden die Protestanten verfolgt. Viele wurden verurteilt und verbrannt. Dies passierte zuerst 1558–1562 in Sevilla und Valladolid. Danach war der Protestantismus in Spanien praktisch ausgelöscht.

Martin Luther

Luther wollte sich eigentlich gar nicht von der katholischen Kirche lösen, sondern sie nur verändern. Er wurde aber 1520 aus der Kirche ausgeschlossen und so zu einem Revolutionär.

„**Alles**, **was** in der Welt **geschieht**, geschieh in **Hoffnung**."

Martin Luther, abgedruckt in einer Spruchsammlung von 1566

DIE DRUCKERPRESSE BESCHLEUNIGTE DIE REFORMATION: LUTHERS

LEGENDE
Die Karte zeigt Europa um 1600. Die Reformation hat viele vorwiegend katholische bzw. protestantische Regionen geschaffen.

- Vorwiegend katholisch
- Vorwiegend protestantisch

Kirchengüter
Gustav I. Wasa, König von Schweden, beschlagnahmte 1527 das Land der Kirche und reformierte die Kirche nach Luthers Ideen.

Luthers Thesen
Am 31. Oktober 1517 schlug Luther seine 95 Thesen an der Kirchentür in Wittenberg (im heutigen Deutschland) an.

Kaiserlicher Frieden
555 schloss der katholische aiser Karl V. nach einem Jahr religiöser Kämpfe in Augsburg den Religionsfrieden und erlaubte den Protestantismus dort, wo die Fürsten Protestanten waren.

Johannes Calvin

Nach seinem Wechsel zum Protestantismus ließ sich Johannes Calvin 1536 in Genf (Schweiz) nieder. Er entwickelte seine eigene Form der neuen Religion, die heute als Calvinismus bekannt ist. Calvin entsandte Missionare, die halfen, den Protestantismus in Schottland, Frankreich und den Niederlanden zu verbreiten.

Konzil von Trient
Die katholische Kirche wollte verhindern, dass noch mehr Menschen zum Protestantismus übertraten. Daher trafen sich Kirchenvertreter 1545–1562 drei Mal in Trient und beschlossen die Gegenreformation, um die Menschen zurückzugewinnen.

16.–19. Jh. Piraten der Karibik

Im 16. Jahrhundert segelten Galeonen von den spanischen Besitzungen in der Neuen Welt mit Gold beladen nach Spanien. Das lockte Freibeuter an, die die Erlaubnis ihrer Länder hatten, diese Schiffe zu kapern, aber auch Seeräuber, die im eigenen Interesse handelten. Das Zeitalter der Piraten und Freibeuter endete im 19. Jahrhundert, als gut ausgerüstete Flotten für Ordnung sorgten.

Galeonen voller Gold
1628 kaperte der niederländische Freibeuter Piet Hey vor Kuba eine ganze spanische Schatzflotte.

Aztekengold
Gold wurde mit Maultieren in Hafenstädte wie Veracruz gebracht, wo es dann auf Galeonen verladen wurde.

François l'Ollonais
Der berüchtigte Seeräuber strandete bei Campeche. Die Spanier töteten seine Mannschaft und er verbrachte aus Rache die nächsten zehn Jahre damit, spanische Flotten in der Karibik anzugreifen.

Henry Morgan
Der ehemalige Freibeuter überfiel viele Hafenstädte und Inseln, darunter auch Old Providence, die er in den 1670er-Jahren als Basis nutzte.

„Ein **guter Seemann**, aber auch ein **grausamer Schurke**."

Captain Charles Johnson über Blackbeard, in seinem Buch über Piraten, 1724

LEGENDE
Die Karte zeigt die Karibik im 16.–18. Jh.

- **Von Spanien beherrschtes Land**
- **Wichtige Stadt**
- **Wichtiges Piratennest**
- **Geplünderte/eroberte Stadt oder Insel**

VON PIRATEN GEFANGEN GENOMMENE MATROSEN TRATEN IN DER HOFFNUNG

Ocracoke
Die Insel war ein großartiges Versteck für Blackbeard, wo er auf Beute lauerte, bis er 1718 in einer Seeschlacht vor Ocracoke getötet wurde.

Blackbeard
1718 belagerte Blackbeard die Stadt Charleston und forderte Lösegeld. Er bot einen furchterregenden Anblick und es heißt, dass er sich brennende Lunten an den Hut steckte, um seine Gegner zu verängstigen.

Mary Read
Mary Read schloss sich 1720 zusammen mit Anne Bonny Captain Calico Jack in New Providence an. Beide Frauen trugen Männerkleidung und blieben jahrelang unerkannt.

Piratennest
Ab den 1630er-Jahren war die Insel Tortuga bei Hispaniola ein Versteck für Seeräuber. Die bunte Mischung aus ehemaligen Freibeutern, Verbrechern und entlaufenen Sklaven terrorisierte die Meere, nachdem die Freibeuterei verboten worden war.

Freibeuter oder Seeräuber?

Freibeuter überfielen in Kriegszeiten im Namen ihrer Länder feindliche Schiffe. Die Niederlande, England und Frankreich setzten sie gegen Spanien ein. Die Freibeuter machten Jagd auf Gold und Sklaven, waren aber respektiert. Seeräuber dagegen waren Piraten, die zu ihrem persönlichen Vorteil raubten, was oft grausig endete.

Königin Elisabeth I. von England schlägt Francis Drake für seine Dienste als Freibeuter zum Ritter, 1581

Freibeuter-Prisen
Francis Drake kaperte 1571 vor Puerto Rico eine spanische Galeone. Auch später mehrte er so seinen Reichtum, etwa 1585–1586, als er Städte zwischen Cartagena bis San Agustín plünderte.

Landnahme
Die Inseln, die die Spanier nicht erobert hatten, wechselten in den Kämpfen zwischen Holländern, Franzosen und Engländern häufig den Besitzer.

Piratenschiff
Piraten fuhren oft auf kleinen, schnellen Schiffen, die die schweren spanischen Galeonen ausmanövrierten. 1720 kaperte Blackbeard 15 Schiffe in drei Tagen.

Port Royal
Ab 1655 fanden Piraten hier Zuflucht. Die Stadt war für wilde Ausschweifungen bekannt, bis 1687 Gesetze gegen Piraterie erlassen wurden.

Überfälle
Küstenstädte wurden wiederholt überfallen, um das zum Abtransport lagernde Gold zu erbeuten. Maracaibo hatte deshalb 16 Kanonen auf seinen Mauern.

Agent der Königin
John Hawkins segelte 1564 mit dem Segen Königin Elisabeths I. und machte ein Vermögen, indem er Sklaven aus Afrika in Südamerika verkaufte.

AUF REICHTUM UND FREIHEIT OFT DEN PIRATENMANNSCHAFTEN BEI.

Die Pilgerväter

Die Pilgerväter waren nicht die ersten europäischen Siedler in Nordamerika, aber sie sind die bekanntesten. Auf einem Schiff namens *Mayflower* verließ eine Gruppe von 102 Männern, Frauen und Kindern am 16. September 1620 England. Am 21. Dezember landeten sie schließlich in Plymouth Rock.

Hudson Bay
Europäische Händler nutzten die von den amerikanischen Ureinwohnern errichteten Handelsrouten. In den 70er-Jahren des 17. Jh. unterhielt die britische Hudson Bay Company entlang der Küste der Hudson Bay Handelsposten (Faktoreien).

Huds
Ba

Mai
Kämpfe mit d
Ureinwohnern – wie d
King Philips's War, der si
auf Maine konzentrie
(1675–1676) – waren ei
ständige Bedrohung für d
frühen Siedl

LEGENDE
Diese Karte zeigt britische, französische und spanische Gebiete in Nordamerika im Jahr 1733.

- Britischer Besitz
- Französischer Besitz
- Spanischer Besitz
- Umstrittene Gebiete
- Pelzhandelsposten

NORDAMERIKA

NEU-FRANKREICH

Neu-Amsterda
Die Briten nahmen Neu-Amste
dam (1614 von den Niederlände
gegründet) 1665 ein und benan
ten es in New York u

Santa Fe
Die Spanier erkundeten ab dem 16. Jh. von Mexiko aus den Südwesten der heutigen USA und gründeten 1609 mit Santa Fe ihre Hauptstadt.

Jamestown
Die erste erfolgreiche britische Kolonie war das 1607 gegründete Jamestown.

NEW MEXICO

Santa Fe

LOUISIANA

1500–1733 Kolonien in Amerika

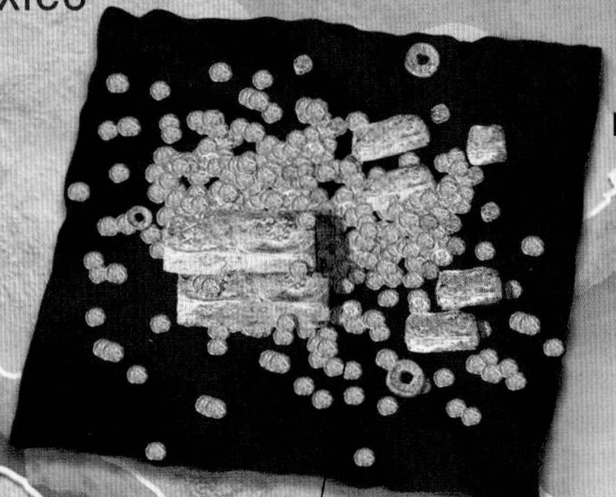

New Orle

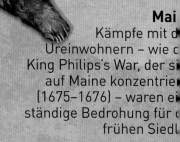

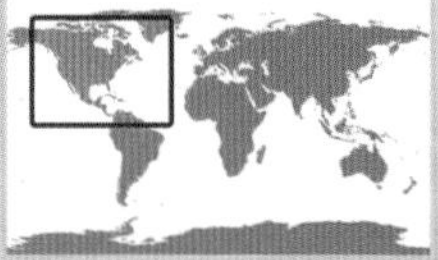

Die Kolonisierung (Landnahme) Nordamerikas begann im 16. Jahrhundert, als die europäischen Mächte versuchten, das neu entdeckte Land für sich zu beanspruchen. Für die ersten europäischen Siedler war das Leben in den Kolonien sehr hart und einige starben. Aber schon bald blühten viele der Siedlungen auf.

Spanisches Gold

VIZEKÖNIGREICH NEUSPANIEN

Neuspanien
Zwischen 1500 und 1650 konzentrierten sich die Spanier auf das Vizekönigreich Neuspanien, aus dem sie 164 Tonnen Gold und 15 400 Tonnen Silber fortschafften.

New Orlear
1718 erreichten rund 70
Einwanderer aus Fran
reich Nouvelle-Orléan
Die französische Kolon
Louisiana wuch

IM JAHR 1700 GAB ES BEREITS 250 000 EUROPÄISCHE SIEDLER IN

„Ja, nennt es **heil’gen Boden**, wo erstmals ihren **Fuß** sie **setzten**.“

Felicia Dorothea Hemans im Gedicht *The Landing of the Pilgrim Fathers* (Die Landung der Pilgerväter), 1825

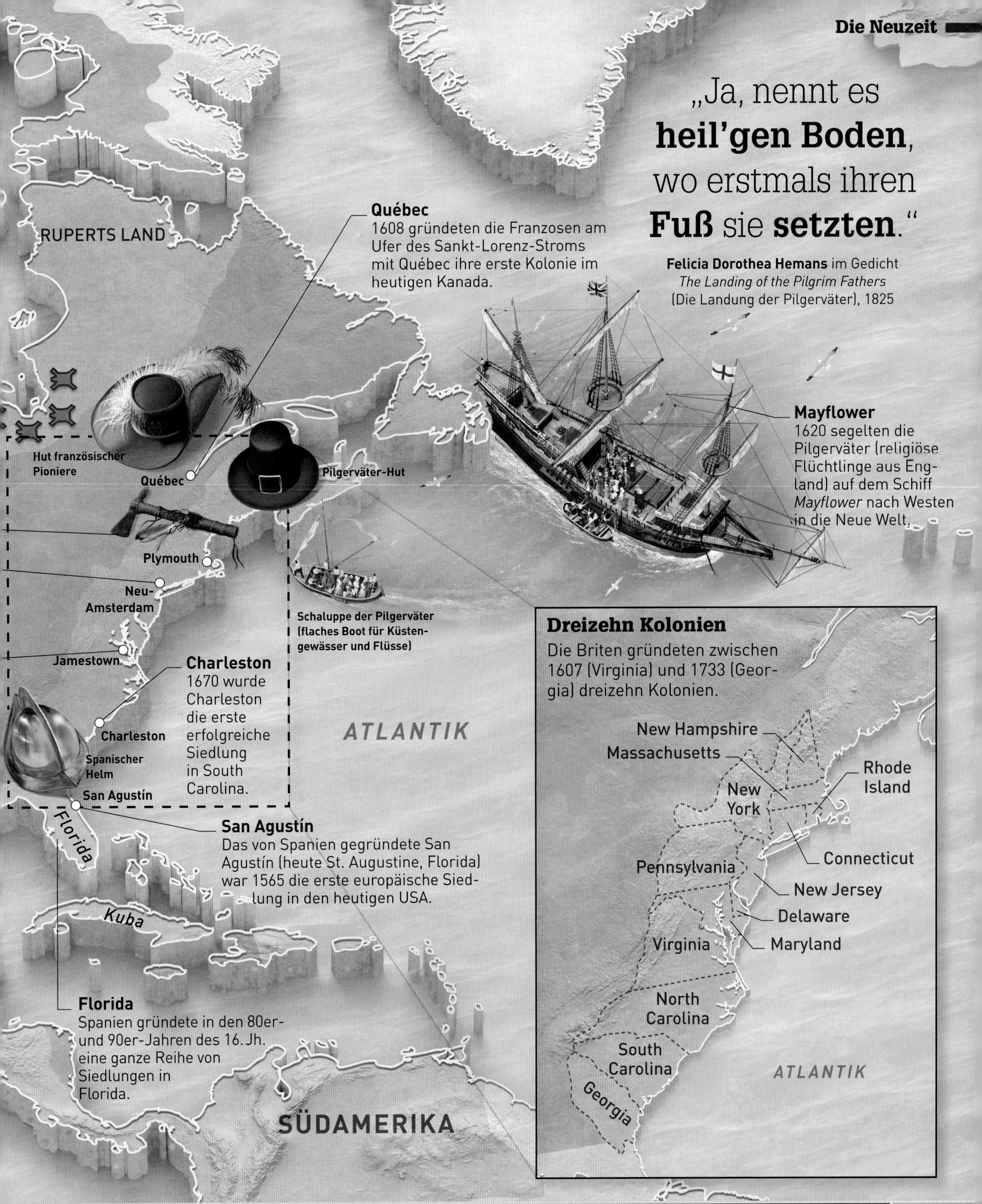

Québec
1608 gründeten die Franzosen am Ufer des Sankt-Lorenz-Stroms mit Québec ihre erste Kolonie im heutigen Kanada.

Mayflower
1620 segelten die Pilgerväter (religiöse Flüchtlinge aus England) auf dem Schiff *Mayflower* nach Westen in die Neue Welt.

Charleston
1670 wurde Charleston die erste erfolgreiche Siedlung in South Carolina.

San Agustín
Das von Spanien gegründete San Agustín (heute St. Augustine, Florida) war 1565 die erste europäische Siedlung in den heutigen USA.

Florida
Spanien gründete in den 80er- und 90er-Jahren des 16. Jh. eine ganze Reihe von Siedlungen in Florida.

Dreizehn Kolonien
Die Briten gründeten zwischen 1607 (Virginia) und 1733 (Georgia) dreizehn Kolonien.

16.–19. Jh.

Sklaverei

Sklaverei gibt es seit Tausenden von Jahren, aber eine ihrer schlimmsten Ausprägungen war der atlantische Sklavenhandel zwischen dem 16. und 19. Jahrhundert. Sklavenhändler nahmen schätzungsweise 12 Millionen Afrikaner gefangen und verschifften sie unter unmenschlichen Bedingungen zu den Plantagen und Minen Nord- und Südamerikas.

DER ATLANTISCHE SKLAVENHANDEL WIRD AUCH »MAAFA« GENANNT. DAS

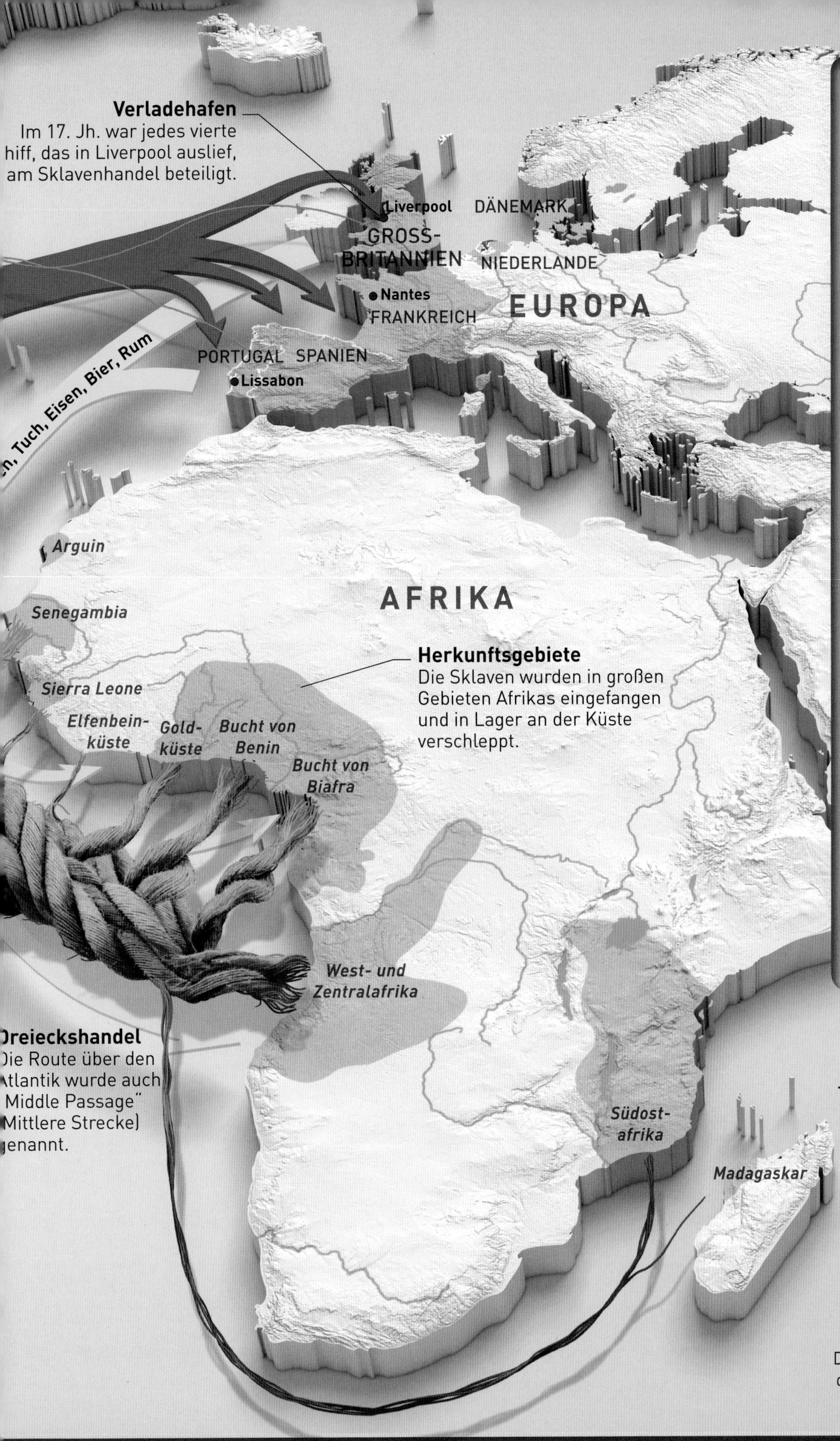

Verladehafen
Im 17. Jh. war jedes vierte
hiff, das in Liverpool auslief,
am Sklavenhandel beteiligt.

Herkunftsgebiete
Die Sklaven wurden in großen Gebieten Afrikas eingefangen und in Lager an der Küste verschleppt.

)reieckshandel
)ie Route über den
ıtlantik wurde auch
Middle Passage"
Mittlere Strecke)
genannt.

Menschliche Fracht

An Bord der Sklavenschiffe herrschten entsetzliche Bedingungen. 350–600 Menschen waren zusammengekettet über Monate in den Laderaum gepfercht. Krankheiten breiteten sich schnell aus.

Sklavenhändler

Vor allem Portugiesen und Briten betrieben Handel mit Menschen. Drei Viertel aller Sklaven wurden aus diesen beiden Ländern in Schiffen über den Atlantik transportiert.

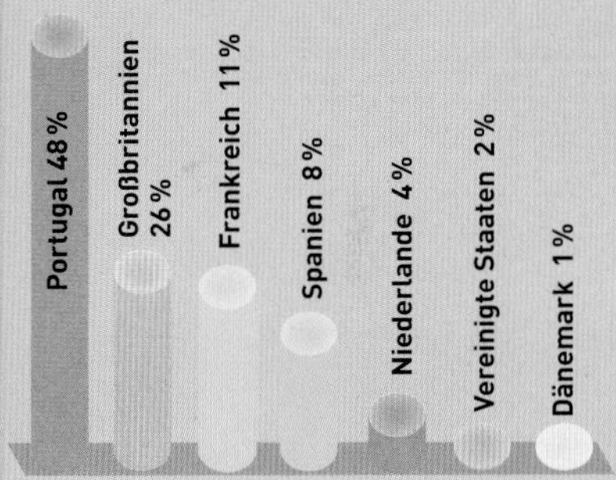

„Das **Schreien** und **Schluchzen** machten alles zu einem unvorstellbaren **Grauen**.“

Die frühere Sklavin **Olaudah Equiano** über die Zustände auf dem Sklavenschiff, 1789

BEDEUTET AUF SWAHILI „HOLOCAUST“ ODER „GROSSE KATASTROPHE“.

LEGENDE
Die Karte zeigt die 13 Kolonien, die ihre Unabhängigkeit erklärten.

- Britische Truppenbewegungen
- Britische Siege
- Amerikanische Truppenbewegungen
- Amerikanische Siege
- Französische Truppenbewegungen
- Französische Siege
- Wichtiger Ort

Yorktown

Die in Virginia stationierten Briten bauten gerade einen Hafen in Yorktown, als eine französische Flotte die britischen Nachschubschiffe auf See in die Flucht schlug. Amerikaner und Franzosen umstellten daraufhin Yorktown und die Briten kapitulierten.

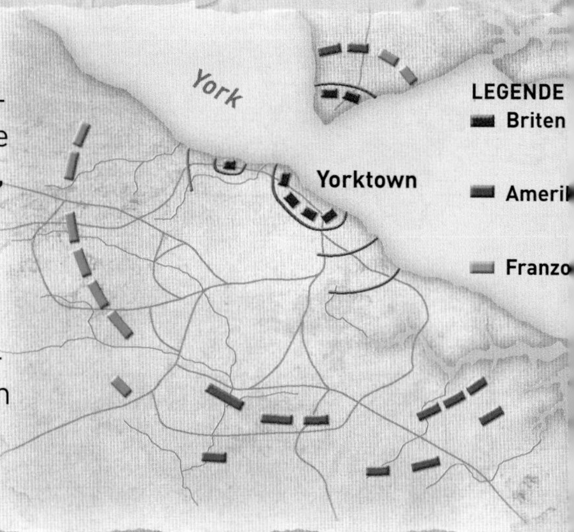

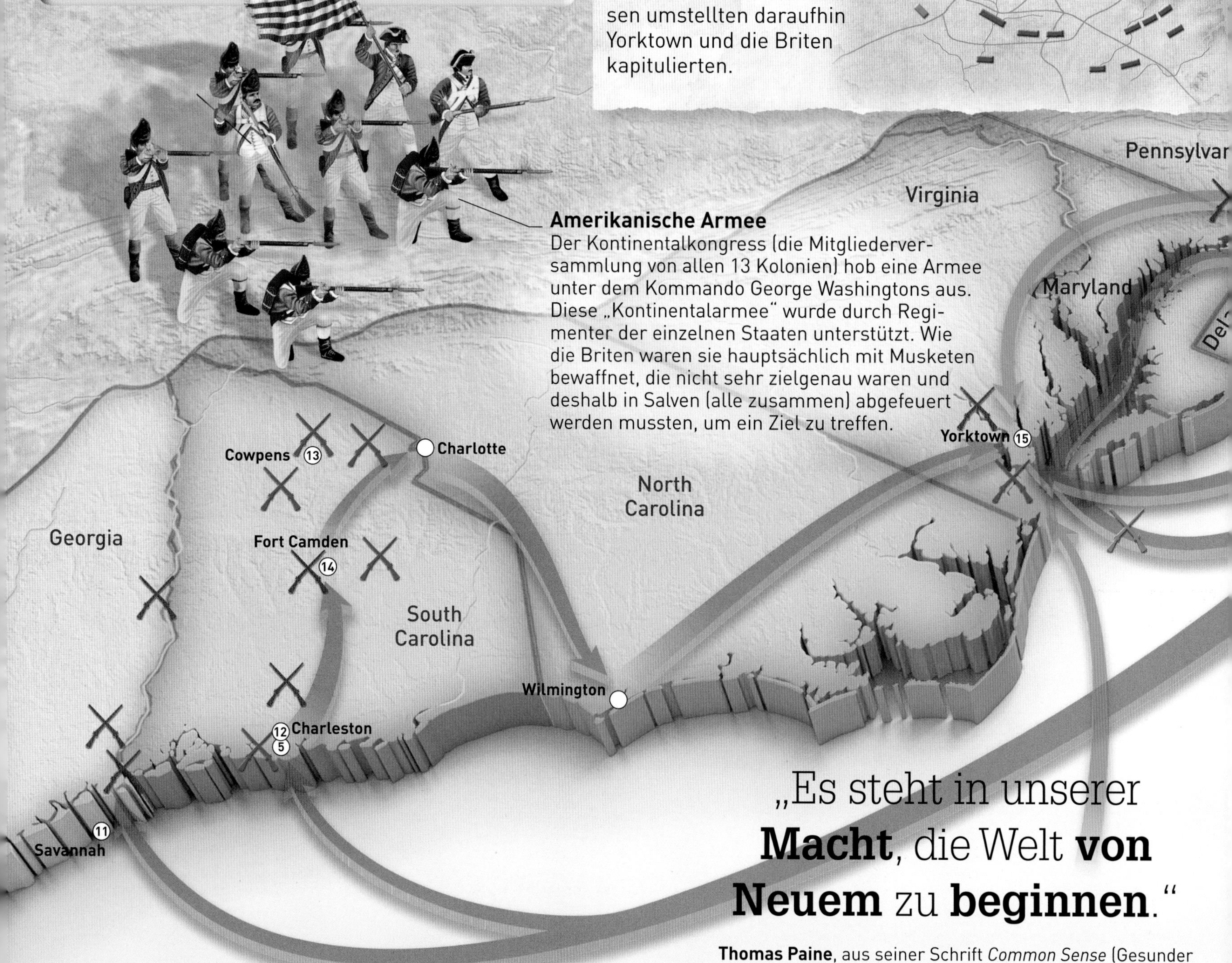

Amerikanische Armee

Der Kontinentalkongress (die Mitgliederversammlung von allen 13 Kolonien) hob eine Armee unter dem Kommando George Washingtons aus. Diese „Kontinentalarmee" wurde durch Regimenter der einzelnen Staaten unterstützt. Wie die Briten waren sie hauptsächlich mit Musketen bewaffnet, die nicht sehr zielgenau waren und deshalb in Salven (alle zusammen) abgefeuert werden mussten, um ein Ziel zu treffen.

„Es steht in unserer **Macht**, die Welt **von Neuem** zu **beginnen**."

Thomas Paine, aus seiner Schrift *Common Sense* (Gesunder Menschenverstand), 1775–1776, die die Amerikaner vom Kampf für Unabhängigkeit überzeugen sollte

① **16. Dezember 1773**
Eine als Mohawks verkleidete Gruppe Amerikaner kippte aus Protest gegen die Teesteuer eine Schiffsladung Tee in den Bostoner Hafen.

② **19. April 1775**
Kolonisten lieferten sich eine Schießerei mit britischen Soldaten in Lexington – es waren die ersten Schüsse des Krieges.

③ **17. Juni 1775**
Bei ihrem Sieg in der Schlacht von Bunker Hill vor den Toren Bostons erlitten die Briten schwere Verluste.

④ **17. März 1776**
Die britischen Truppen verließen Boston und zerstörten dabei alles militärische Gerät in der Stadt.

⑤ **28. Juni 1776**
Ein Versuch der Briten, Charleston zu erobern, endete in der Schlacht von Sullivan's Island mit einer Niederlage.

DER BRITISCHE PREMIERMINISTER LORD NORTH TRAT NACH DE

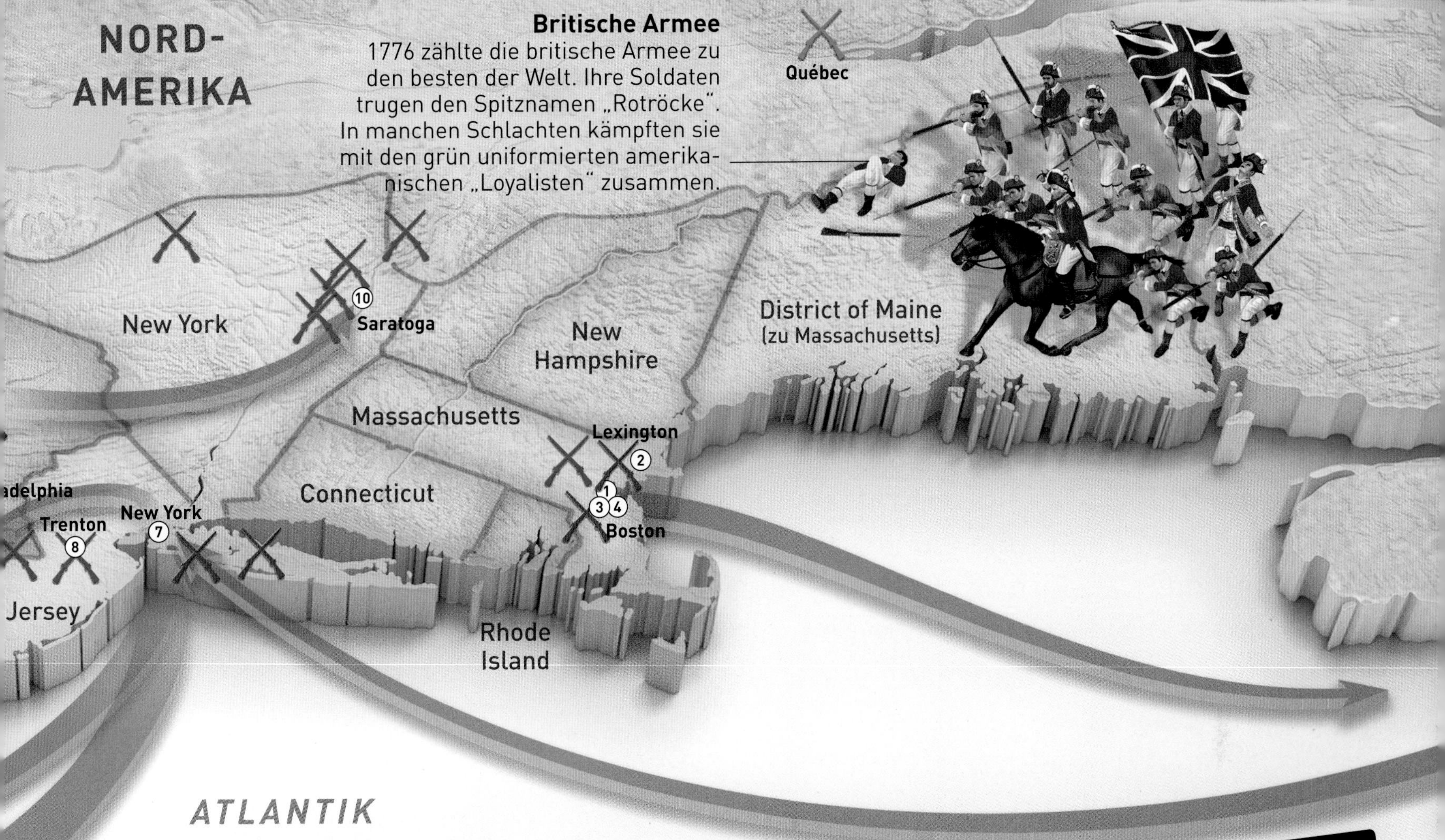

Der Amerikanische Unabhängigkeitskrieg

1775–1781

Nach Jahren der wachsenden Spannungen erklärten die amerikanischen Kolonien sich vom britischen Mutterland unabhängig. Der folgende Krieg zwischen Großbritannien und den Vereinigten Staaten zog sich sechs Jahre ohne Entscheidung hin, bis die Briten 1781 in auswegloser Lage kapitulierten.

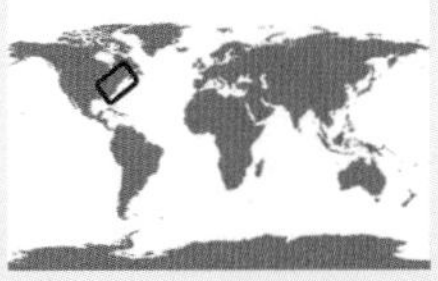

4. Juli 1776
e 13 Kolonien stimmn in Philadelphia Thoas Jeffersons Unabngigkeitserklärung zu.

⑦ August 1776
Die Briten gewannen eine Reihe von Scharmützeln gegen George Washingtons Armee und eroberten New York.

⑧ 26. Dezember 1776
Die Amerikaner errangen in der Schlacht von Trenton (New Jersey) ihren ersten bedeutenden Sieg des Krieges.

⑨ 26. September 1777
Die Briten unter General Howe zogen in Philadelphia ein, gaben die Stadt aber 1778 wieder auf und zogen sich nach New York zurück.

⑩ 17. Oktober 1777
Der britische General Burgoyne kapitulierte bei Saratoga. Der Sieg der Amerikaner überzeugte die Franzosen davon, sie in diesem Krieg zu unterstützen.

29. Dezember 1778
e Briten schlugen die nerikaner in Savannah. ırz danach fiel auch r Rest Georgias unter itische Kontrolle.

⑫ 12. Mai 1780
Die Amerikaner unter Benjamin Lincoln kapitulierten nach einer einmonatigen Belagerung Charlestons.

⑬ 17. Januar 1781
Die Amerikaner unter Daniel Morgan schlugen die Briten in der Schlacht von Cowpens (South Carolina).

⑭ 25. April 1781
Die Briten schlugen die Amerikaner bei Fort Camden unter schweren Verlusten und mussten sich zurückziehen.

⑮ 17. Oktober 1781
Lord Cornwallis ergab sich einer französisch-amerikanischen Armee, nachdem er bei Yorktown abgeschnitten wurde. Die Niederlage markierte das Kriegsende.

APITULATION BEI YORKTOWN VON SEINEM AMT ZURÜCK.

1788–1860er-Jahre

Verbannt nach Australien

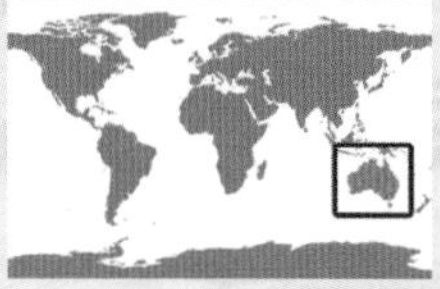

Am 18. Januar 1788 erreichte das erste von elf Schiffen mit insgesamt 1500 Menschen Botany Bay in Australien. Die meisten Passagiere waren britische Sträflinge, die für Taten von Diebstahl bis Mord mit Verbannung bestraft worden waren. Ab 1793 kamen auch freie Siedler, die nach Australien auswandern wollten. Das alles hatte verheerende Auswirkungen auf die 300 000 Ureinwohner. Tausende starben durch Gewalt oder eingeschleppte Krankheiten und die Einwanderer nahmen ihnen ihr Land.

Land der Aborigines
Die Aborigines sind die Ureinwohner Australiens. Jede Gruppe hatte ein eigenes Gebiet mit festen Grenzen. Die Europäer erkannten dies nicht an und nahmen das Land für sich, ohne sich um die Rechte und das Erbe der Aborigines zu kümmern.

Die Ureinwohner

Als die Europäer kamen, lebten die Aborigines schon seit über 40 000 Jahren in Australien. Nach vielen Kämpfen und verheerenden Krankheiten lebten 1920 nur noch knapp 100 000 Aborigines. Sie halten auch heute noch ihre Kultur lebendig und geben ihre Traditionen, wie Tänze und Körperkunst, an ihre Kinder weiter.

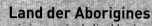

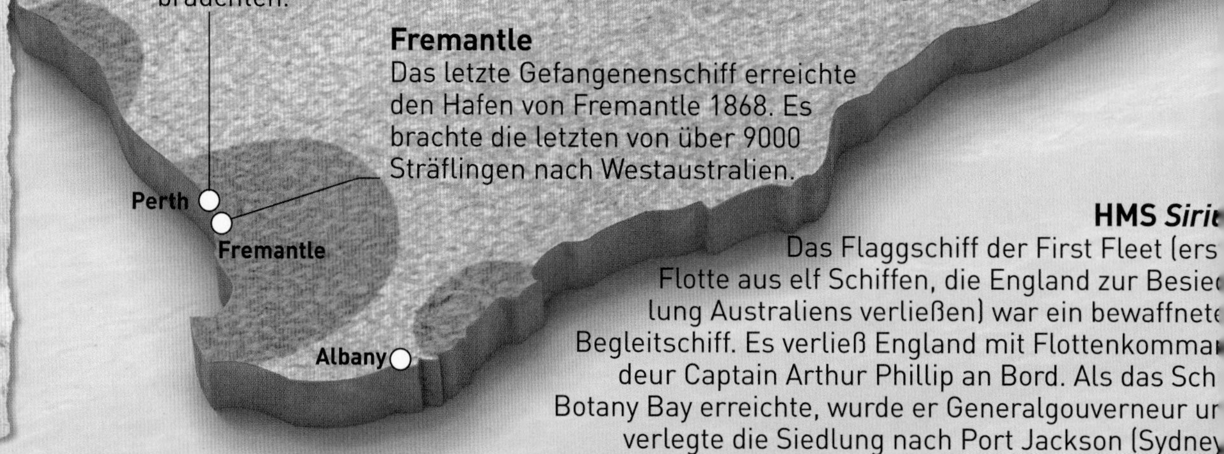

Swan River
Die erste Kolonie in Westaustralien wurde 1828 am Swan River nahe Perth gegründet. Es war eine freie Kolonie. 1850 wurden in der Nähe aber auch Strafkolonien gegründet, da die Einwanderer Sträflinge zur Bewirtschaftung des Landes brauchten.

„Wir fanden uns in einem **besseren Hafen**, … als **alle zuvor gesehenen**."

Captain Lieutenant Watkin Tench
am 26. Januar 1788
über Port Jackson (das heutige Sydney)

Fremantle
Das letzte Gefangenenschiff erreichte den Hafen von Fremantle 1868. Es brachte die letzten von über 9000 Sträflingen nach Westaustralien.

HMS *Siri*
Das Flaggschiff der First Fleet (ers
Flotte aus elf Schiffen, die England zur Besie
lung Australiens verließen) war ein bewaffnet
Begleitschiff. Es verließ England mit Flottenkomma
deur Captain Arthur Phillip an Bord. Als das Sch
Botany Bay erreichte, wurde er Generalgouverneur u
verlegte die Siedlung nach Port Jackson (Sydne

ZWISCHEN 1788 UND 1850 VERBANNTEN DIE BRITEN 162000 STRÄFLING

Einmal um die Welt

Die First Fleet (erste Flotte zur Besiedlung Australiens) verließ Portsmouth (England) am 13. Mai 1787. Um Proviant, Pflanzensamen und Nutztiere (Pferde, Schafe und Ziegen) aufzunehmen, machte sie Zwischenstopps in Teneriffa, Rio de Janeiro und Kapstadt und erreichte nach acht Monaten Botany Bay.

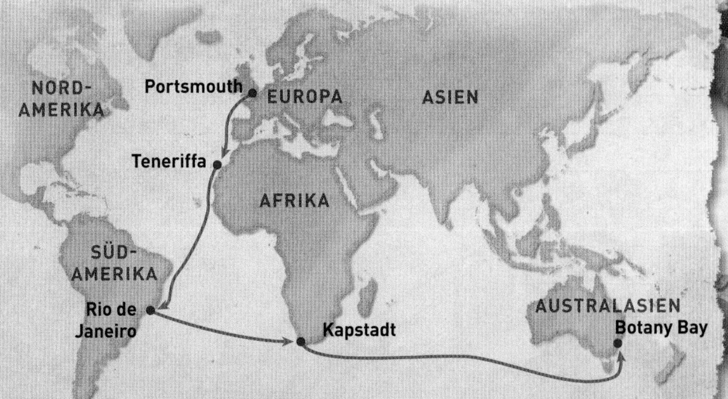

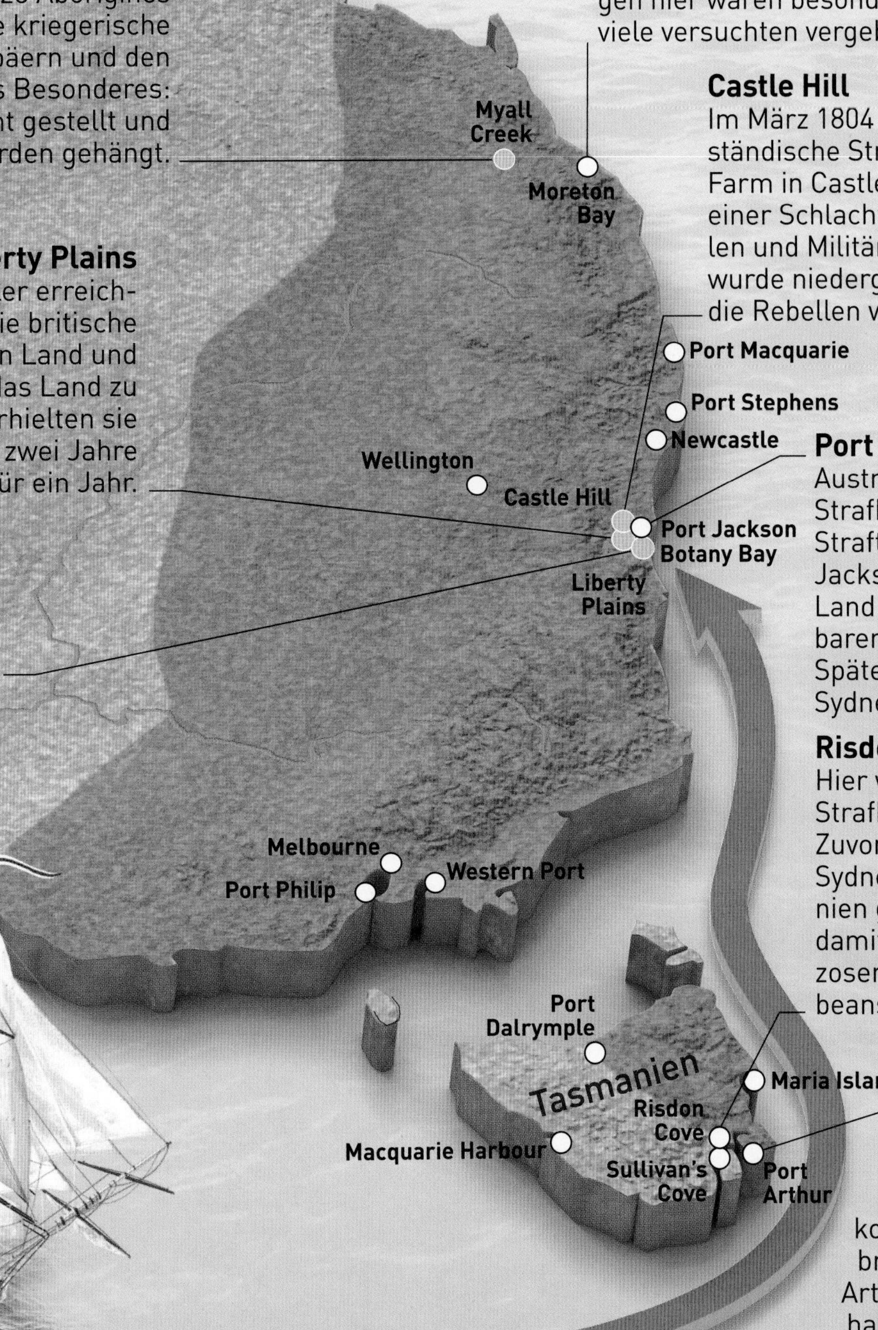

Moreton Bay

Einige Sträflinge aus Port Jackson, die auch in Australien Straftaten begangen hatten, wurden in diese Strafkolonie geschickt. Die Bedingungen hier waren besonders hart und viele versuchten vergeblich zu fliehen.

Myall Creek

Im Jahr 1838 wurden in Myall Creek 28 Aborigines von weißen Siedlern getötet. Es gab viele kriegerische Zusammenstöße zwischen den Europäern und den Ureinwohnern, doch dieser Fall war etwas Besonderes: Die europäischen Täter wurden vor Gericht gestellt und sieben der elf schuldigen Männer wurden gehängt.

Castle Hill

Im März 1804 flohen einige aufständische Sträflinge von einer Farm in Castle Hill. Es kam zu einer Schlacht zwischen Rebellen und Militär. Der Aufstand wurde niedergeschlagen und die Rebellen wurden getötet.

Liberty Plains

Die ersten freien Siedler erreichten Australien 1793. Die britische Regierung gab ihnen Land und Strafgefangene, um das Land zu bewirtschaften. Dazu erhielten sie Nahrungsrationen für zwei Jahre und Kleidung für ein Jahr.

Port Jackson

Australiens erste Strafkolonie (Lager für Straftäter) wurde in Port Jackson gegründet. Das Land war dort fruchtbarer als in Botany Bay. Später entstand hier Sydney.

Botany Bay

Die Schiffe der First Fleet erreichte Botany Bay vom 18.–20. Januar 1788. Die Region hatte aber schlechten Boden und wenig Süßwasser, war also für eine Siedlung ungeeignet.

Risdon Cove

Hier wurde 1803 eine Strafkolonie gegründet. Zuvor waren Briten von Sydney nach Tasmanien geschickt worden, damit nicht die Franzosen die Insel für sich beanspruchten.

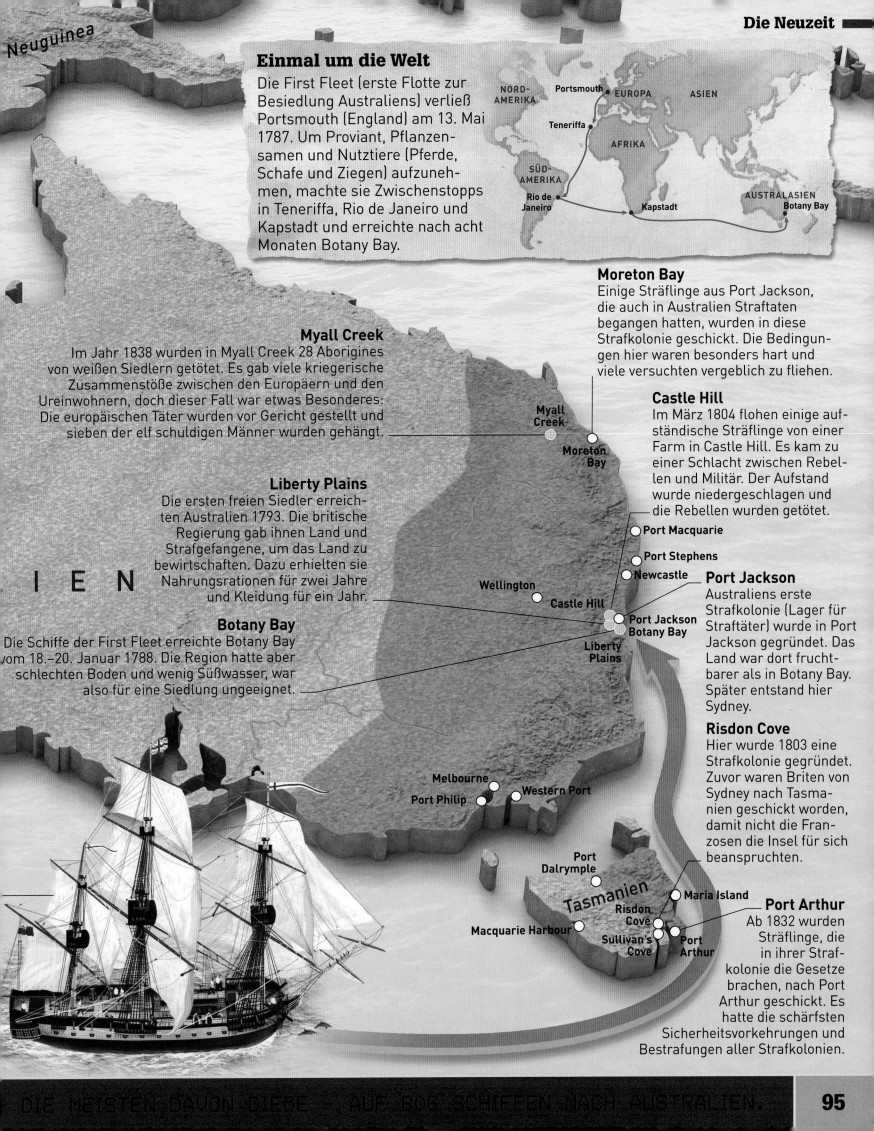

Port Arthur

Ab 1832 wurden Sträflinge, die in ihrer Strafkolonie die Gesetze brachen, nach Port Arthur geschickt. Es hatte die schärfsten Sicherheitsvorkehrungen und Bestrafungen aller Strafkolonien.

Das Geschehen in Paris

Viele Schlüsselmomente der Revolution ereigneten sich in Paris.

14. Juli 1789 Eine Gruppe wütender Bürger stürmte die Bastille – ein Gefängnis und Symbol der Monarchie. Das war der Beginn der Revolution.

26. August 1789 Die neue Nationalversammlung verabschiedete die *Erklärung der Menschen- und Bürgerrechte*. Sie besagte, dass alle Männer und Frauen gleich geboren werden. Der Adel hatte demnach kein Recht, das Volk zu regieren. Die französische Demokratie war geboren.

10. August 1792 Das Volk stürmte das Tuilerien-Schloss, in dem König Ludwig XVI. seit einem Fluchtversuch 1791 unter Bewachung stand. Der König wurde ins Gefängnis gebracht.

22. September 1792 Eine neue Regierung erklärte Frankreich zur Republik.

21. Januar 1793 König Ludwig XVI. wurde enthauptet.

31. Mai 1793 Die Jakobiner ergriffen unter ihrem Anführer Robespierre die Macht und gaben sich unbegrenzte Befugnisse. Sie richteten während ihrer „Terrorherrschaft" 40 000 Menschen als Gegner der Revolution hin.

August 1793 Frankreich führte die Wehrpflicht ein und siegte mit einem großen Heer gegen Österreich, Preußen und Großbritannien.

16. Oktober 1793 Frankreichs Königin Marie Antoinette wurde hingerichtet.

31. Juli 1794 Die Jakobiner wurden gestürzt und ihr Anführer Robespierre wurde hingerichtet.

Protestmarsch
Am 5. Oktober 1789 marschierten 7000 Marktfrauen zum Palast von Versailles, um gegen den Lebensmittelmangel zu protestieren.

Aufstand der Vendée
Der Lebensstandard der Landbevölkerung in der Vendée war recht gut. Deshalb kämpfte sie zwischen 1793 und 1799 für König und Kirche gegen die Truppen der Republik.

„Freiheit, Gleichheit, Brüderlichkeit oder der Tod."

Leitspruch der Französischen Revolution

1789–1794

Französische Revolution

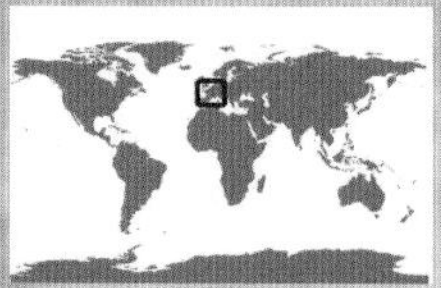

1789 stürzte Frankreich ins Chaos. Es war durch Kriege fast bankrott, die Ernte war schlecht und der König verlangte immer höhere Steuern vom Volk, während der Adel im Luxus lebte. Die Menschen erhoben sich, stürzten den König und erklärten Frankreich in einer blutigen Revolution zur Republik.

DIE SCHARFE GUILLOTINE – VOLKSTÜMLICH AUCH „DAS RASIERMESSER

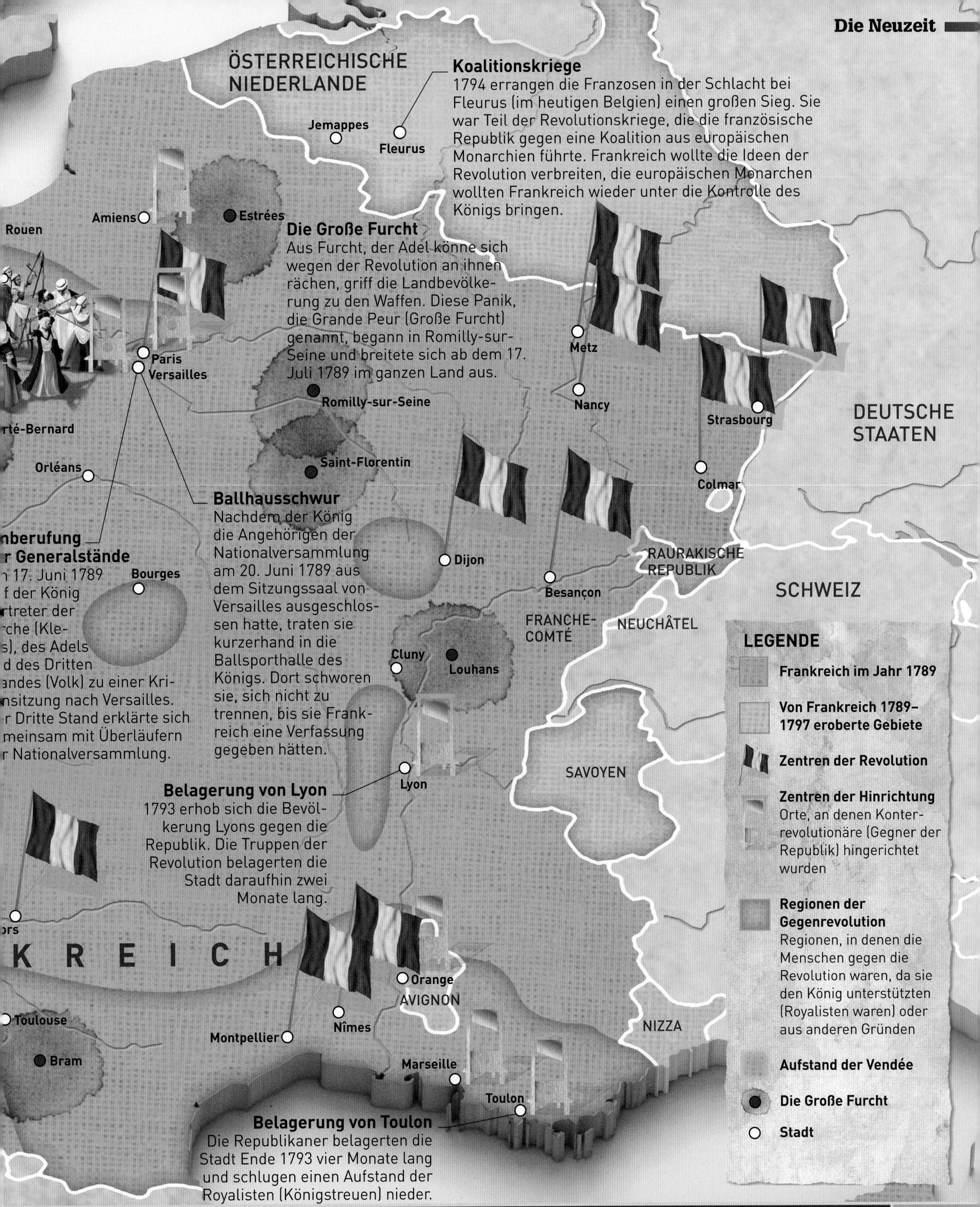

Koalitionskriege
1794 errangen die Franzosen in der Schlacht bei Fleurus (im heutigen Belgien) einen großen Sieg. Sie war Teil der Revolutionskriege, die die französische Republik gegen eine Koalition aus europäischen Monarchien führte. Frankreich wollte die Ideen der Revolution verbreiten, die europäischen Monarchen wollten Frankreich wieder unter die Kontrolle des Königs bringen.

Die Große Furcht
Aus Furcht, der Adel könne sich wegen der Revolution an ihnen rächen, griff die Landbevölkerung zu den Waffen. Diese Panik, die Grande Peur (Große Furcht) genannt, begann in Romilly-sur-Seine und breitete sich ab dem 17. Juli 1789 im ganzen Land aus.

nberufung r Generalstände
ı 17. Juni 1789 f der König rtreter der rche (Kle- s), des Adels d des Dritten andes (Volk) zu einer Kri- nsitzung nach Versailles. r Dritte Stand erklärte sich meinsam mit Überläufern r Nationalversammlung.

Ballhausschwur
Nachdem der König die Angehörigen der Nationalversammlung am 20. Juni 1789 aus dem Sitzungssaal von Versailles ausgeschlossen hatte, traten sie kurzerhand in die Ballsporthalle des Königs. Dort schworen sie, sich nicht zu trennen, bis sie Frankreich eine Verfassung gegeben hätten.

Belagerung von Lyon
1793 erhob sich die Bevölkerung Lyons gegen die Republik. Die Truppen der Revolution belagerten die Stadt daraufhin zwei Monate lang.

Belagerung von Toulon
Die Republikaner belagerten die Stadt Ende 1793 vier Monate lang und schlugen einen Aufstand der Royalisten (Königstreuen) nieder.

DER NATION" GENANNT, GALT ALS „HUMANE" HINRICHTUNGSMETHODE.

LEGENDE
Die Karte zeigt Europa 1812, als Napoleon ein riesiges Reich beherrschte. Er führte ein einheitliches Recht und das metrische System ein. Die Länder außerhalb lehnten den Einfluss Frankreichs vehement ab.
Napoleons Reich
Abhängige und Verbündete
Bedeutende Schlacht
1 Wichtiges Ereignis
Russlandfeldzug, 1812
Einfall nach Russland
Rückzug aus Russland
10. Schlacht von Waterloo, 1815
Dies war Napoleons letzte Schlacht, in der er von Briten und Preußen geschlagen wurde. Er wurde auf die weit entfernte Atlantikinsel St. Helena verbannt.
GROSS-BRITANNIEN
KÖNIGREICH DÄNEMARK
Lübeck, 1806
8
Leipzig
Jena, 1806
10
Waterloo
RHEINBUND
2 Paris
2. Krönung, 1804
Napoleon krönte sich in Paris selbst zum Kaiser der Franzosen.
Ulm, 1805
SCHWEIZ
KÖNIGREICH ITALIEN
Mantua, 1796
Marengo, 1800
4. Schlacht von Salamanca, 1812
Dies war die Entscheidungsschlacht im Spanischen Unabhängigkeitskrieg, in dem Franzosen gegen Briten, Portugiesen und spanische Aufständische kämpften.
FRANZÖSISCHES KAISERREICH
La Coruna, 1805
ATLANTIK
KÖNIGREICH SPANIEN
4
Salamanca
9
9. Exil auf Elba, 1814
Napoleon wurde 1814 nach Elba verbannt, entkam aber für einen letzten Kampf gegen Großbritannien.
KÖNIGREICH PORTUGAL
KÖNIGREICH SARDINIEN
3. Schlacht von Trafalgar, 1805
Britische Schiffe unter Horatio Nelson versenkten die Flotten Frankreichs und Spaniens. Napoleon musste seinen Plan, England zu besetzen, aufgeben.
Mittelmeer
KÖNIGREICH SIZILIEN
3
Trafalgar

1796–1815

Napoleon

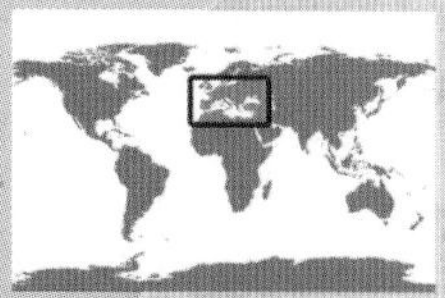

Napoleon Bonaparte war einer der brillantesten militärischen Führer aller Zeiten. 1796 erhielt er den Befehl über die französische Armee in Italien, drei Jahre später regierte er Frankreich. Über die nächsten zehn Jahre führte er eine Reihe von Kriegen und beherrschte einen großen Teil Europas. Erst der Versuch, Russland zu erobern, führte zur Niederlage.

NAPOLEON FÜHRTE EINE RIESIGE ARMEE AN. RUND 1 MILLIO

5. Einmarsch in Russland, Juni 1812
Napoleon marschierte mit 400 000 Soldaten aus verschiedenen Ländern, darunter Deutsche, Polen, Italiener und Franzosen, in Russland ein.

6. Ankunft in Moskau, September 1812
Napoleon drängte die russische Armee bis nach Moskau zurück, aber die Stadt war verlassen und niedergebrannt.

7. Rückzug aus Russland, November 1812
Geplagt von Kälte, Hunger und ständigen Angriffen russischer Truppen zog sich die auf 27 000 Mann geschrumpfte Armee Napoleons nach Polen zurück.

8. Schlacht bei Leipzig, 1813
Die sogenannte Völkerschlacht war die größte Schlacht in Europa vor dem Ersten Weltkrieg. Napoleon wurde von Armeen aus Russland, Preußen, Österreich und Schweden geschlagen.

Der Sturz Napoleons

Unter Napoleon führten die Franzosen gegen nahezu jede andere europäische Macht Krieg. Diese Staaten bildeten eine Reihe von Bündnissen. Napoleon konnte Großbritannien nicht besiegen, also versuchte er, die britische Wirtschaft zu zerstören. Dazu musste er Portugal, Spanien und Russland auf seine Seite zwingen. Er kämpfte an allen Fronten gleichzeitig. 1815 wurde er endgültig besiegt und ins Exil verbannt.

Eine Karikatur zeigt Napoleon, wie er sich streckt, um ganz Europa zu beherrschen.

„Sie sagen mir, es sei **unmöglich**. Das ist kein **französisches Wort**."

Napoleon Bonaparte, 1813 in einem Brief, in dem er Nachschub für seine erschöpfte Armee forderte

1. Ägyptenfeldzug, 1798–1801
Napoleon wusste, wenn er Ägypten beherrschte, konnte er die britische Herrschaft über Indien brechen. Er nahm Forscher mit auf den Feldzug, die die antiken Ruinen untersuchen sollten und ein Ägypten-Fieber in Europa auslösten. Trotz Siegen an Land mussten sich die Franzosen der britischen Marine geschlagen geben.

Haiti für Bolívar, 1816
Haiti hatte 1804 seine Unabhängigkeit errungen, nachdem Sklaven gegen Frankreich revoltiert hatten. Haitis Präsident Alexandre Pétion versorgte Bolívar mit Waffen und unterstützte ihn bei der Rückeroberung des Festlands – solange Bolívar zusagte, die Sklaven dort zu befreien.

Bolívars „Campaña Admirable", 1813
Simón Bolívar war ein Revolutionsführer, der auf dem sogenannten „Bewundernswerten Feldzug" (Campaña Admirable) durch das heutige Venezuela zog und viele Schlachten gegen die spanischen Kolonialherren gewann.

Schlacht von Boyacá
Diese Schlacht zw
Bolívars Unabhängi
kämpfern und den Sp
führte bald zur Bef
Großkolumbiens
Panama, Ecuador,
zuela und Kolu
teils auch

Brief aus Jamaika, 1815
Im Exil in Jamaika verfasste Bolívar seinen berühmten Brief mit seiner Vision eines freien Südamerika.

Bolívar und San Martín, 1822
Bolívar und San Martín trafen sich zur Planung der endgültigen Eroberung Perus. San Martín übergab die Aufgabe an Bolívar.

1808 – 1826

Die Befreiung Südamerikas

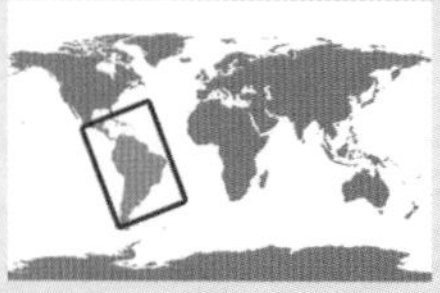

1807–1808 marschierte der französische Kaiser Napoleon in Portugal ein und besetzte Spanien. Dadurch schwächte er die koloniale Macht dieser Länder in Südamerika. Revolutionsführer wie Simón Bolívar nutzten ihre Chance und befreiten die südamerikanischen Länder von 300 Jahren Kolonialherrschaft. 1826 hatte Portugal Brasilien verloren und Spanien alle seine Kolonien bis auf Kuba und Puerto Rico.

LEGENDE
Viele revolutionäre Führer, *Libertadores* genannt, halfen bei der Befreiung Südamerikas. Die bekanntesten waren Simón Bolíva
und José de San Martín.

- **Route Simón Bolívars**
- **Route José de San Martíns**
- **Wichtige Orte**

SIMóN BOLíVAR SPIELTE EINE WICHTIGE ROLLE BEI DER BEFREIUNG VON

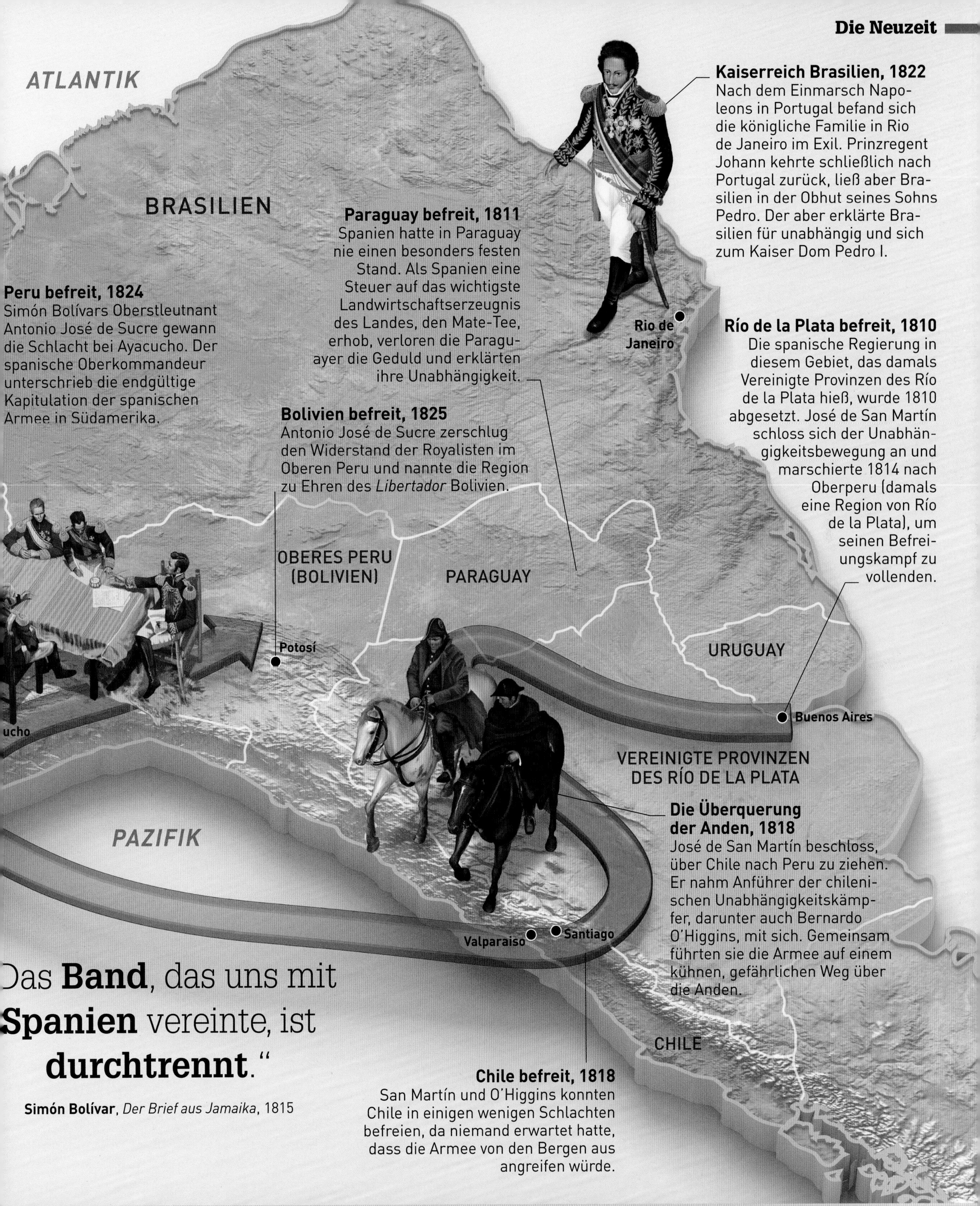

Kaiserreich Brasilien, 1822
Nach dem Einmarsch Napoleons in Portugal befand sich die königliche Familie in Rio de Janeiro im Exil. Prinzregent Johann kehrte schließlich nach Portugal zurück, ließ aber Brasilien in der Obhut seines Sohns Pedro. Der aber erklärte Brasilien für unabhängig und sich zum Kaiser Dom Pedro I.

Paraguay befreit, 1811
Spanien hatte in Paraguay nie einen besonders festen Stand. Als Spanien eine Steuer auf das wichtigste Landwirtschaftserzeugnis des Landes, den Mate-Tee, erhob, verloren die Paraguayer die Geduld und erklärten ihre Unabhängigkeit.

Peru befreit, 1824
Simón Bolívars Oberstleutnant Antonio José de Sucre gewann die Schlacht bei Ayacucho. Der spanische Oberkommandeur unterschrieb die endgültige Kapitulation der spanischen Armee in Südamerika.

Bolivien befreit, 1825
Antonio José de Sucre zerschlug den Widerstand der Royalisten im Oberen Peru und nannte die Region zu Ehren des *Libertador* Bolivien.

Río de la Plata befreit, 1810
Die spanische Regierung in diesem Gebiet, das damals Vereinigte Provinzen des Río de la Plata hieß, wurde 1810 abgesetzt. José de San Martín schloss sich der Unabhängigkeitsbewegung an und marschierte 1814 nach Oberperu (damals eine Region von Río de la Plata), um seinen Befreiungskampf zu vollenden.

Die Überquerung der Anden, 1818
José de San Martín beschloss, über Chile nach Peru zu ziehen. Er nahm Anführer der chilenischen Unabhängigkeitskämpfer, darunter auch Bernardo O'Higgins, mit sich. Gemeinsam führten sie die Armee auf einem kühnen, gefährlichen Weg über die Anden.

Das **Band**, das uns mit **Spanien** vereinte, ist **durchtrennt**."

Simón Bolívar, *Der Brief aus Jamaika*, 1815

Chile befreit, 1818
San Martín und O'Higgins konnten Chile in einigen wenigen Schlachten befreien, da niemand erwartet hatte, dass die Armee von den Bergen aus angreifen würde.

1831–1836

Darwins Reise

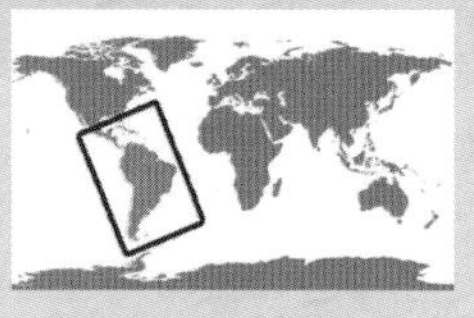

Auf seiner Reise durch Südamerika studierte der britische Forscher Charles Darwin Steine, Pflanzen und Tiere und entwickelte seine Evolutionstheorie. Sie gehört zu den wichtigsten Erkenntnisse in der Geschichte der Wissenschaft.

LEGENDE
- Wichtige Häfen
- Route der HMS *Beagle*
- Darwins Landreisen

Rund um die Welt

Um nach Hause zu kommen, musste die *Beagle* den Pazifik überqueren und über Australien und Südamerika rund um den Globus segeln.

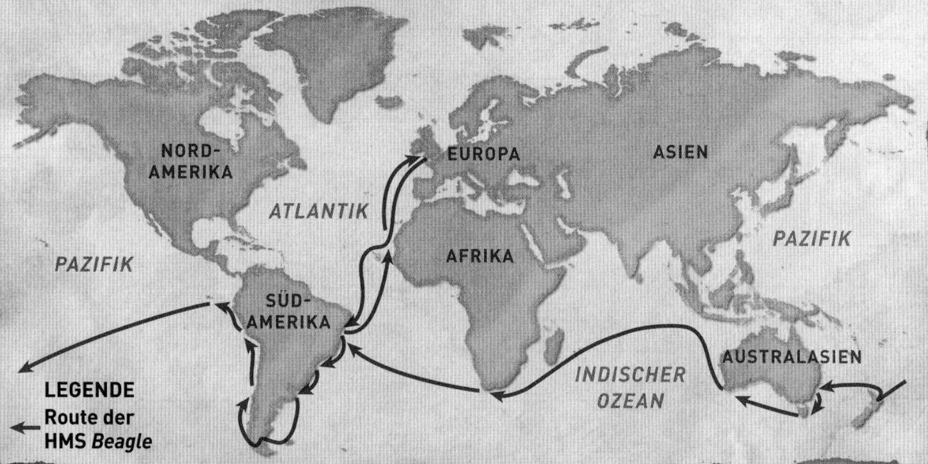

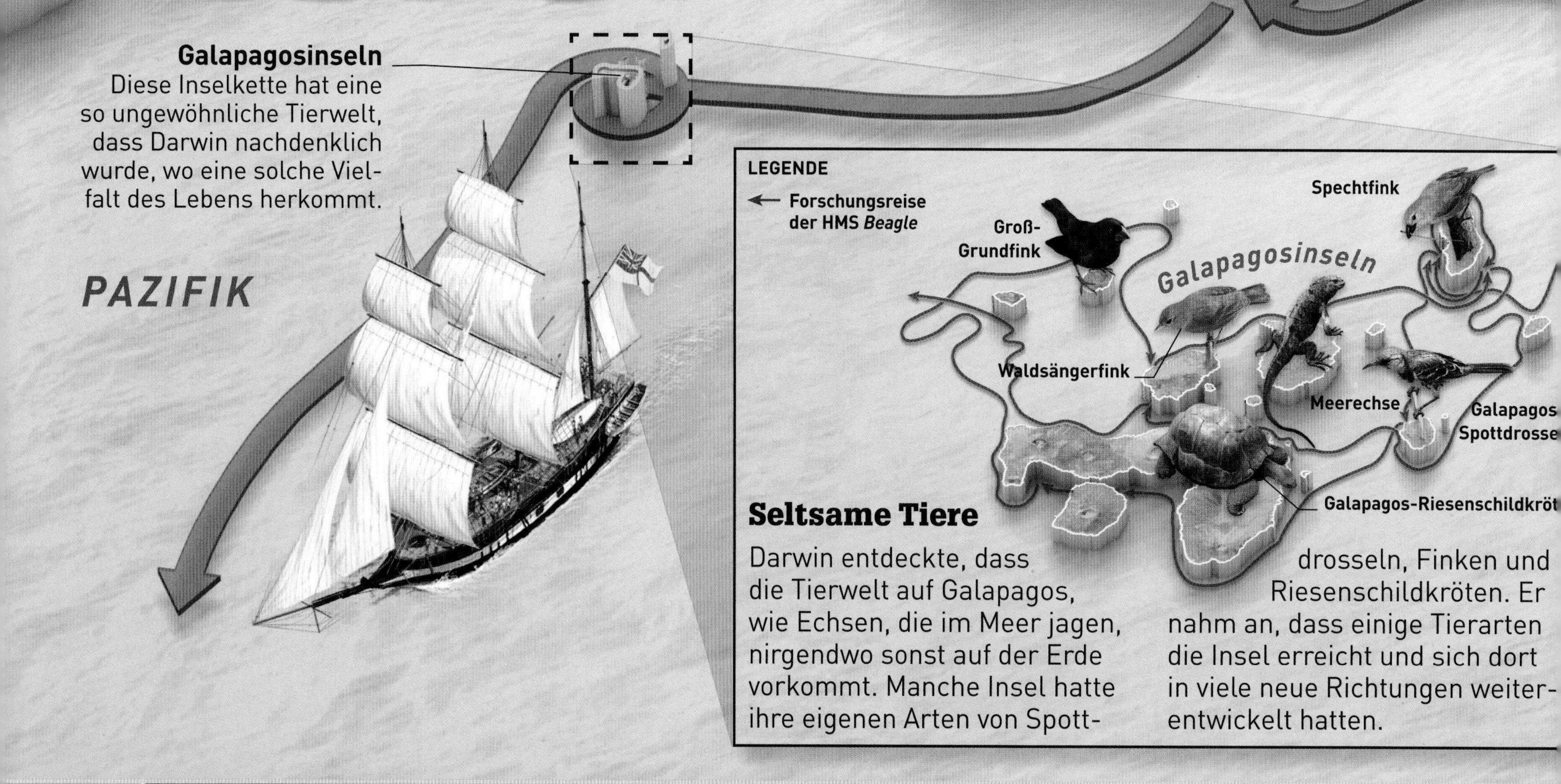

Capybara (Wasserschwein)
Die großen Nagetiere waren auf den Landgängen Darwins ein vertrauter Anblick.

Galapagosinseln
Diese Inselkette hat eine so ungewöhnliche Tierwelt, dass Darwin nachdenklich wurde, wo eine solche Vielfalt des Lebens herkommt.

Seltsame Tiere

Darwin entdeckte, dass die Tierwelt auf Galapagos, wie Echsen, die im Meer jagen, nirgendwo sonst auf der Erde vorkommt. Manche Insel hatte ihre eigenen Arten von Spottdrosseln, Finken und Riesenschildkröten. Er nahm an, dass einige Tierarten die Insel erreicht und sich dort in viele neue Richtungen weiterentwickelt hatten.

DIE MISSION DER BEAGLE SOLLTE URSPRÜNGLICH NUR ZWEI JAHRE

HMS *Beagle*
Die HMS *Beagle* war ein britisches Vermessungsschiff, das 1831 von Plymouth auslief, um die Küste Südamerikas zu kartografieren. Der 22-jährige Charles Darwin war als Naturforscher der Expedition an Bord.

Gaucho
Darwin lebte ehrere Wochen ng als Gaucho (Cowboy).

Riesenfaultier
In Uruguay entdeckte Darwin das Skelett eines riesigen ausgestorbenen Faultiers (*Megatherium*).

Guanako
Die Schiffsmannschaft jagte diese Kamelart wegen ihres Fleischs.

ersteinerter Wald
uf rund 1800 m Höhe fand arwin in den Anden versteinerte äume auf Felsen, die ursprüngh ein Meeresboden gewesen aren, und er fragte sich, welch ne gewaltige Zeitspanne für ne solche Entwicklung nötig in musste.

Raubwanze
Darwin ließ diese Wanze Blut aus seinem Arm saugen und beobachtete dann, wie lange sie mit dieser einen Mahlzeit überleben konnte.

Darwinfrosch
Darwin entdeckte den bizarren Frosch, dessen Junge im Maul des Vaters schlüpfen, in den Wäldern Chiles.

Darwin-Nandu
Darwin entdeckte diesen kleinen Verwandten des Laufvogels Nandu, der nach ihm benannt wurde. Er erkannte seine Entdeckung erst, nachdem er den Vogel schon fast ganz aufgegessen hatte.

Stürme am Kap
Vor Kap Horn geriet die *Beagle* in wochenlange Stürme.

Revolution in der Wissenschaft

Darwins Entdeckungen schienen zu bestätigen, dass die Erde viel älter war, als man gedacht hatte. Er stellte eine Theorie darüber auf, wie sich Lebensformen über Millionen von Jahren verändern, und verbrachte 20 Jahre damit, Tiere und andere Belege für seine Theorie zu sammeln. Als er sie 1859 veröffentlichte, löste sie in der Wissenschaftswelt eine Revolution aus.

Teil von Darwins Käfersammlung

„Eine kleine **abgeschlossene Welt** mit **einzigartigen Bewohnern**."

Charles Darwin über die Galapagosinseln, 1835

DAUERN. SIE WURDE EINE FÜNFJÄHRIGE WELTUMSEGELUNG.

1770–1870 Die industrielle Revolution

„Ich verkaufe hier, wonach die Welt **verlangt**: **Energie**."

Matthew Boulton, britischer Ingenieur, 1776

LEGENDE
Die industrielle Revolution fand dort statt, wo wichtige Rohstoffe (Kohle und Eisen) vorkamen. Die Karte zeigt die Vorkommen von Eisenerz und Kohle sowie die Industrien und Städte, die um 1850 entstanden.

- **Kohlerevier**
- **Eisenerzvorkommen**
- **Eisenverhüttung**
- **Textilien**
- **Industriestädte**
- **Eisenbahnlinien**

Liverpool–Manchester, 18
Die erste Personenbahnlinie mit Tickets und Fahrplänen verkehrte zwischen zwei neue Industriestädten Englands.

Cromford, 1770
Richard Arkwright nutzte Wasserkraft, um seine Te maschinen anzutreiben. Seine Spinnmaschine arbeitete Rohbaumw zu Garn.

Smethwick, 1796
Die Erfinder James Watt und Matthew Boulton bauten in der Soho Foundry nahe Birmingham Hochdruck-Dampfmaschinen, die Fabrik- und Bergwerksmaschinen antrieben.

Coalbrookdale, 1709
Abraham Darby produzierte in seinen Hochöfen billiges, hochwertiges Eisen. 1781 baute sein Enkel hier die erste Gusseisenbrücke der Welt.

Um 1800 lebten und arbeiteten die meisten Menschen in Europa auf dem Land. Um 1900 arbeiteten die meisten Menschen in der Industrie und lebten in Städten. Diese Entwicklung war Teil der industriellen Revolution, die im 18. Jahrhundert in Großbritannien mit einer Reihe von Erfindungen begann, die Dampfkraft und hartes Eisen nutzten.

ZWISCHEN 1790 UND 1850 GING IN ENGLAND RUND EIN DRITTEL

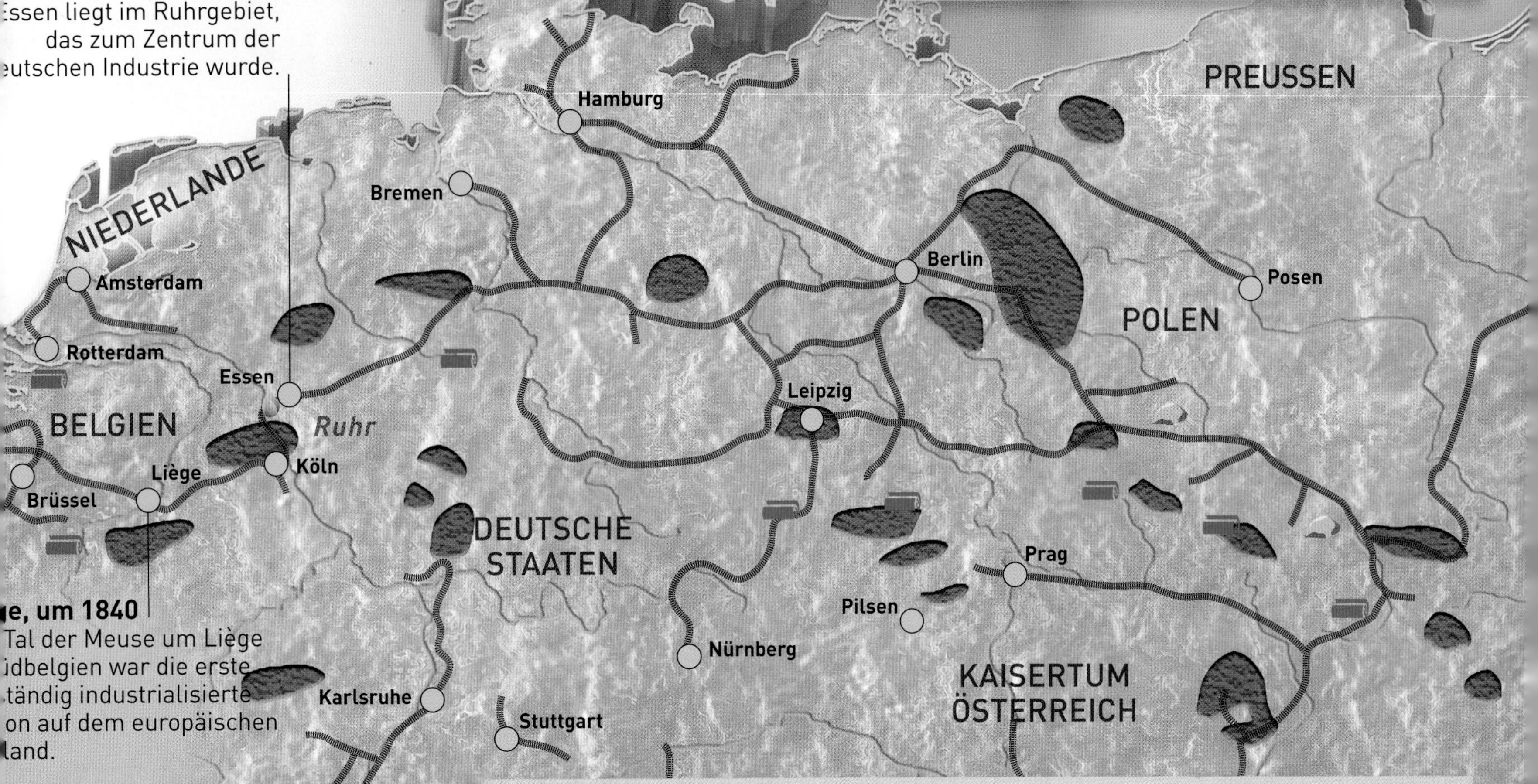

Kinderarbeit

Die Menschen strömten in die Städte, um in den neuen Fabriken zu arbeiten, aber die Löhne waren so niedrig, dass auch die Kinder arbeiten mussten. Sie waren begehrt, weil sie in enge Stollen in den Minen und in die Zwischenräume von Fabrikmaschinen kriechen konnten.

Ein Kind zieht eine Kohlelore im Stollen,1840er-Jahre

Essen, 1847–1851
Alfred Krupp perfektionierte die Technik des Stahlgießens. Diese Technologie war Teil einer weiten Welle der industriellen Revolution, die in den 1840er- bis 1870er-Jahren durch Deutschland, Belgien und die Schweiz fegte. Essen liegt im Ruhrgebiet, das zum Zentrum der deutschen Industrie wurde.

…e, um 1840
…Tal der Meuse um Liège …dbelgien war die erste …tändig industrialisierte …on auf dem europäischen …land.

Lyon, 1801
Hier führte Joseph Marie Jacquard seine Erfindung vor: ein Webstuhl, der Muster in den Stoff weben konnte.

Das industrielle Amerika

Der schnell fließende Fluss Blackstone in Neuengland war der Geburtsort der industriellen Revolution in Amerika. In seinem Tal standen Hunderte Wassermühlen, z. B. Slater Mill, eine Baumwollfabrik, die 1790 als Erste in Amerika britische Technologie nutzte. Samuel Slater kannte die Pläne von Arkwrights Spinnmaschine in Großbritannien und schmuggelte das Wissen verbotenerweise in die USA.

Slater Mill

…ALLER JUNGEN AUS ARBEITERFAMILIEN MIT 8 JAHREN ARBEITEN.

1848

Jahr der Revolutionen

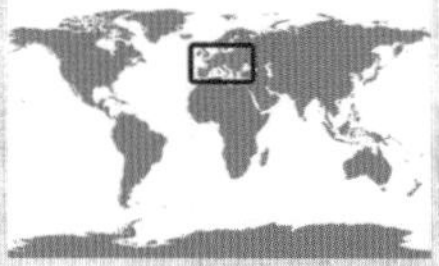

Im Jahr 1848 gingen die Menschen in Europa auf die Straße, um für ihre Rechte zu kämpfen, wie politische Freiheit und bessere Arbeitsbedingungen. Die deutschen und italienischen Kleinstaaten kämpften außerdem für einen einheitlichen Nationalstaat. Manche Aufstände hatten kurzen Erfolg, doch die meisten wurden blutig niedergeschlagen. 1849 waren die Revolutionäre gescheitert. Und doch wurden in den folgenden Jahrzehnten viele ihrer Ziele Wirklichkeit.

Junges Irland
Am 29. Juli kämpften die „Young Irelander" gegen die Royal Irish Constablery um die Unabhängigkeit Irlands von Großbritannien. Der Aufstand wurde niedergeschlagen.

Yorkshire Chartisten
Nach gescheiterten Protesten bewaffneten sich die Chartisten im Juni. Sie kämpften für bessere Arbeitsbedingungen.

Kopenhagen
Die dänische Protestbewegung verlangte mehr Freiheiten. Das löste in Schleswig Konflikte aus (siehe Kasten gegenüber).

Londoner Petition
Im April forderten die Chartisten friedlich vom Parlament eine Charta, die z. B. das Wahlrecht für alle Männer beinhalten sollte.

Rouen
Im April errichteten Arbeiter im Kampf gegen den Adel Barrikaden auf den Straßen.

Februarrevolution
Eine wütende Volksgruppe errichtete Barrikaden in Paris, setzte den König ab und rief die Zweite Französische Republik aus. Sie zerbrach, als sich ihr Präsident Louis Napoleon 1851 nach einem Staatsstreich zum Kaiser erklärte.

Lyon
Die Seidenweber von Lyon, *Canuts* genannt, kämpften für die Rechte der Arbeiter und gegen die Industrialisierung der Weberei, die Menschen überflüssig machte.

Limoges
Nachdem die neue Republik es nicht geschafft hatte, den Menschen Arbeit zu verschaffen, ergriff eine zweite Revolutionswelle auch ländlichere Gebiete, etwa Limoges.

Sonderbundskrieg
Jahre der Unruhen führten in der Schweiz zu einem 25-Tage-Krieg, da die katholischen Kantone unabhängig bleiben wollten. Sie verloren den Krieg, die Regierung gab dem Volk aber mehr Freiheiten.

Mailand
Im März erhob sich das Volk gegen die österreichischen Besatzer und Steuereintreiber und vertrieb sie aus der Stadt.

Marseille
Unter dem Einfluss der Ereignisse in Paris erhoben sich auch die Arbeiter in Marseille für ihre Rechte.

DIE FRANKFURTER NATIONALVERSAMMLUNG WÄHLTE DIE SCHWARZ-ROT-

Großpolnischer Aufstand
Beim Aufstand in der Provinz Posen kämpften die polnischen Staaten im Königreich Preußen für ein unabhängiges Polen. Die Rebellen verbündeten sich mit den bei der Märzrevolution in Berlin befreiten polnischen Gefangenen.

Krakau
Im März erhoben sich die Polen in Krakau gegen die Besatzung durch das Kaisertum Österreich. Wie die Menschen in Posen verlangten sie ein unabhängiges Polen.

Prag
Die Tschechen in Prag wollten Unabhängigkeit vom Kaisertum Österreich, wollten aber auch nicht Teil Preußens werden.

Ungarische Revolution
Im März erhoben sich ungarische Nationalisten zum Kampf für die Unabhängigkeit von der österreichischen Habsburgermonarchie.

Venedig
Unter dem Einfluss der Revolutionen in Sizilien und Frankreich erklärte sich Venedig im März von der österreichischen Herrschaft unabhängig.

Bologna
Auch hier erhoben sich Revolutionäre gegen die Herrschaft Österreichs. Die nördlichen Staaten wollten ein vereintes, unabhängiges Italien.

Rumänische Revolution
Im Juni setzten die Revolutionäre in Bukarest eine Revolutionsregierung gegen die osmanischen und russischen Herrscher ein. Das Osmanische Reich schlug den Aufstand nieder.

Rom
Wegen eines Aufstands gegen den Kirchenstaat im November verließ der Papst Rom. Im Februar 1849 wurde die Römische Republik ausgerufen, die aber nur wenige Monate bestand.

apel
Januar
ob sich das
k gegen König
dinand II. und forderte
unabhängiges Sizilien.

Palermo
Am 12. Januar protestierten die Sizilianer in Palermo gegen den König und stellten eine eigene Regierung zusammen.

DEUTSCHER BUND

Die Revolution in den 39 unabhängigen Staaten des Deutschen Bundes dauerte bis 1849 an. Die Menschen forderten ein vereintes Deutschland mit freien Bürgern.

1 **Februar: Mannheim** Eine Volksversammlung verlangte mehr Bürgerrechte, diese Forderungen wurden auch in anderen deutschen Staaten laut.

2 **März: München** Tausende versammelten sich auf den Straßen und forderten mehr Rechte für die Arbeiter, wie fairen Lohn.

3 **März: Wien** Die revolutionäre Bewegung zwang Metternich, den führenden Minister der Habsburger Monarchie, zum Rücktritt und zur Flucht nach London.

4 **März: Berlin** Zur Beruhigung der Revolte bot Preußens König an, sich für die Einheit und Freiheit Deutschlands einzusetzen.

5 **März: Schleswig** In dem von Dänemark kontrollierten Gebiet bildete sich eine unabhängige Regierung. Dies führte zum Krieg zwischen Preußen, dem Deutschen Bund und Dänemark.

6 **September: Frankfurt** Unruhen gegen die Beschlüsse der neuen Nationalversammlung wurden von Preußen und Österreich niedergeschlagen.

7 **Mai 1849: Dresden, Karlsruhe** Die Volksversammlung löste sich auf, als der König von Preußen die ihm angebotene Herrschaft über ein geeintes Deutschland ablehnte. An vielen Orten flammten Aufstände auf, die niedergeschlagen wurden.

LEGENDE
1848 waren Deutschland und Italien keine Einheitsstaaten, sondern bestanden jeweils aus vielen kleinen Fürsten- und Königreichen.

- Staatengrenzen 1848
- Deutscher Bund (Bund deutschsprachiger Länder)
- Revolte oder Aufstand
- Friedlicher Protest

GOLDENE FAHNE DER REVOLUTIONÄRE FÜR EIN VEREINTES DEUTSCHLAND.

1776–1890

Der Wilde Westen

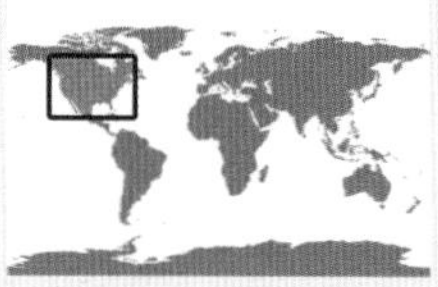

1776 bestanden die Vereinigten Staaten nur aus 13 Kolonien entlang der Ostküste. Dahinter lag für viele der „Wilde Westen“, ein riesiges, unbekanntes Land. Viele Amerikaner hielten es für ihre Pflicht, dieses Land zu erkunden und zu besiedeln. Tausende von Einwanderern nahmen die harte Reise durch das Land auf sich und kämpften gegen die Indianer, die bereits dort lebten.

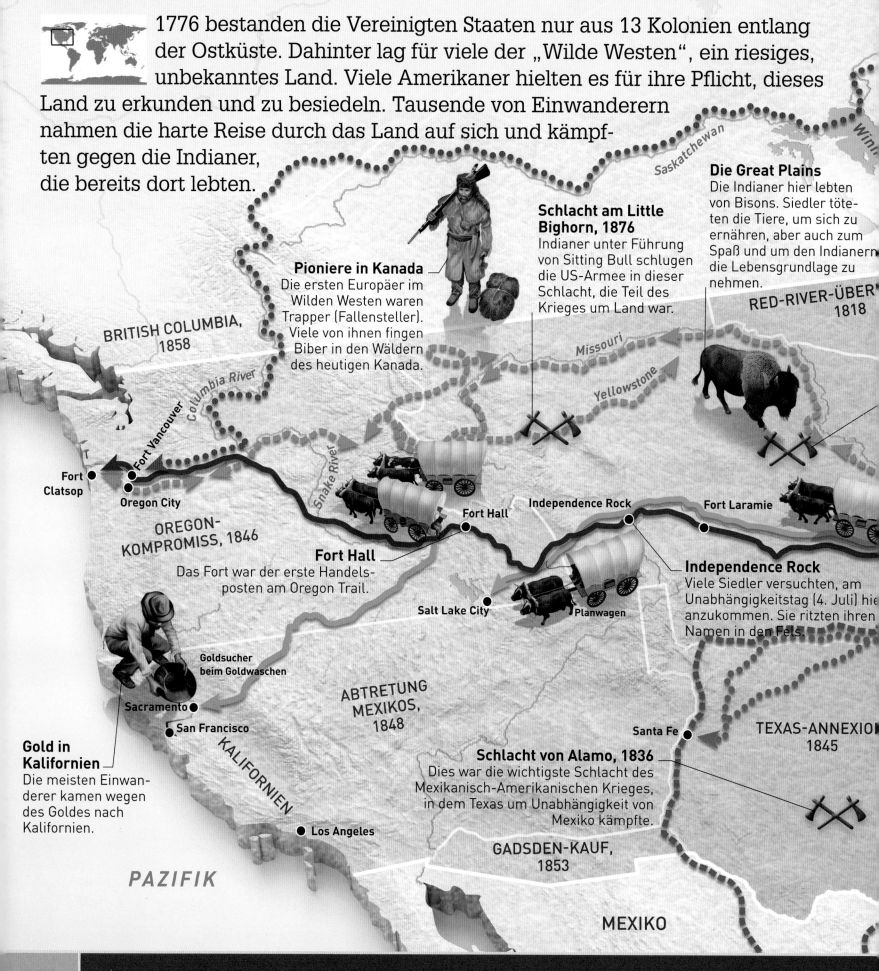

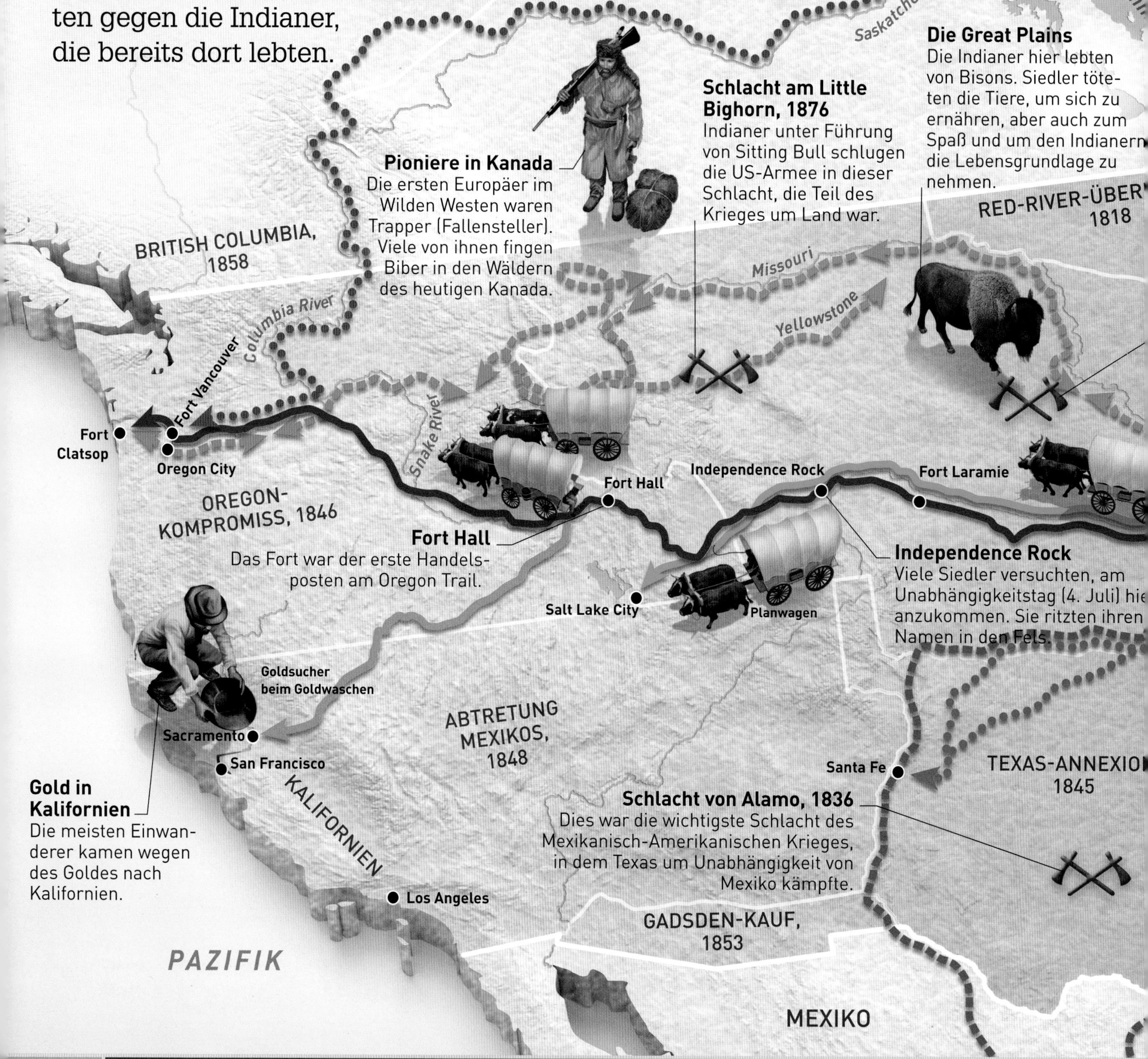

Pioniere in Kanada
Die ersten Europäer im Wilden Westen waren Trapper (Fallensteller). Viele von ihnen fingen Biber in den Wäldern des heutigen Kanada.

Schlacht am Little Bighorn, 1876
Indianer unter Führung von Sitting Bull schlugen die US-Armee in dieser Schlacht, die Teil des Krieges um Land war.

Die Great Plains
Die Indianer hier lebten von Bisons. Siedler töteten die Tiere, um sich zu ernähren, aber auch zum Spaß und um den Indianern die Lebensgrundlage zu nehmen.

Fort Hall
Das Fort war der erste Handelsposten am Oregon Trail.

Independence Rock
Viele Siedler versuchten, am Unabhängigkeitstag (4. Juli) hie anzukommen. Sie ritzten ihren Namen in den Fels.

Gold in Kalifornien
Die meisten Einwanderer kamen wegen des Goldes nach Kalifornien.

Schlacht von Alamo, 1836
Dies war die wichtigste Schlacht des Mexikanisch-Amerikanischen Krieges, in dem Texas um Unabhängigkeit von Mexiko kämpfte.

1860–1861 WAR KALIFORNIEN ENDPUNKT DES „PONY EXPRESS“, DER POST

Das Leid der Indianer

Als sich die europäischen Siedler auf der Suche nach Freiheit und einem besseren Leben nach Westen ausbreiteten, nahmen sie den Indianern ihr Land und ihre Freiheit und zerstörten ihre Kultur. Die folgenden Kriege tobten fast ein Jahrhundert lang. Der Sioux-Häuptling Sitting Bull führte den Widerstand an, bis er und seine Familie 1881 gefangen genommen wurden.

Sitting Bull und seine Familie unter Bewachung, 1882

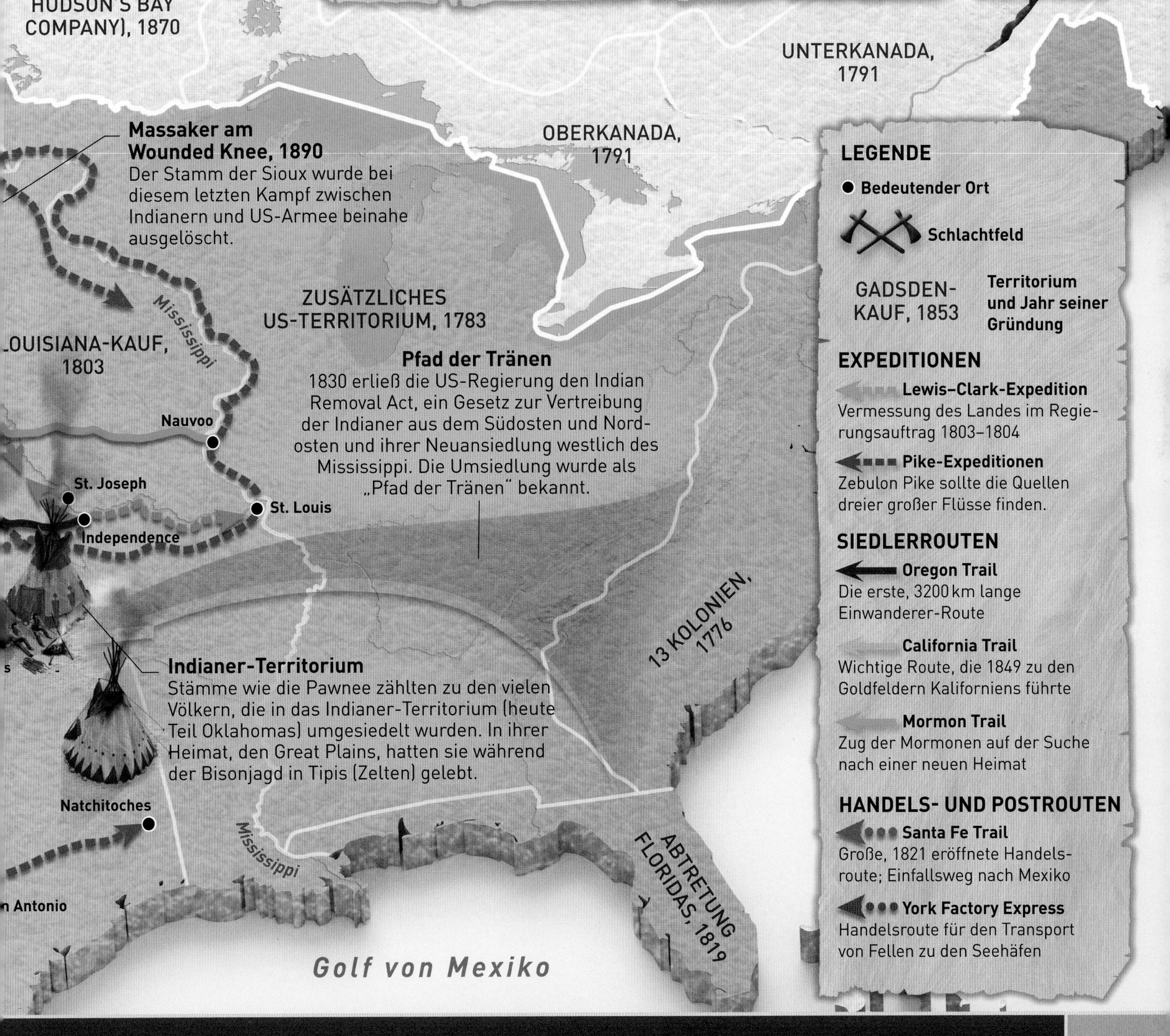

York Factory
Hier hatte die Hudson's Bay Company, die den Handel mit Fellen kontrollierte und selbst Trapper beschäftigte, ihr Hauptquartier.

Massaker am Wounded Knee, 1890
Der Stamm der Sioux wurde bei diesem letzten Kampf zwischen Indianern und US-Armee beinahe ausgelöscht.

Pfad der Tränen
1830 erließ die US-Regierung den Indian Removal Act, ein Gesetz zur Vertreibung der Indianer aus dem Südosten und Nordosten und ihrer Neuansiedlung westlich des Mississippi. Die Umsiedlung wurde als „Pfad der Tränen" bekannt.

Indianer-Territorium
Stämme wie die Pawnee zählten zu den vielen Völkern, die in das Indianer-Territorium (heute Teil Oklahomas) umgesiedelt wurden. In ihrer Heimat, den Great Plains, hatten sie während der Bisonjagd in Tipis (Zelten) gelebt.

LEGENDE

- Bedeutender Ort
- Schlachtfeld
- GADSDEN-KAUF, 1853 – Territorium und Jahr seiner Gründung

EXPEDITIONEN

Lewis-Clark-Expedition
Vermessung des Landes im Regierungsauftrag 1803–1804

Pike-Expeditionen
Zebulon Pike sollte die Quellen dreier großer Flüsse finden.

SIEDLERROUTEN

Oregon Trail
Die erste, 3200 km lange Einwanderer-Route

California Trail
Wichtige Route, die 1849 zu den Goldfeldern Kaliforniens führte

Mormon Trail
Zug der Mormonen auf der Suche nach einer neuen Heimat

HANDELS- UND POSTROUTEN

Santa Fe Trail
Große, 1821 eröffnete Handelsroute; Einfallsweg nach Mexiko

York Factory Express
Handelsroute für den Transport von Fellen zu den Seehäfen

IN NUR ZEHN TAGEN VON DER OST- AN DIE WESTKÜSTE TRANSPORTIERTE

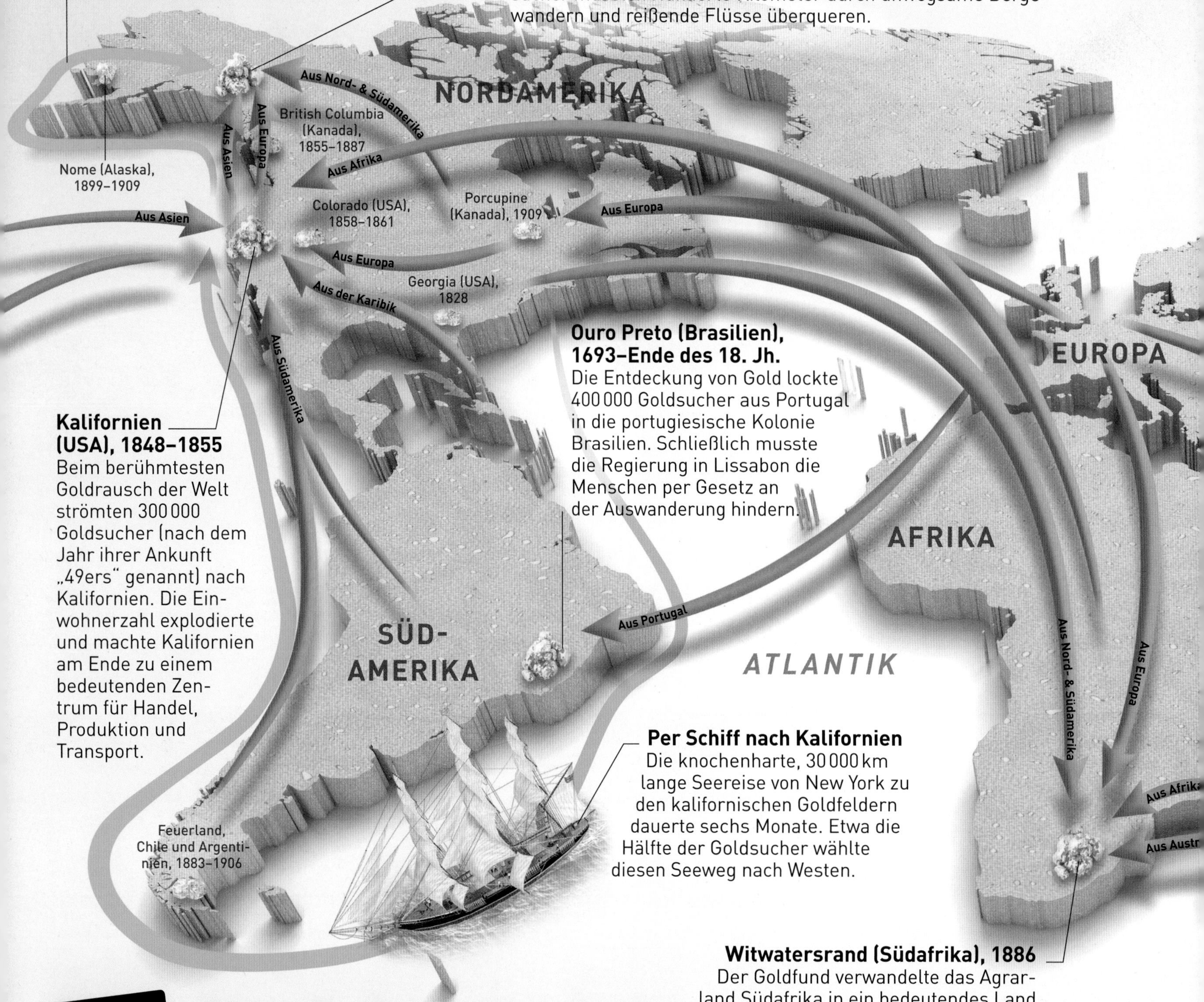

Per Schiff zum Klondike
Manche Goldsucher kamen per Schiff an und fuhren dann den Yukon hinauf.

Klondike (Kanada), 1897–1899
Das Goldfeld war besonders schwierig zu erreichen: Die Goldsucher mussten Hunderte Kilometer durch unwegsame Berge wandern und reißende Flüsse überqueren.

Ouro Preto (Brasilien), 1693–Ende des 18. Jh.
Die Entdeckung von Gold lockte 400 000 Goldsucher aus Portugal in die portugiesische Kolonie Brasilien. Schließlich musste die Regierung in Lissabon die Menschen per Gesetz an der Auswanderung hindern.

Kalifornien (USA), 1848–1855
Beim berühmtesten Goldrausch der Welt strömten 300 000 Goldsucher (nach dem Jahr ihrer Ankunft „49ers" genannt) nach Kalifornien. Die Einwohnerzahl explodierte und machte Kalifornien am Ende zu einem bedeutenden Zentrum für Handel, Produktion und Transport.

Per Schiff nach Kalifornien
Die knochenharte, 30 000 km lange Seereise von New York zu den kalifornischen Goldfeldern dauerte sechs Monate. Etwa die Hälfte der Goldsucher wählte diesen Seeweg nach Westen.

Witwatersrand (Südafrika), 1886
Der Goldfund verwandelte das Agrarland Südafrika in ein bedeutendes Land der Goldproduktion und führte zur Gründung der Stadt Johannesburg.

1690–1899

Gold! Gold!

Seit dem Ende des 17. Jahrhunderts haben Goldfunde immer einen regelrechten Goldrausch ausgelöst: Tausende Menschen strömten auf der Suche nach Reichtum und Glück herbei. Manchmal brachte das dauerhaften Wohlstand für das ganze Land, weil die Einwohnerzahl stieg und der Handel blühte, aber wirklichen Reichtum erlangten immer nur sehr wenige Menschen.

LEGENDE
Die Piktogramme zeigen die größten Goldräusche der Geschichte.

- **Großer Goldrausch**
- **Kleiner Goldrausch**
- **Zuwanderung**
- **Schiffsrouten**

WÄHREND DES VIKTORIANISCHEN GOLDRAUSCHS 1851–1896 IN AUSTRALIEN

lötzlich reich

ei dem Wort „Gold“ denkt man an Reichtum nd Glück, aber die Wirklichkeit sah anders us. Die Goldsucher mussten weit reisen und enn sie die Goldfelder erreichten, war alles ort sehr teuer. Sie mussten oft auch für das chürfrecht bezahlen. Nur wenige fanden old und noch weniger verdienten daran.

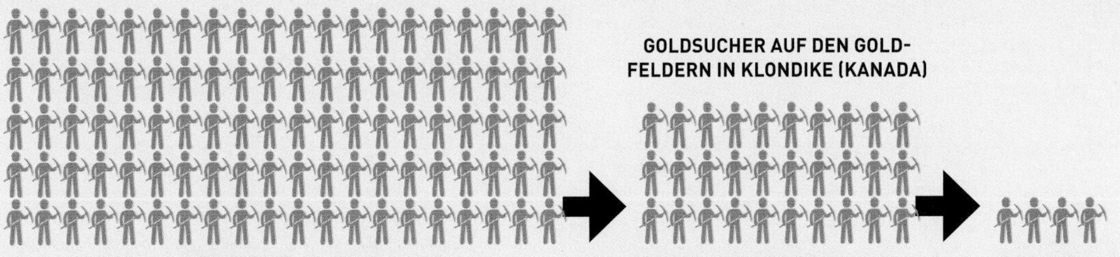

„**Gold! Gold!** Gold aus dem **amerikanischen Fluss!**“

Samuel Brannan, amerikanischer Kaufmann, befeuerte 1848 den Goldrausch, um den Handel anzukurbeln.

Victoria (Australien), 1851–1860er-Jahre
Der erste Goldrausch Australiens ließ die Bevölkerung von 430 000 im Jahr 1851 auf 1,7 Mio. 1871 ansteigen.

Westaustralien, 1885–1894
Eine Reihe kleinerer Räusche lockte Menschen aus Afrika, Amerika, Europa, China, Indien und Neuseeland sowie aus den Bergbaurevieren Ostaustraliens an.

Geisterstädte

„Boomtowns“ waren Siedlungen, die dank eines Goldrausches schnell wuchsen. Sobald der Rausch vorbei war, blieben einige Orte weiter bestehen, andere aber wurden aufgegeben. Viele dieser Geisterstädte kann man noch heute besichtigen.

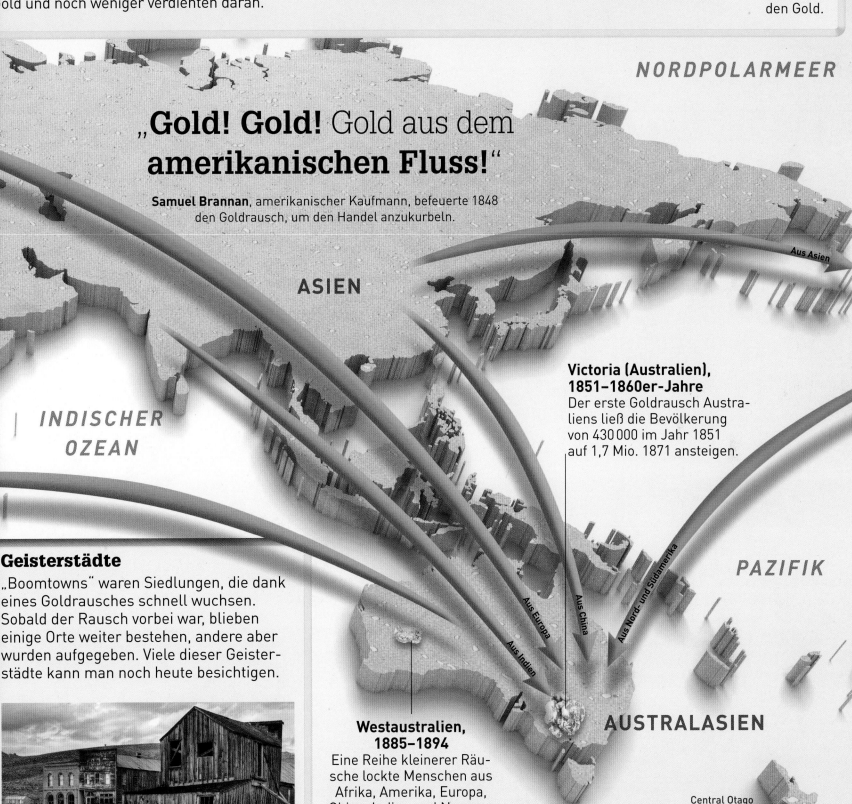

Bodie (Kalifornien)

BUDDELTEN DIE GOLDSUCHER 1 730 304 KILO GOLD AUS DEM BODEN.

LEGENDE
Die Karte zeigt die Staaten von Union und Konföderation und welche Seite jeweils siegte.

- **Konföderiert (Südstaat)**
- **Union (Nordstaat)**
- **Grenzstaaten (blieben in der Union, erlaubten aber Sklaverei)**
- **Schlacht: Sieg der Konföderation**
- **Schlacht: Sieg der Union**
- **Schlacht: unentschieden**
- **Blockade durch die Union**
- **Route des „March to the Sea"**

Uniformen
Die Armee der Union war den Konföderierten weit überlegen. Ihre Soldaten waren gut ausgerüstet und verpflegt, während viele Konföderierte eine eigene Uniform mitbringen mussten. Viele starben binnen Monaten an Verletzungen und Krankheiten.

„Ich wünschte, mir gehörten **alle Sklaven** des **Südens**. Ich würde sie **freilassen**, um den **Krieg zu vermeiden**."

Robert E. Lee, Kommandeur der Konföderierten Armee North Virginias, 1861

Industrialisierter Nord
Die Städte im Norden, wi Chicago, besaßen Fabrik und viele Arbeiter, die hä fig gerade erst aus Europ eingetroffen waren.

Vicksburg
Im Juli 1863 nahmen Unionstruppen die Stadt Vicksburg am Mississippi ein. Die Konföderierten brauchten den Fluss, um Verpflegung und Soldaten zu transportieren.

Plantagen des Südens
Die Südstaaten, wie Alabama un Florida, setzten Sklaven ein, die unter entsetzlichen Bedingunge leben und die Baumwollfelder bearbeiten mussten.

Küstenblockade
Mit Eisen gepanzerte Unionsschiffe blockierten die Küste, um die Häfen des Südens vom Nachschub abzuschneiden.

DIE MEISTEN SOLDATEN WAREN FREIWILLIGE, ABER HUNDERTTAUSENDE

Bürgerkrieg in den USA

1861–1865

In den 1860er-Jahren hing der landwirtschaftliche Süden der USA von Sklavenarbeit ab, während der industrialisierte Norden Sklaverei ablehnte. Als Abraham Lincoln 1860 Präsident wurde, fürchteten elf Südstaaten, dass der Norden sie zwingen würde, die Sklaverei abzuschaffen. Sie gründeten die Konföderation. Das führte zu einem blutigen Bürgerkrieg zwischen den Konföderierten und der Union. 1865 siegte die Union, die Einheit der Vereinigten Staaten wurde wiederhergestellt, die Sklaverei tatsächlich abgeschafft.

MÄNNER WURDEN AUCH EINGEZOGEN UND ZUM KÄMPFEN GEZWUNGEN.
113

Öffnung Japans

Mehr als 200 Jahre lang durfte kein Ausländer japanischen Boden betreten und Japaner durften nicht ins Ausland reisen. Handel gab es nur mit einzelnen Nachbarn. Das änderte sich 1854, als die Vereinigten Staaten den Shogun (Militärherrscher) zu einem Handelsabkommen zwangen. Das führte in Japan zum Bürgerkrieg, der mit der Wiedereinsetzung des Kaisers und der Entmachtung des Shogun endete. In der folgenden Meiji-Zeit setzte Japan alles daran, Industrie und Technologie des Westens zu überflügeln.

2. Komei-Kaiser ohne Macht
Der letzte Kaiser der Edo-Ze
lebte in Kyoto. Er war zwar
der Kaiser, aber die tatsäch
liche Macht besaß der
Shogun in Edo.

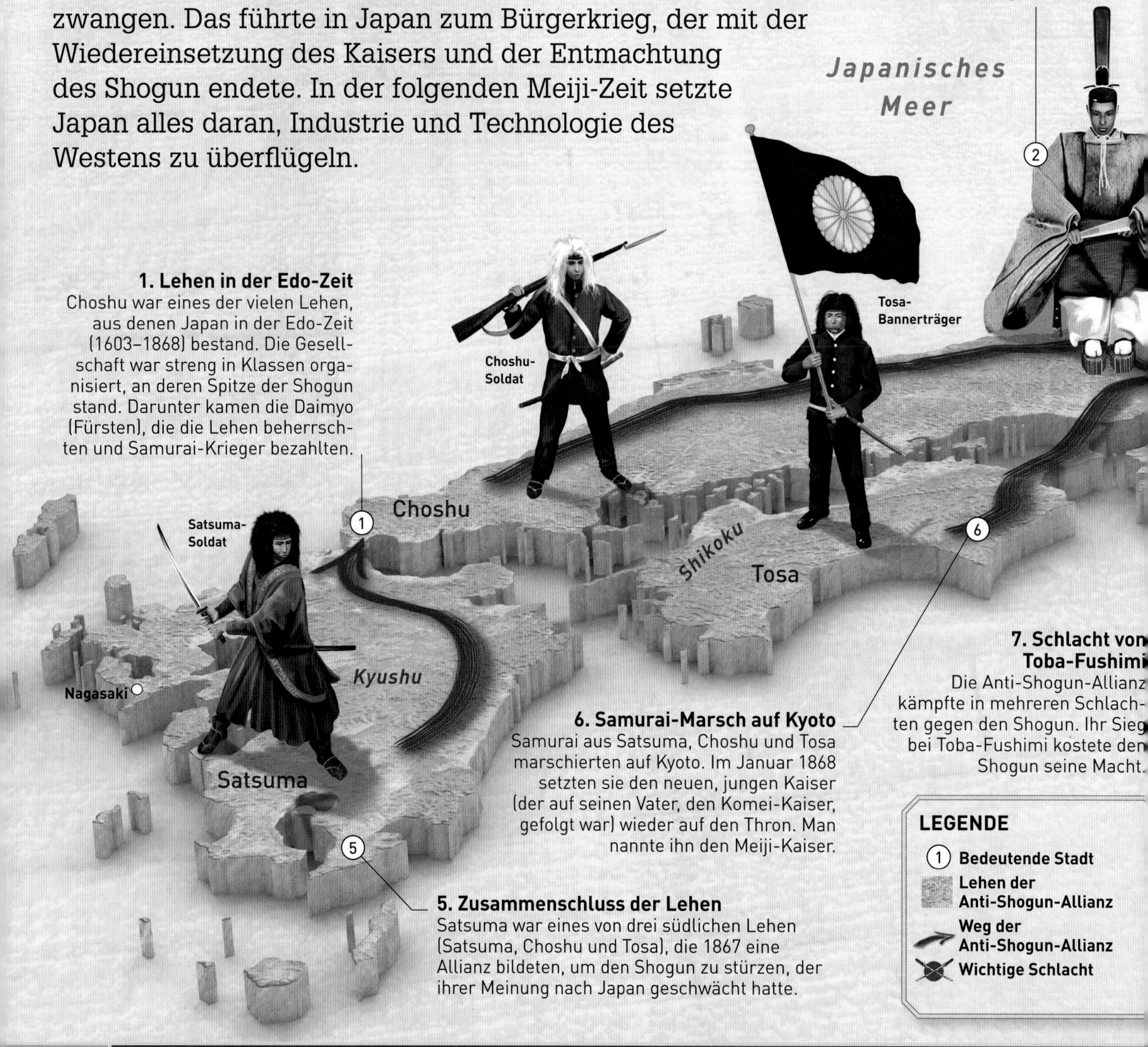

1. Lehen in der Edo-Zeit
Choshu war eines der vielen Lehen, aus denen Japan in der Edo-Zeit (1603–1868) bestand. Die Gesellschaft war streng in Klassen organisiert, an deren Spitze der Shogun stand. Darunter kamen die Daimyo (Fürsten), die die Lehen beherrschten und Samurai-Krieger bezahlten.

7. Schlacht von Toba-Fushimi
Die Anti-Shogun-Allianz
kämpfte in mehreren Schlachten gegen den Shogun. Ihr Sieg
bei Toba-Fushimi kostete den
Shogun seine Macht.

6. Samurai-Marsch auf Kyoto
Samurai aus Satsuma, Choshu und Tosa marschierten auf Kyoto. Im Januar 1868 setzten sie den neuen, jungen Kaiser (der auf seinen Vater, den Komei-Kaiser, gefolgt war) wieder auf den Thron. Man nannte ihn den Meiji-Kaiser.

5. Zusammenschluss der Lehen
Satsuma war eines von drei südlichen Lehen (Satsuma, Choshu und Tosa), die 1867 eine Allianz bildeten, um den Shogun zu stürzen, der ihrer Meinung nach Japan geschwächt hatte.

IN DER MEIJI-ZEIT (1868–1912) LEGTE JAPAN MEHR ALS 11000 KILOMETER

9. Schlacht von Hakodate
Die letzte Bastion des Shogun war Hakodate, wo seine Armee sich sechs Monate lang gegen die Aufständischen verteidigte, bevor sie sich 1869 ergab.

3. Shogun, der wahre Herrscher
In der Edo-Zeit herrschte in Japan ein Militärführer, der Shogun.

„Oitsuke, oikose."
(Holt auf, überholt.)

Leitgedanke der Meiji-Zeit

4. Schwarze Schiffe vor Edo
1853 lief der US-Commodore Matthew Perry mit vier schwer bewaffneten eisernen Kriegsschiffen (von den Japanern „Schwarze Schiffe" getauft) in Edo ein und zwang dem Shogun ein unfaires, sehr einseitiges Handelsabkommen auf.

8. Aus Edo wurde Tokio
Der neue Kaiser besuchte 1868 Edo und benannte die Stadt in Tokio um. 1889 wurde Tokio die neue Hauptstadt Japans.

Die Meiji-Industrie

Der Meiji-Kaiser war 15 Jahre alt, als er an die Macht kam. Anders als einige Samurai gehofft hatten, setzte er nicht auf Tradition, sondern führte umfassende Veränderungen durch. Das Klassensystem wurde abgeschafft und Japan beeilte sich, eine Industrienation zu werden und Industrieprodukte in den Westen zu verkaufen. In einigen Ländern Europas waren traditionelle japanische Produkte, wie Seide, Keramik und Fächer, sehr gefragt.

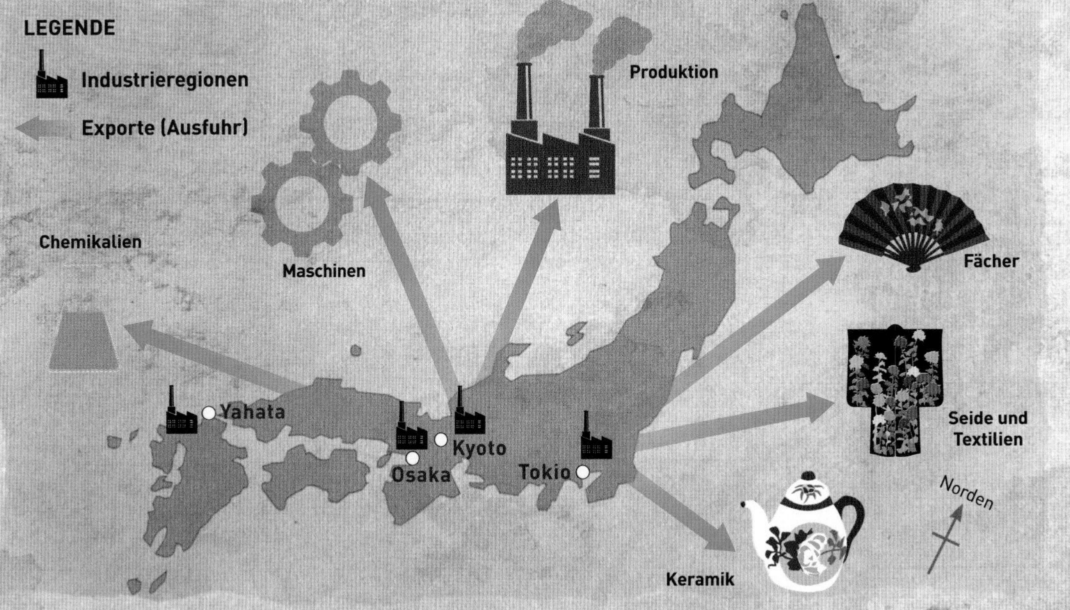

EISENBAHNSCHIENEN UND BAUTE ÜBER 1500 DAMPFSCHIFFE.

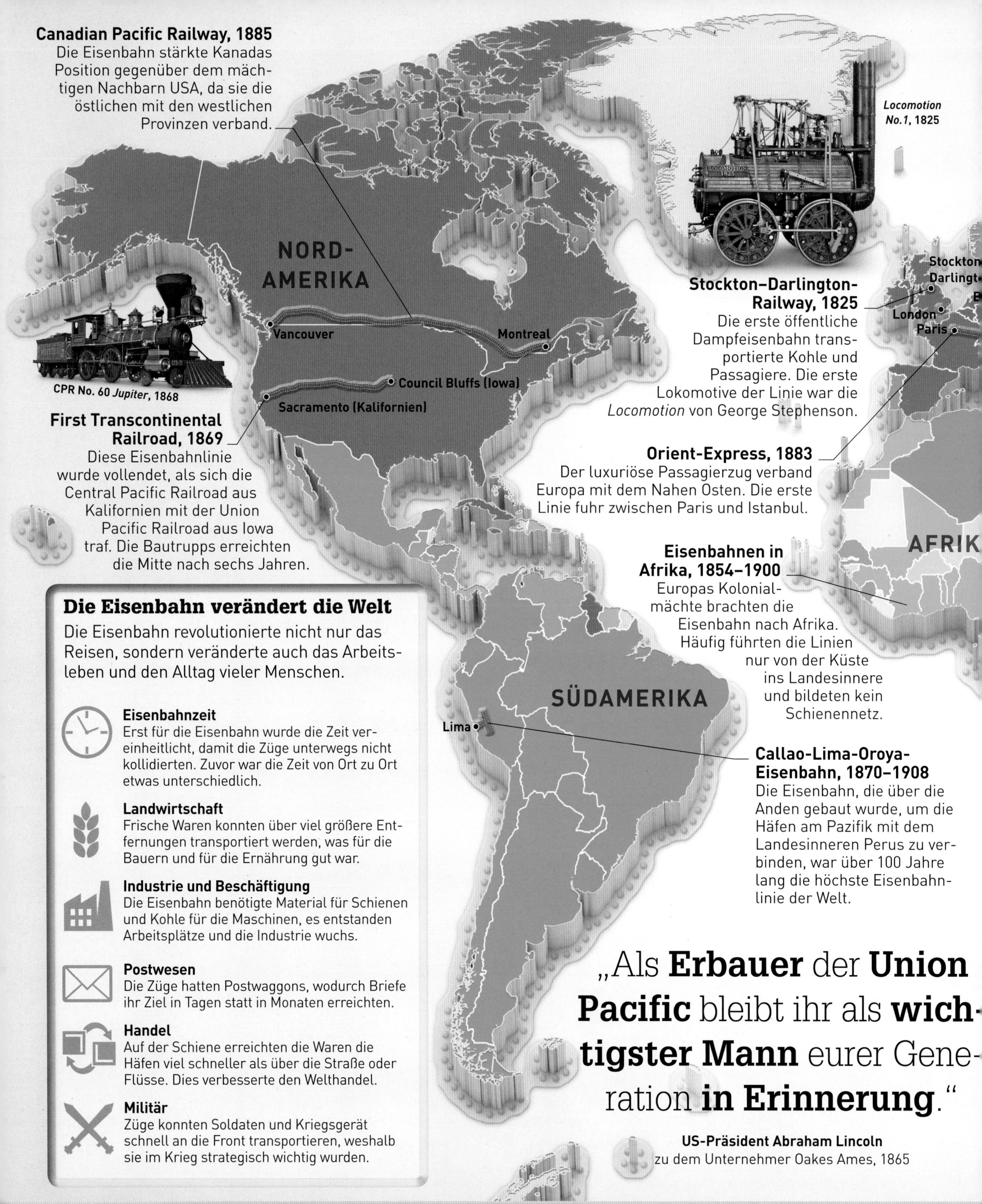

Canadian Pacific Railway, 1885
Die Eisenbahn stärkte Kanadas Position gegenüber dem mächtigen Nachbarn USA, da sie die östlichen mit den westlichen Provinzen verband.

First Transcontinental Railroad, 1869
Diese Eisenbahnlinie wurde vollendet, als sich die Central Pacific Railroad aus Kalifornien mit der Union Pacific Railroad aus Iowa traf. Die Bautrupps erreichten die Mitte nach sechs Jahren.

Stockton–Darlington-Railway, 1825
Die erste öffentliche Dampfeisenbahn transportierte Kohle und Passagiere. Die erste Lokomotive der Linie war die *Locomotion* von George Stephenson.

Orient-Express, 1883
Der luxuriöse Passagierzug verband Europa mit dem Nahen Osten. Die erste Linie fuhr zwischen Paris und Istanbul.

Eisenbahnen in Afrika, 1854–1900
Europas Kolonialmächte brachten die Eisenbahn nach Afrika. Häufig führten die Linien nur von der Küste ins Landesinnere und bildeten kein Schienennetz.

Callao-Lima-Oroya-Eisenbahn, 1870–1908
Die Eisenbahn, die über die Anden gebaut wurde, um die Häfen am Pazifik mit dem Landesinneren Perus zu verbinden, war über 100 Jahre lang die höchste Eisenbahnlinie der Welt.

Die Eisenbahn verändert die Welt

Die Eisenbahn revolutionierte nicht nur das Reisen, sondern veränderte auch das Arbeitsleben und den Alltag vieler Menschen.

Eisenbahnzeit
Erst für die Eisenbahn wurde die Zeit vereinheitlicht, damit die Züge unterwegs nicht kollidierten. Zuvor war die Zeit von Ort zu Ort etwas unterschiedlich.

Landwirtschaft
Frische Waren konnten über viel größere Entfernungen transportiert werden, was für die Bauern und für die Ernährung gut war.

Industrie und Beschäftigung
Die Eisenbahn benötigte Material für Schienen und Kohle für die Maschinen, es entstanden Arbeitsplätze und die Industrie wuchs.

Postwesen
Die Züge hatten Postwaggons, wodurch Briefe ihr Ziel in Tagen statt in Monaten erreichten.

Handel
Auf der Schiene erreichten die Waren die Häfen viel schneller als über die Straße oder Flüsse. Dies verbesserte den Welthandel.

Militär
Züge konnten Soldaten und Kriegsgerät schnell an die Front transportieren, weshalb sie im Krieg strategisch wichtig wurden.

„Als **Erbauer** der **Union Pacific** bleibt ihr als **wichtigster Mann** eurer Generation **in Erinnerung**."

US-Präsident Abraham Lincoln
zu dem Unternehmer Oakes Ames, 1865

DIE CALLAO-LIMA-OROYA-EISENBAHN IN PERU ÜBERQUERTE

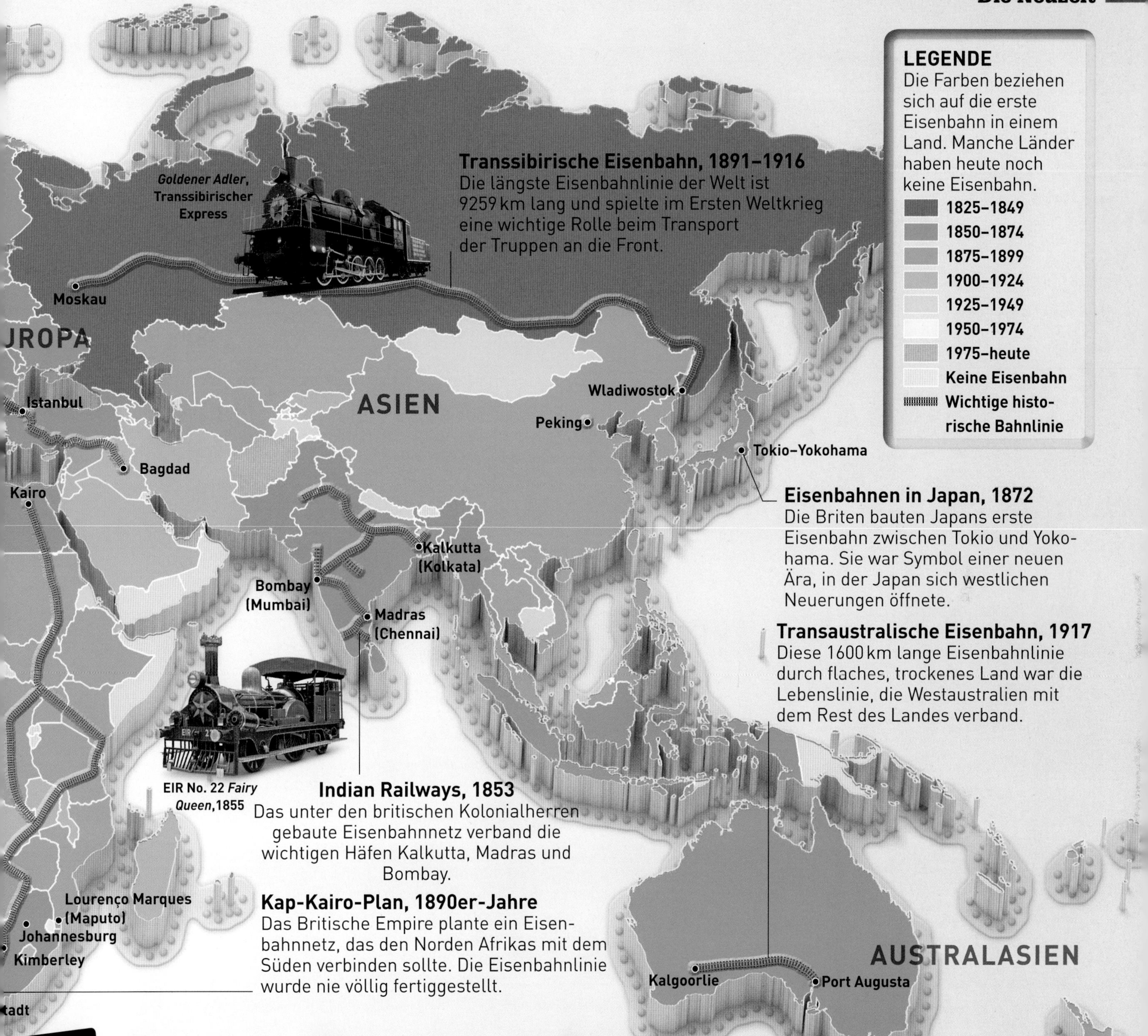

Transsibirische Eisenbahn, 1891–1916
Die längste Eisenbahnlinie der Welt ist 9259 km lang und spielte im Ersten Weltkrieg eine wichtige Rolle beim Transport der Truppen an die Front.

Eisenbahnen in Japan, 1872
Die Briten bauten Japans erste Eisenbahn zwischen Tokio und Yokohama. Sie war Symbol einer neuen Ära, in der Japan sich westlichen Neuerungen öffnete.

Transaustralische Eisenbahn, 1917
Diese 1600 km lange Eisenbahnlinie durch flaches, trockenes Land war die Lebenslinie, die Westaustralien mit dem Rest des Landes verband.

EIR No. 22 *Fairy Queen*, 1855

Indian Railways, 1853
Das unter den britischen Kolonialherren gebaute Eisenbahnnetz verband die wichtigen Häfen Kalkutta, Madras und Bombay.

Kap-Kairo-Plan, 1890er-Jahre
Das Britische Empire plante ein Eisenbahnnetz, das den Norden Afrikas mit dem Süden verbinden sollte. Die Eisenbahnlinie wurde nie völlig fertiggestellt.

1825–1917

Das Dampfzeitalter

)ie Eröffnung der ersten Passagierzuglinie revolutionierte das Transportwesen. ⁄lenschen und Waren legten bald große Entfernungen zurück – auch über Länder-renzen hinweg. Eisenbahnlinien durchzogen schnell Europa und Nordamerika, dann lie ganze Welt. Sie verbanden Städte, schufen Arbeitsplätze und erleichterten den Iandel. Nach wenigen Jahren war die Eisenbahn das Haupttransportmittel.

)IE ANDEN IN EINER ATEMBERAUBENDEN HöHE VON 4818 METERN.

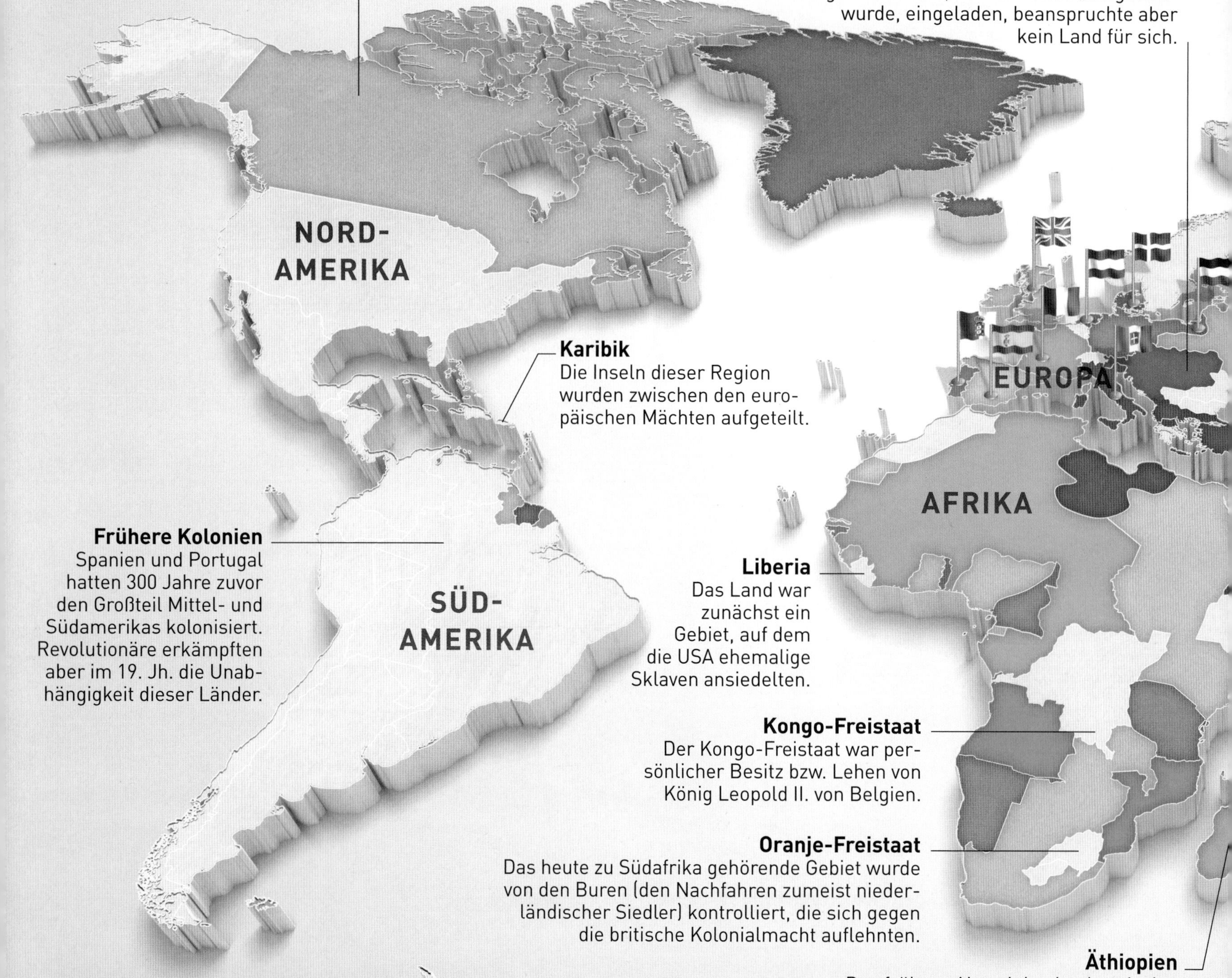

Kanada
Frankreich trat seine kanadischen Gebiete 1763 an Großbritannien ab.

Österreich-Ungarn
Das zweitgrößte Reich Europas war zwar zur Kongo-Konferenz, bei der Afrika „aufgeteilt" wurde, eingeladen, beanspruchte aber kein Land für sich.

Karibik
Die Inseln dieser Region wurden zwischen den europäischen Mächten aufgeteilt.

Frühere Kolonien
Spanien und Portugal hatten 300 Jahre zuvor den Großteil Mittel- und Südamerikas kolonisiert. Revolutionäre erkämpften aber im 19. Jh. die Unabhängigkeit dieser Länder.

Liberia
Das Land war zunächst ein Gebiet, auf dem die USA ehemalige Sklaven ansiedelten.

Kongo-Freistaat
Der Kongo-Freistaat war persönlicher Besitz bzw. Lehen von König Leopold II. von Belgien.

Oranje-Freistaat
Das heute zu Südafrika gehörende Gebiet wurde von den Buren (den Nachfahren zumeist niederländischer Siedler) kontrolliert, die sich gegen die britische Kolonialmacht auflehnten.

Äthiopien
Das frühere Abessinien ist das einzige Land Afrikas, das nie kolonisiert wurde.

Der Wettlauf um Afrika

Als die Europäer unter dem Vorwand, den Sklavenhandel abzuschaffen, nach Afrika gingen, ergriffen sie die Gelegenheit, Land in Besitz zu nehmen. Es entwickelte sich ein Wettlauf um Reichtum und Macht, der durch die Kongokonferenz eingedämmt werden sollte. Afrika wurde unter sieben europäischen Mächten aufgeteilt. Sie erhielten Land, wenn sie mit lokalen Führern Abkommen schlossen und ihre Flagge hissten. Die Abkommen waren aber meist erzwungen.

Eine französische Karikatur zum Ablauf der Kongokonferenz in Berlin (1884–1885). Sie zeigt den deutschen Reichskanzler Bismarck, der den „Kuchen Afrika" aufteilt.

„Das **Reich** seiner Majestät, in dem die **Sonne nie untergeht**."

Christopher North (Pseudonym des Schriftsteller John Wilson) über das Britische Weltreich, 1829

Europas Weltreiche

1900

Um 1900 erstreckte sich der Einfluss europäischer Großmächte rund um die Welt (es gab aber auch andere Kolonialmächte, wie China, Japan und die USA). Die europäischen Länder erlangten Macht und Reichtum, indem sie ihre Kolonien ausbeuteten. Der größte Kampf entbrannte um die Kontrolle Afrikas.

ASIEN
Russland
Drei Viertel des russischen Kaiserreichs lagen in Asien und nur ein Viertel in Europa. Es umfasste neben Russland rund 200 Nationen.
Indien
Unter britischer Oberhoheit, auch Raj genannt, wurde Indien in acht Provinzen mit je eigenem Gouverneur aufgeteilt.
China
Die letzte chinesische Kaiser-Dynastie Qing beherrschte ein riesiges Reich, das auch die Mongolei und Tibet einschloss.
Japan
Der Ausbau des japanischen Reiches beschleunigte sich nach 1900 mit der Annektierung Koreas im Jahr 1910.
manisches Reich
s islamisch geprägte Reich war
t 620 Jahren eines der am längs-
ı bestehenden Reiche der Erde.
endete 1922.
Siam
Das Königreich Siam, das heutige Thailand, ist eines der wenigen Länder, die nicht von Europas Mächten kolonisiert wurden.
Kaiser-Wilhelms-Land
Der entfernteste Außenposten des Deutschen Kaiserreichs wurde nach Kaiser Wilhelm II. benannt. Heute ist er der nördliche Teil von Papua-Neuguinea.
LEGENDE
Die Karte zeigt die europäischen Kolonialreiche im Jahr 1900.
Großbritannien und Besitzungen
Frankreich und Besitzungen
Niederlande und Besitzungen
Portugal und Besitzungen
Spanien und Besitzungen
Deutschland und Besitzungen
Russisches Kaiserreich
Italien und Besitzungen
Dänemark und Besitzungen
Osmanisches Reich
AUSTRALASIEN
Australien
Australien entstand aus sechs unabhängigen britischen Kolonien. Im Jahr 1900 bildeten sie eine Föderation, die Teil des Britischen Weltreichs blieb.

NUR ÄTHIOPIEN, MAROKKO UND TEILE SÜDAFRIKAS BLIEBEN FREI.

Telefon, 1876
Der Schotte Alexander Graham Bell entwickelte sein Telefon in Boston (USA). Der Erste, mit dem er telefonierte, war sein Assistent Thomas A. Watson.

Anästhesie, 1846
Der amerikanische Zahnarzt William Morton wendete beim Operieren als Erster erfolgreich eine Narkose an.

Fabrik, 1771
Als Richard Arkwright seine von Wasserkraft getriebene Spinnerei im englischen Cromford eröffnete, vereinte er als Erster mehrere Produktionsschritte unter einem Dach.

Dampflokomotive, 1804
Die von dem Briten Richard Trevithick erfundene erste Lokomotive fuhr noch auf der Straße. Ab 1804 baute und betrieb Trevithick Lokomotiven für den Schienenbetrieb.

Klimaanlage, 1902
Der Amerikaner Willis Carrier schuf eine Maschine, die Luftkühlung, Lufttemperatur und Luftfeuchtigkeit steuern konnte.

Schutzimpfung, 1796
Der englische Landarzt Edward Jenner spritzte einem Patienten abgeschwächte bzw. tote Keime, um den Körper zum Kampf gegen die Pocken anzuregen, und erfand so die Schutzimpfung.

Glühbirne, 1879
Es gab zwar schon Glühbirnen, aber der amerikanische Erfinder Thomas Alva Edison entwickelte eine Birne, die 50 Stunden lang leuchtete und sich so für den Hausgebrauch eignete.

Kino, 1895
Der Cinématographe ist eine Erfindung der Franzosen Auguste und Louis Lumière. Es war eine Kombination aus Kamera und Filmprojektor und spielte bei einer öffentlichen Demonstration in Paris erstmals bewegte Bilder ab.

Funkgerät, 1895
Der Italiener Guglielmo Marconi sendete und empfing Funksignale über eine Entfernung von 2,4 km.

Flugzeug, 1903
Die amerikanischen Brüder Orville und Wilbur Wright entwickelten das erste motorisierte Flugzeug, das sich 12 Sekunden in der Luft hielt und 36 m weit flog.

Klavier, 1709
Der Italiener Bartolomeo Cristofori erfand das Klavier. Im Vergleich zu früheren Tasteninstrumenten hatten die Musiker jetzt viel mehr Kontrolle über die Dynamik der Töne und das Klavier wurde zu einem unverzichtbaren Instrument der westlichen Musik.

Pasteurisierung, 1865
Der Franzose Louis Pasteur entdeckte, dass man flüssige Lebensmittel erhitzen kann, um schädliche Bakterien zu töten, ohne ihren Nährwert zu zerstören.

Kautschuk, 1735
Während einer Expedition durch Ecuador entdeckte der Franzose Charles-Marie de la Condamine den Kautschuk. Der Stoff wurde in Europa berühmt und 1770 entdeckte der Engländer Joseph Priestley, dass man Bleistiftstriche mit Kautschuk abreiben konnte. Er nannte seine Erfindung „Rubber" (Radiergummi).

KONSERVENDOSEN WURDEN 1810 ERFUNDEN, SIE MUSSTEN ABER BIS ZUR

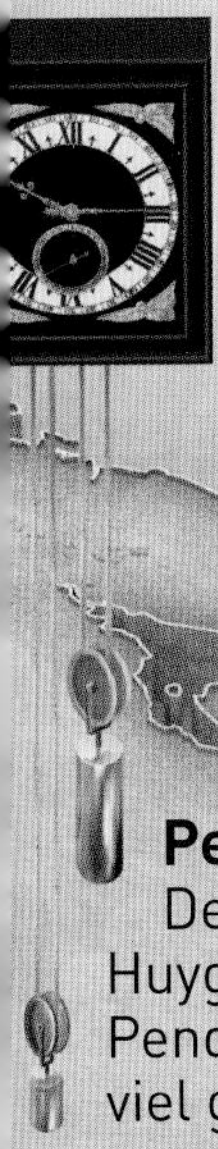

Pendeluhr, 1657
Der Niederländer Christiaan Huygens baute die ersten Pendeluhren, die die Zeit sehr viel genauer als bisher maßen.

„Zum **Erfinden** braucht man **Fantasie** und einen **Haufen Schrott**."

Thomas Alva Edison,
amerikanischer Erfinder, 1847–1931

Elektrolokomotive, 1879
Werner von Siemens zeigte in Berlin den ersten elektrischen Zug. Dieser konnte 20–25 Personen befördern und erreichte eine Geschwindigkeit von 6 km/h.

ASIEN

Automobil, 1886
Der deutsche Ingenieur Karl Benz entwickelte das erste Auto, den „Motorwagen", der drei Räder hatte und von einem kleinen Motor angetrieben wurde.

Die industrielle Revolution

Zwischen Ende des 18. und Mitte des 19. Jh. verwandelte sich Großbritannien zur ersten Industriemacht der Welt und verschaffte sich somit einen riesigen wirtschaftlichen und technologischen Vorsprung gegenüber allen anderen Ländern. Entscheidend dafür waren viele britische Erfindungen, wie die Dampflokomotive, die Spinnmaschine Spinning Jenny, die Wolle zu Garn verarbeitete, die Konservendose und die U-Bahn. Es war die Zeit der industriellen Revolution.

Dieser Stich zeigt das Innere einer englischen Fabrik im späten 18. Jh.

1500–1900

Erfindungen der Neuzeit

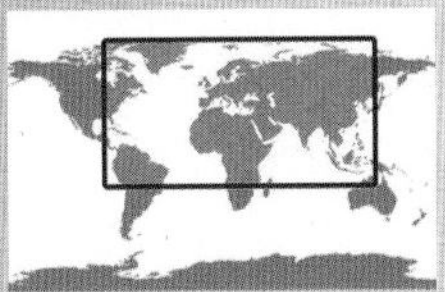

Die Neuzeit (1500–1900) war in Europa und Nordamerika eine Zeit großer Entwicklungen. Durch die industrielle Revolution, vor allem in Großbritannien, gab es Fabriken und neue Produktionsmaschinen und riesige Fortschritte auf den Gebieten des Transports, der Medizin und der Wissenschaft. Manche Erfindungen veränderten das Leben von Menschen auf der ganzen Welt.

ERFINDUNG DES DOSENöFFNERS 1870 MIT EINEM MESSER GEöFFNET WERDEN.

Canada
2-3

Das 20. & 21. Jahrhundert

Ins All
Das jüngste Kapitel der Geschichte hat sich nicht nur auf unserem Planeten Erde abgespielt, denn im 20. Jh. ist der Mensch auch ins All vorgedrungen. Das Bild zeigt NASA-Astronauten – Greg Chamitoff im Bild und Mike Fincke im Spiegelbild seines Visiers – bei einer Reparatur der Internationalen Raumstation im Jahr 2011.

Der Wright Flyer
Das Flugzeug der Brüder Orville und Wilbur Wright hatte einen mit Musselin-Stoff bespannten Holzrahmen.

1900

FUNKSIGNAL ÜBER DEN ATLANTIK (1901)
Guglielmo Marconi gelang die erste Funkübertragung von England nach Kanada.

DER WRIGHT FLYER (1903)
Der erste motorisierte, von einem Piloten gesteuerte Flug fand in Kitty Hawk, North Carolina (USA), statt. »*S. 132–133*

SÜDPOL (1911)
Der Norweger Roald Amundsen erreichte als erster Mensch den Südpol. »*S. 126–127*

UNTERGANG DER TITANIC
(1912) Das Luxusschiff sank nach dem Zusammenstoß mit einem Eisberg. Mehr als 1500 Menschen starben.

Sowjetisches Schlachtflugzeug Iljuschin Il-2 „Schturmowik"

US-EINTRITT IN DEN ZW TEN WELTKRIEG (1941) D
USA traten nach dem Ang Japans auf Pearl Harbour den Krieg ein. »*S. 138–13*

ZWEITER WELTKRIEG
(1939–1945) England und Frankreich erklärten Nazi-Deutschland den Krieg. »*S. 138–143*

DEUTSCHER EINMARSCH IN DIE SOWJETUNION (UdSSR)
(1941) Die Invasion war die größte des Krieges und änderte seinen Verlauf. »*S. 140–141*

D-DAY (1944) Alliierte Truppen landeten in Frankreich, um die Deutschen zu vertreiben. »*S. 142–143*

KRIEGSENDE (1945) Nach dem Kriegsende in Europa im Mai endete auch der Krieg in Japan im August. »*S. 140*

NORD- UND SÜDKOREA
(1945) Korea wurde in den sowjetisch kontrollierten Norden und den von den USA besetzten Süden geteilt.

Mahatma Gandhi missachtete britische Gesetze, indem er Wolle spann.

ÜBERSCHALLFLUG (1947)
Das Raketenflugzeug *Bell X-1* war das erste bemannte Flugzeug, das schneller als der Schall flog. »*S. 132–133*

INDIENS UNABHÄNGIGKEIT (1947)
Gandhi löste das Ende der britischen Kolonialzeit aus. Das Land teilte sich in Indien (vorwiegend Hindus) und Pakistan (vorwiegend Muslime). »*S. 144–145*

DER STAAT ISRAEL (1948)
Die Vereinten Nationen stimmten für die Teilung von Palästina, der Staat Israel wurde ausgerufen.

APARTHEID (1948–1994)
Südafrikas Rassengesetze schränkten die Rechte der schwarzen Bevölkerung ein. 1994 wurden sie abgeschafft.

MOUNT EVEREST (1953)
Sir Edmund Hillary und Tensing Norgay bestiegen als Erste den höchsten Berg der Welt.

US-BÜRGERRECHTE
(1955–1968) Martin Luth King war einer der Anfüh rer im Kampf gegen die Rassentrennung (USA).

VIETNAMKRIEG (1956–1975)
Nord- und Südvietnam wurden wiedervereint, als die USA den Krieg gegen den kommunistischen Norden verloren.

RECHTE DER ABORIGINES
(1967) Die australische Regierung erkannte die Aborigines (Ureinwohner) als vollwertige Bürger an.

SCHRITTE AUF DEM MOND
(1969) US-Astronaut Neil Armstrong betrat als erste Mensch den Mond. »*S. 150–151*

ARPANET (1969)
In Kalifornien (USA) wurden zum allerersten Mal Computer zu einem Netzwerk verbunden. Es hieß ARPAnet und war eine frühe Version des Internets. »*S. 152–153*

E-MAIL (1971)
Der Programmierer Ray Tomlinson verschickte die erste E-Mail (elektronische Post). »*S. 152–153*

ENDE DES KALTEN KRIEGES
(1991) Der Konflikt zwischen den USA und der Sowjetunion wurde durch den Zerfall der Sowjetunion beendet.

WORLD WIDE WEB (1991)
Der britische Wissenschaftler Tim Berners-Lee entwickelte ein System zur Verknüpfung von Internetseiten und nannte es World Wide Web. »*S. 152–153*

HANDELSMACHT CHINA
(2013) China überholte die USA und wurde stärkste Handelsnation der Erde. »*S. 154–155*

978 MILLIONEN MENSCHEN SAHEN DIE ERÖFFNUNGSFEIER DER OLYMPISCHEN

FLIESSBAND (1913) Die Ford Motor Company machte die Autoproduktion durch die Massenproduktion am Fließband schneller und billiger.

ERSTER WELTKRIEG (1914–1918) Nach der Ermordung von Erzherzog Franz Ferdinand erklärte Österreich-Ungarn Serbien den Krieg. »*S. 128–129*

PANZERKRIEG (1916) Die britische Armee setzte im Ersten Weltkrieg zum ersten Mal Kampfpanzer ein. »*S. 128–129*

Vernetzte Welt
Die weißen Linien auf dem Globus stehen für Internetverbindungen zwischen Städten.

RUSSISCHE REVOLUTION (1917–1922) Die Bolschewiki (später Kommunisten) übernahmen die Kontrolle des Russischen Reiches. »*S. 130–131*

LUFTKRIEG (1915) Im Ersten Weltkrieg kam es erstmals zu Luftschlachten und Bombenabwürfen aus der Luft. »*S. 128–129*

Britischer Whippet-Panzer aus dem Ersten Weltkrieg

AMELIA EARHART (1937) Die Flugpionierin Amelia Earhart verschwand beim Versuch der Weltumrundung im Pazifik. »*S. 132–133*

WELTWIRTSCHAFTSKRISE (1929–1939) Weltweit gingen Unternehmen bankrott und viele Menschen verloren ihre Arbeit. »*S. 134–135*

ENDE DES KRIEGES (1918) Der Erste Weltkrieg endete mit einem Waffenstillstandsabkommen, der Friedensvertrag folgte 1919. »*S. 128–129*

R LANGE MARSCH (1934–1935) aufständische kommunistische mee Chinas marschierte 1 Jahr d 3 Tage, um den Nationalisten zu entkommen. »*S. 136–137*

MASSAKER VON AMRITSAR (1919) Die britische Armee erschoss Hunderte Menschen, die für Indiens Unabhängigkeit demonstrierten. »*S. 144–145*

AMERIKAS EINTRITT IN DEN WELTKRIEG (1917) Als Deutschland US-Schiffe torpedierte, traten die USA in den Krieg ein. »*S. 128–129*

SPUTNIK IM ALL (1957) Die Sowjetunion (UdSSR) startete *Sputnik 1*, den ersten künstlichen Satelliten, der die Erde umkreiste. »*S. 148–149*

Spaceshuttle der NASA

WEG ZUM MOND (1959) Die von der Sowjetunion gestartete *Luna 2* landete als erstes Raumschiff auf dem Mond. »*S. 150–151*

Ab 1900

KUBAKRISE (1962) Als Reaktion auf US-Raketen in der Türkei stationierte die Sowjetunion Raketen auf Kuba. Die Welt erwartete einen Atomkrieg, der zum Glück ausblieb. »*S. 146–147*

Das 20. Jahrhundert war das Jahrhundert der technischen Neuerungen, vom Radio über Fernsehen bis hin zu Raumfahrt und Computer. Die Technisierung hat die Kriege verändert und die Welt kleiner gemacht: Dank neuer Transportmittel sind alle Kontinente erforscht und durch die Revolution der Telekommunikation ist die gesamte Welt miteinander vernetzt.

DIE BERLINER MAUER (1961–1989) Die Regierung der DDR errichtete eine lauer, um die Ostdeutschen von der Abwanderung in den Westen abzuhalten.

IELE IN PEKING 2008 – DIE GRÖSSTE FERNSEHÜBERTRAGUNG DER WELT.

1911–1912

Das Rennen zum Südpol

Zu Beginn des 20. Jahrhunderts war die Erforschung des Südpols die letzte große Herausforderung und sowohl der Brite Robert Falcon Scott als auch der Norweger Roald Amundsen waren bereit, sie anzunehmen. Beide machten sich 1911 auf den Weg. Was folgte, war ein Rennen, das die Welt faszinieren und schockieren sollte.

Antarktika

Antarktika ist der kälteste Ort auf der Welt mit Tiefsttemperaturen von -89,2 °C. Es ist auch der unzugänglichste, stürmischste, höchste und am wenigsten erforschte Kontinent unseres Planeten.

Roald Amundsen

Nachdem er 1903–1906 die Nordwestpassage (ein Seeweg zwischen dem Atlantik und dem Pazifik) gefunden hatte, war der Norweger bereits ein gefeierter Entdecker. Er hatte Erfahrung mit den Bedingungen im Polareis und führte sein Team in 99 Tagen zum Südpol und zurück.

6. Amundsen erreicht den Pol
Amundsens Team erreichte den Südpol am 14. Dezember 1911. Für den Rückweg benötigten sie 56 Tage.

5. Hunde als Nahrung
Von den 45 Hunden, die den Axel-Heiberg-Gletscher erklommen, kamen nur 18 am Südpol an. Die anderen waren zum Essen geschlachtet worden.

e. Scott erreicht den Pol
Scotts Team erreichte den Südpol 34 Tage nach Amundsen am 17. Januar 1912. Sie kehrten noch am selben Tag um.

4. Über den Gletscher
Amundsens Team begann mit der Ersteigung eines Gletschers, den sie Axel-Heiberg-Gletscher nannten, hoch auf das Polarplateau.

Robert Falcon Scott

Robert Falcon Scott war Marineoffizier und bei der Discovery-Expedition 1901–1904 nach Antarktika dabei gewesen. Er kehrte 1911 zurück, „um den Südpol zu erreichen". Amundsen und sein Team kamen aber zuerst dort an. Scott und seine Männer überlebten den Rückweg nicht.

f. Erstes Opfer
Edgar Evans aus Scotts Team starb am 7. Februar 1912.

Nachdem sie sich durch einige der schlimmsten Wetterbedingungen gekämpft hatten, die je in der Antarktis aufgezeichnet wurden, erreichten Scott und sein Team im März das Mittlere Barriere-Depot.

2. Präzise Vorbereitung
Bevor er zum Pol aufbrach, legte Amundsen sorgsam geplante Depots (Lager) entlang der Route an. Er stellte beiderseits der Depots jeweils 10 schwarze Fahnen im Abstand von 800 m auf, damit er das Depot auch im extremsten Wetter wiederfinden konnte.

d. Basis für den Aufstieg
Scotts Team erreichte am den Fuß des Beardmore-Gletschers. Sie hatten 39 Tage für die Überquerung der Rossbarriere gebraucht.

„Zu **streben**, **suchen**, **sehn** – und nie zu **ruhn**“

Alfred Lord Tennyson, Inschrift des Gedenkkreuzes für Scott und seine Männer auf dem Observation Hill am McMurdo-Sund

h. Zweites Opfer
Am 17. März 1912 verließ Lawrence Oates aus Scotts Team das Lager und starb einsam.

i. Letztes Lager
Scott, Bowers und Wilson legten am 19. März ihr letztes Lager an, 17,7 km vom One-Ton-Depot entfernt. Ihre gefrorenen Leichen wurden im folgenden November gefunden.

7. Triumphale Rückkehr
Amundsen und sein Team kehrten nach Framheim zurück. Der Weg zum Pol und zurück war zehn Tage kürzer als geplant.

b. Vorbereitungen
Bevor er sich auf den Weg zum Pol machte, richtete Scott Depots entlang der Route ein. Wegen des schlechten Wetters legte er aber sein „One-Ton“-Depot 59,5 km vor dem geplanten Punkt bei 80° Süd an. Diese Entscheidung sollte sich als katastrophaler Fehler erweisen.

3. Aufbruch zum Pol
Amundsens Team brach am 21. Oktober 1911 mit vier Schlitten und 52 Hunden aus Framheim zum Südpol auf.

1. Amundsens Schiff *Fram* trifft ein
Die Norweger legten ein Lager am eisigen Ufer der Bucht der Wale an, das sie Framheim nannten. Ihre Basis lag ungefähr 100 km näher am Südpol als die Scotts.

c. Aufbruch zum Pol
Scotts Hauptgruppe verließ Kap Evans am 1. November 1911 Richtung Südpol.

a. Scotts Schiff *Terra Nova* trifft ein
Am 4. Januar 1911 legte das Team ein Lager am Kap Evans am McMurdo-Sund an.

WAREN BIS ZU 10-MAL GRÖSSER ALS DIE IN SCOTTS LAGERN.

GROSSBRITANNIEN

London

U-Boote
Deutsche Unterseeboote (U-Boote) griffen britische und amerikan sche Handels-, Kriegs- und sogar Passagier- und Lazarettschiffe a Das veranlasste 1917 auch die USA, in den Krieg einzutreten.

Tod im Schlamm
Der Regen weichte den Schlamm auf dem Schlachtfeld bei Passendale so auf, dass Verwundete darin ertranken.

Gasangriff
1915 setzten die deutschen Truppen bei Ypern erstmals Giftgas gegen französische Soldaten ein.

Bomben aus dem Zeppelin
Ab 1915 griffen deutsche Luftschiffe neben Paris auch London und andere britische Städte an.

Britisches Lazarettschiff

Fußball zum Fest
Ein inoffizieller Waffenstillstand am 1. Weihnachtstag 1914 erlaubte es den Soldaten beider Seiten, im Niemandsland Fußball zu spielen.

Ypern, 1915
Passendale, 1917
Messines, 1917
Lys, 1918
Loos, 1915
Arras, 1917
Cambrai, 1917
Somme, 1916
Amiens, 1918
Compiègne
Chemin de Dames, 191
Chateau Thierry, 1918
Somme
Oise
Seine
Marne
Loire
Versailles
Paris
FRANKREIC

Die „Hunderttageoffensive“
Eine Offensive der Alliierten bei Amiens war 1918 der Beginn einer Reihe von Siegen, die Deutschland zum Rückzug zwangen.

Schlacht an der Somme
In dieser viermona Schlacht wurden m als 1 Mio. Soldaten tet oder verwundet

LEGENDE
Die Karte zeigt die Westfront im Ersten Weltkrieg.

- Frontverlauf 1914–1916
- Bedeutende Schlacht
- Landesgrenze
- Stadt

Panzerkrieg
Die ersten Panzer dienten dazu, Gräben im rauen Gelände zu überwinden. Die Alliierten hatten die ersten und meisten Panzer: Tausende gegenüber den 20, die die Deutschen hatten.

Britischer Whippet-Panzer

In den Gräben

Die Schützengräben boten den Soldaten ein wenig Schutz vor Gewehrkugeln, aber sie waren schlammig, nass und voller Ratten, Läuse und Krankheitserreger. Beide Kriegsparteien gruben sich auf ihrer Seite der Front in Schützengräben ein. Das Land dazwischen nannte man das „Niemandsland“. Kein Soldat wollte dorthin gehen, denn das bedeutete den fast sicheren Tod.

Vertrag von Versailles
Hier wurde 1919 ein Friedensvertrag unterzeichnet. Deutschland musste Land abgeben und Reparationen (Wiedergutmachung) für die Verluste und Schäden des Krieges bezahlen.

Angriff auf Paris
1918 beschossen die Deutschen die französische Hauptstadt mit ihren neu entwickelten Langstreckenkanonen. Hunderte Menschen starben dabei.

„Die **Hölle selbst** kann nicht so **furchtbar** sein.“

Albert Joubaire, französischer Soldat, Verdun, 1916

Das Ende des Krie
In einem Eisenbahn gon in Compiègne w 1918 ein Waffenstill- stand vereinbart und Kämpfe endeten zur Stunde am 11. Tag d 11. Monats von 1918 Krieg war aber erst dem Friedensvertra 1919 offiziell vorbei.

RUND 60 MILLIONEN SOLDATEN KÄMPFTEN IM ERSTEN WELTKRIEG.

1914–1918

Erster Weltkrieg

Im Juli 1914 erklärte Österreich-Ungarn Serbien den Krieg. Das führte zum Krieg zwischen den Mittelmächten und der Entente, zwei rivalisierenden europäischen Allianzen (Bündnisse), in den immer mehr Länder überall auf der Welt gezogen wurden. Die entscheidenden Schlachten fanden in Europa statt. Durch neue Waffen, wie Maschinengewehre, Flugzeuge und Panzer, entwickelte sich einer der blutigsten Kriege der Geschichte.

Die erste Schlacht
1914 fiel die belgische Stadt Lüttich in der ersten Schlacht des Krieges an die Deutschen.

Luftkämpfe
In diesem Krieg kamen erstmals Kampfflugzeuge zum Einsatz. In Luftkämpfen versuchten die Piloten die feindlichen Maschinen abzuschießen, ohne selbst getroffen zu werden.

Alliierter Durchbruch
Eine große Offensive der US-Armee konnte 1918 die deutschen Linien durchbrechen.

Deutsche Truppen
Deutsche Einheiten drangen 1914 nach Belgien und Frankreich ein. Deutschland war neben Österreich-Ungarn und dem Osmanischen Reich (heute Türkei) eine der führenden Nationen der Mittelmächte.

Die Front
Die Grenze zwischen beiden Seiten veränderte ihren Verlauf zwischen 1914 und 1916 kaum.

Schlacht um Verdun
Der verbissene Kampf um die befestigte französische Stadt dauerte 1916 zehn Monate und forderte 300 000 Leben.

Schlachten an der Marne
Hier fanden zwei große Schlachten statt. Die erste stoppte 1914 den deutschen Vormarsch auf Paris. Die zweite stoppte 1918 eine weitere deutsche Offensive und wendete das Blatt zugunsten der Alliierten.

Alliierte Truppen
Französische und britische Soldaten (sowie Australier, Kanadier und Inder aus dem britischen Commonwealth) kämpften an der Westfront aufseiten der Alliierten. Zusammen mit Russland bildeten sie die sogenannte Entente.

3 MILLIONEN WURDEN GETöTET UND 22 MILLIONEN SCHWER VERWUNDET.

Was ist Kommunismus?

Lenin hatte die Theorien des Deutschen Karl Marx (1818–1883) studiert, der Geschichte als Klassenkampf beschrieb. Die herrschende Klasse besitzt Land und Fabriken und beutet die arbeitende Klasse aus, die – so Marx – sich irgendwann erheben und eine klassenlose, „kommunistische" Gesellschaft schaffen muss, in der alles allen gehört.

Karl Marx

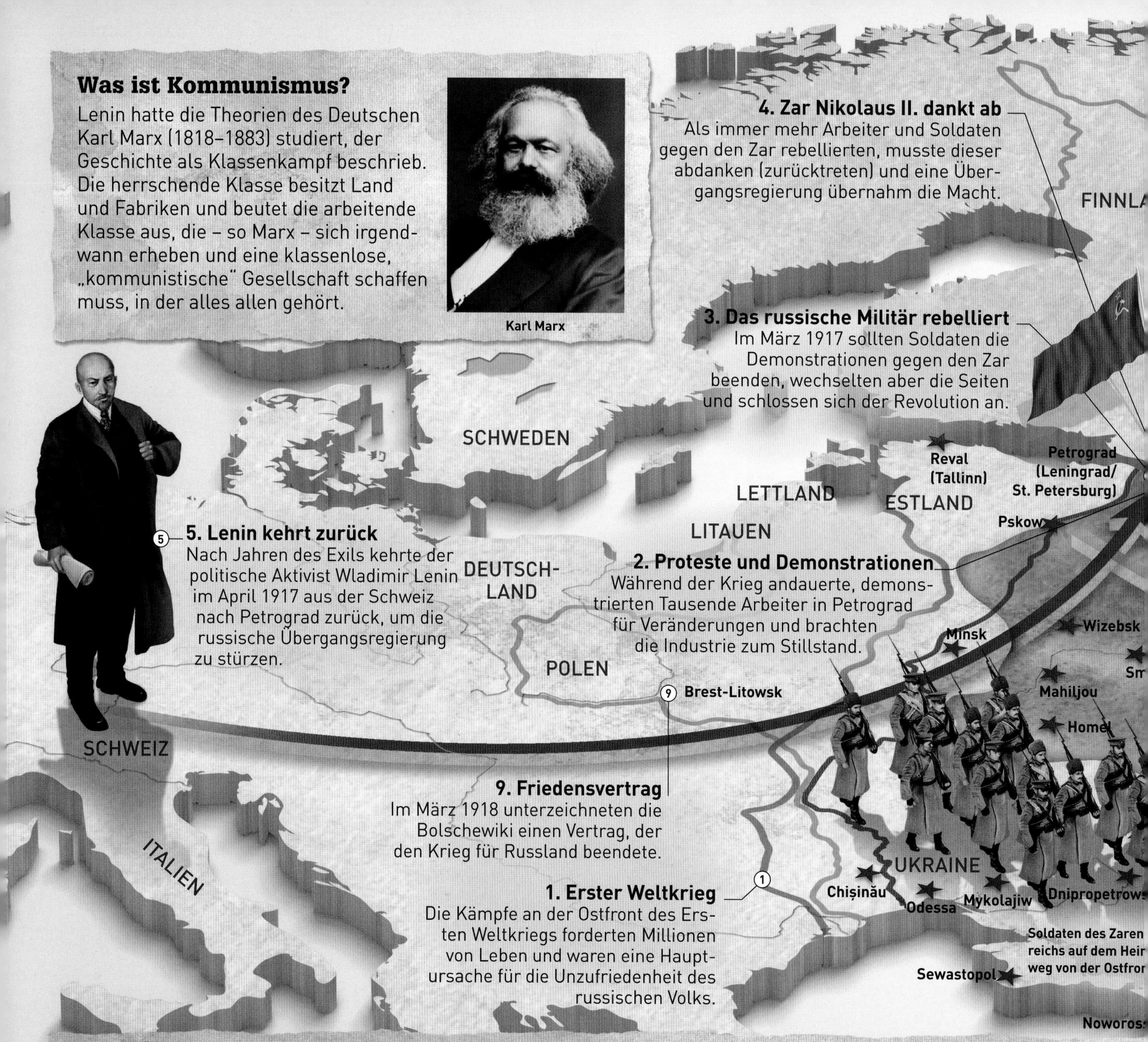

4. Zar Nikolaus II. dankt ab
Als immer mehr Arbeiter und Soldaten gegen den Zar rebellierten, musste dieser abdanken (zurücktreten) und eine Übergangsregierung übernahm die Macht.

3. Das russische Militär rebelliert
Im März 1917 sollten Soldaten die Demonstrationen gegen den Zar beenden, wechselten aber die Seiten und schlossen sich der Revolution an.

5. Lenin kehrt zurück
Nach Jahren des Exils kehrte der politische Aktivist Wladimir Lenin im April 1917 aus der Schweiz nach Petrograd zurück, um die russische Übergangsregierung zu stürzen.

2. Proteste und Demonstrationen
Während der Krieg andauerte, demonstrierten Tausende Arbeiter in Petrograd für Veränderungen und brachten die Industrie zum Stillstand.

9. Friedensvertrag
Im März 1918 unterzeichneten die Bolschewiki einen Vertrag, der den Krieg für Russland beendete.

1. Erster Weltkrieg
Die Kämpfe an der Ostfront des Ersten Weltkriegs forderten Millionen von Leben und waren eine Hauptursache für die Unzufriedenheit des russischen Volks.

1917–1922

Die Oktoberrevolution

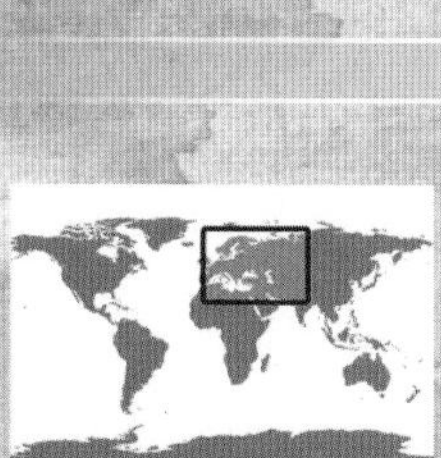

Nach dem Ersten Weltkrieg herrschte in Russland Lebensmittelknapphei und das Leben der Arbeiter war sehr hart. Der Zar dankte zwar ab, aber es war zu spät: Überall im Land entstanden Arbeiterräte, die sogenannten Sowjets, die zusammen mit der Bolschewistischen Partei eine Revolution anzette ten. Sie führte zur Gründung des ersten kommunistischen Staates.

DIE SOWJETUNION WAR DAS GRÖSSTE LAND DER WELT UND STAND BIS

Sowjetunion

1922 vereinigten die siegreichen Bolschewiki das ehemalige Russische Reich unter kommunistischer Herrschaft zur Sowjetunion. Dazu gehörten auch die Ukraine, Weißrussland, Georgien und andere Länder.

. Die Bolschewiki bernehmen die lacht

m 25. Oktober 1917 bernahmen die Bolchewiki unter Lenins ührung die Kontrolle es Telegrafen, der rücken und Bahnhöfe Petrograd.

7. Sturm auf das Winterpalais

Ebenfalls am 25. Oktober drangen bewaffnete Bolschewiki in das Winterpalais ein und verhafteten die Übergangsregierung.

8. Kommunistische Regierung

Nach der Machtübernahme bildeten Lenin und die Bolschewiki eine kommunistische Regierung, die aber trotz ihrer Ideale schnell zu einer schonungslosen Diktatur wurde.

10. Exil und Hinrichtung

Nach seiner Abdankung wurden der Zar und seine Familie in einem abgelegenen Palast nahe Jekaterinburg unter Hausarrest gestellt und im Juli 1918 von ihren Bewachern erschossen.

11. Andauernde Konflikte

Die Bolschewiki, die sich 1918 in Kommunisten umbenannten, mussten gegen Widerstände kämpfen. Sie beherrschten 1919 zwar ein großes Gebiet, aber der Bürgerkrieg tobte noch bis 1922.

LEGENDE

- **Grenze des Russischen Reiches, 1914**
- **Ostfront des Ersten Weltkriegs, 1917**
- **Weg Zar Nikolaus' II.**
- **Weg Lenins**
- **Von Bolschewiki beherrschte Städte, 1918** Nach Petrograd wollten die Bolschewiki auch andere Regionen erobern.
- **Von Bolschewiki beherrschtes Gebiet, 1919** 1919 hatten sich die Bolschewiki bis ins russische Kernland zurückgezogen.
- **Grenze der Sowjetunion, 1922** 1922 stand Russland unter kommunistischer Herrschaft, hatte aber Finnland, Polen, Estland, Lettland und Litauen verloren.
- ① **Wichtiges Ereignis**

„Die **Geschichte** wird uns nicht vergeben, wenn wir nicht jetzt die **Macht ergreifen.**"

Wladimir Iljitsch Lenin in einem Brief an die Bolschewiki-Führer in Petrograd und Moskau, 12.–14. September 1917

1903–2013

Luftfahrtgeschichte

Bis zum 20. Jahrhundert war Fliegen ein Hobby für abenteuerlustige Ballonfahrer. 1903 unternahmen die Brüder Wright in den USA dann den ersten kontrollierten Flug mit einem motorisierten Luftfahrzeug. Nach nur wenigen Jahren wurden Flugzeuge sowohl zum Transport von Passagieren als auch als Kriegsmaschinen eingesetzt.

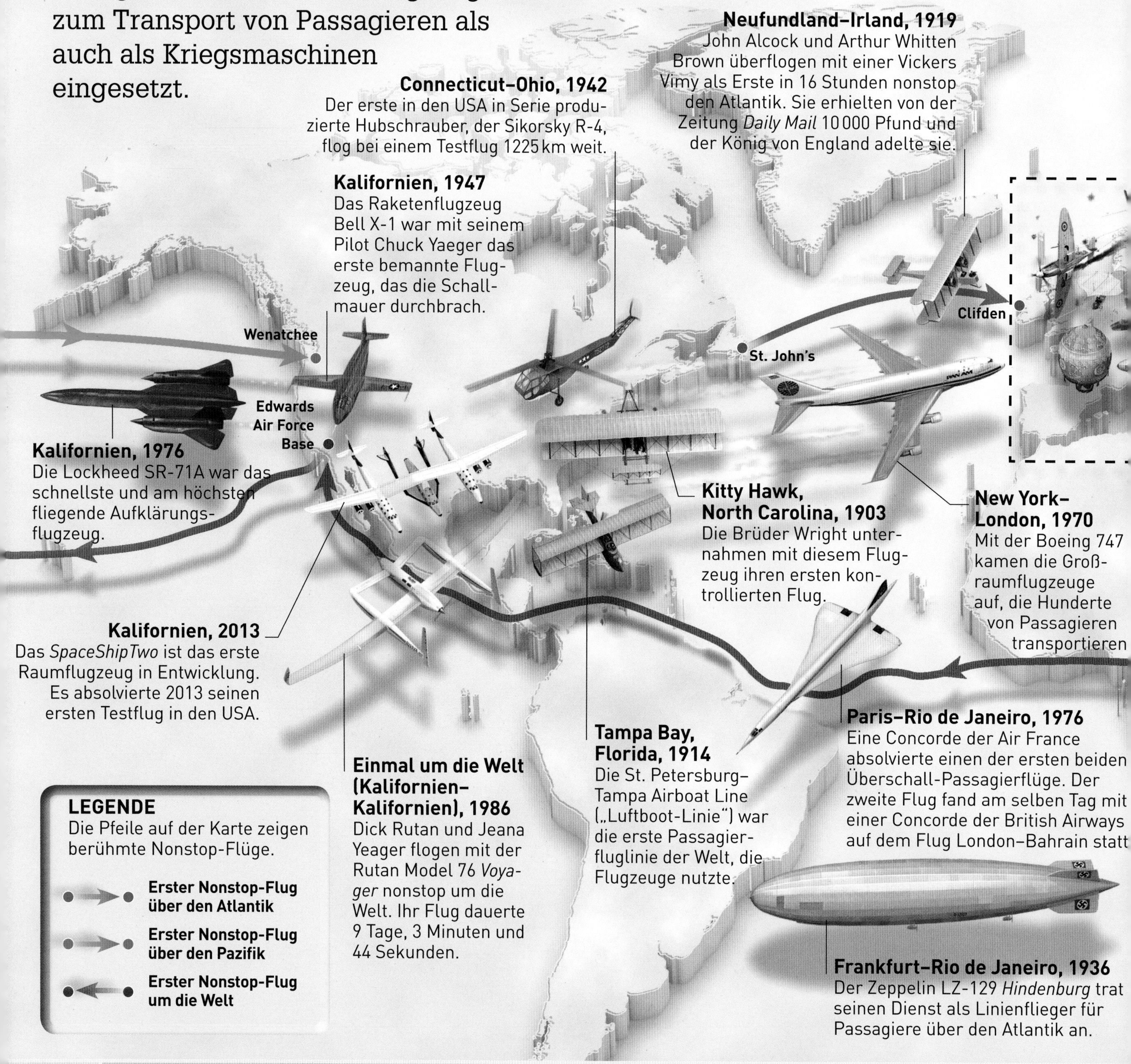

Neufundland–Irland, 1919
John Alcock und Arthur Whitten Brown überflogen mit einer Vickers Vimy als Erste in 16 Stunden nonstop den Atlantik. Sie erhielten von der Zeitung *Daily Mail* 10 000 Pfund und der König von England adelte sie.

Connecticut–Ohio, 1942
Der erste in den USA in Serie produzierte Hubschrauber, der Sikorsky R-4, flog bei einem Testflug 1225 km weit.

Kalifornien, 1947
Das Raketenflugzeug Bell X-1 war mit seinem Pilot Chuck Yaeger das erste bemannte Flugzeug, das die Schallmauer durchbrach.

Kalifornien, 1976
Die Lockheed SR-71A war das schnellste und am höchsten fliegende Aufklärungsflugzeug.

Kitty Hawk, North Carolina, 1903
Die Brüder Wright unternahmen mit diesem Flugzeug ihren ersten kontrollierten Flug.

New York–London, 1970
Mit der Boeing 747 kamen die Großraumflugzeuge auf, die Hunderte von Passagieren transportieren

Kalifornien, 2013
Das *SpaceShipTwo* ist das erste Raumflugzeug in Entwicklung. Es absolvierte 2013 seinen ersten Testflug in den USA.

Paris–Rio de Janeiro, 1976
Eine Concorde der Air France absolvierte einen der ersten beiden Überschall-Passagierflüge. Der zweite Flug fand am selben Tag mit einer Concorde der British Airways auf dem Flug London–Bahrain statt

Tampa Bay, Florida, 1914
Die St. Petersburg–Tampa Airboat Line („Luftboot-Linie“) war die erste Passagierfluglinie der Welt, die Flugzeuge nutzte.

Einmal um die Welt (Kalifornien–Kalifornien), 1986
Dick Rutan und Jeana Yeager flogen mit der Rutan Model 76 *Voyager* nonstop um die Welt. Ihr Flug dauerte 9 Tage, 3 Minuten und 44 Sekunden.

LEGENDE
Die Pfeile auf der Karte zeigen berühmte Nonstop-Flüge.

- **Erster Nonstop-Flug über den Atlantik**
- **Erster Nonstop-Flug über den Pazifik**
- **Erster Nonstop-Flug um die Welt**

Frankfurt–Rio de Janeiro, 1936
Der Zeppelin LZ-129 *Hindenburg* trat seinen Dienst als Linienflieger für Passagiere über den Atlantik an.

DIE ERSTE FLUGLINIE – 1909 IN DEUTSCHLAND GEGRÜNDET – FLOG MIT

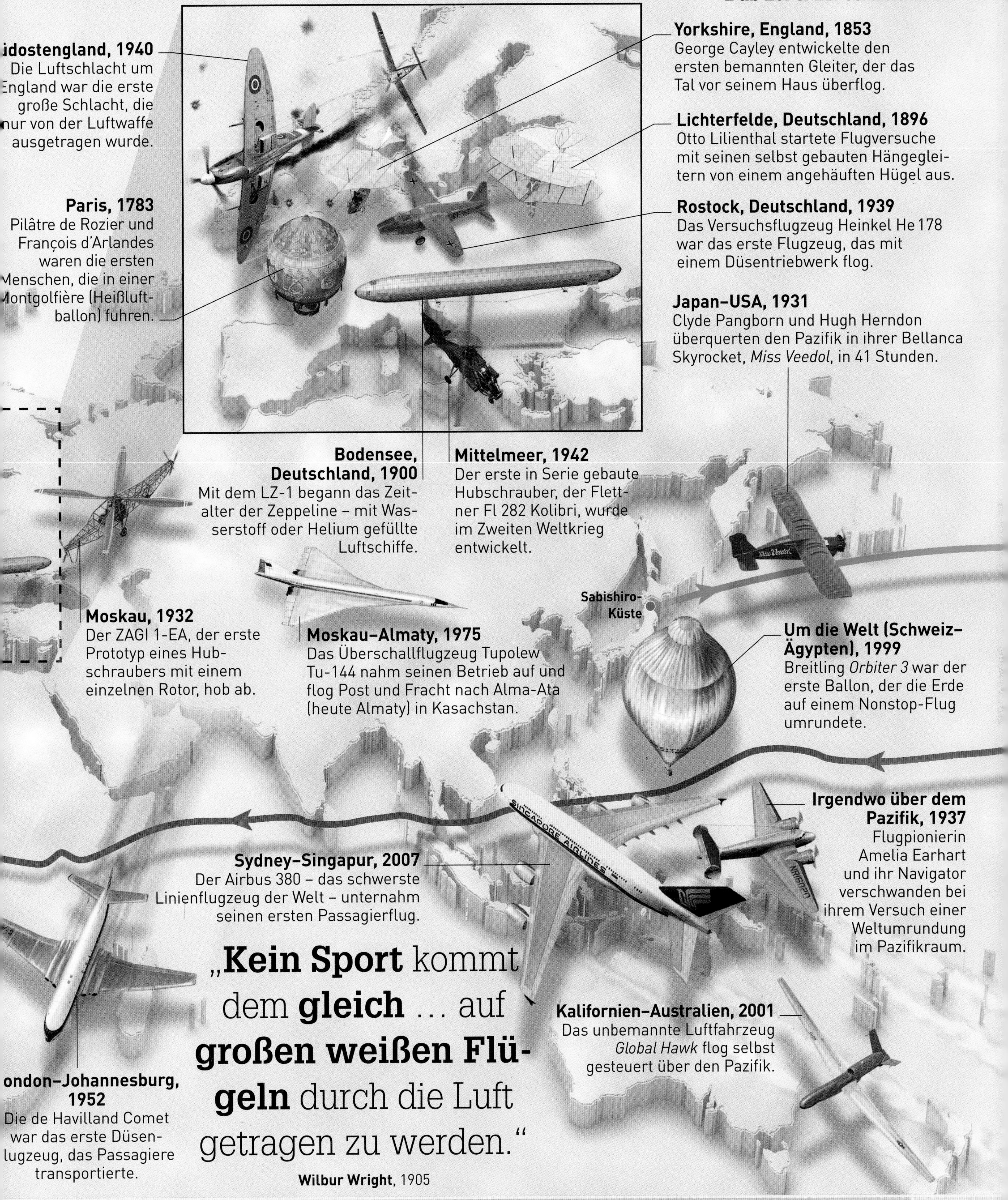

idostengland, 1940
Die Luftschlacht um
Ēngland war die erste
große Schlacht, die
nur von der Luftwaffe
ausgetragen wurde.

Paris, 1783
Pilâtre de Rozier und
François d'Arlandes
waren die ersten
Menschen, die in einer
Montgolfière (Heißluft-
ballon) fuhren.

Yorkshire, England, 1853
George Cayley entwickelte den ersten bemannten Gleiter, der das Tal vor seinem Haus überflog.

Lichterfelde, Deutschland, 1896
Otto Lilienthal startete Flugversuche mit seinen selbst gebauten Hängegleitern von einem angehäuften Hügel aus.

Rostock, Deutschland, 1939
Das Versuchsflugzeug Heinkel He 178 war das erste Flugzeug, das mit einem Düsentriebwerk flog.

Japan–USA, 1931
Clyde Pangborn und Hugh Herndon überquerten den Pazifik in ihrer Bellanca Skyrocket, *Miss Veedol*, in 41 Stunden.

Bodensee, Deutschland, 1900
Mit dem LZ-1 begann das Zeitalter der Zeppeline – mit Wasserstoff oder Helium gefüllte Luftschiffe.

Mittelmeer, 1942
Der erste in Serie gebaute Hubschrauber, der Flettner Fl 282 Kolibri, wurde im Zweiten Weltkrieg entwickelt.

Moskau, 1932
Der ZAGI 1-EA, der erste Prototyp eines Hubschraubers mit einem einzelnen Rotor, hob ab.

Moskau–Almaty, 1975
Das Überschallflugzeug Tupolew Tu-144 nahm seinen Betrieb auf und flog Post und Fracht nach Alma-Ata (heute Almaty) in Kasachstan.

Um die Welt (Schweiz–Ägypten), 1999
Breitling *Orbiter 3* war der erste Ballon, der die Erde auf einem Nonstop-Flug umrundete.

Irgendwo über dem Pazifik, 1937
Flugpionierin Amelia Earhart und ihr Navigator verschwanden bei ihrem Versuch einer Weltumrundung im Pazifikraum.

Sydney–Singapur, 2007
Der Airbus 380 – das schwerste Linienflugzeug der Welt – unternahm seinen ersten Passagierflug.

Kalifornien–Australien, 2001
Das unbemannte Luftfahrzeug *Global Hawk* flog selbst gesteuert über den Pazifik.

ondon–Johannesburg, 1952
Die de Havilland Comet
war das erste Düsen-
lugzeug, das Passagiere
transportierte.

„**Kein Sport** kommt dem **gleich** … auf **großen weißen Flügeln** durch die Luft getragen zu werden."

Wilbur Wright, 1905

Great Plains, 1930
Durch eine lange Dürreperiode kam es in den Great Plains (Große Ebenen) der USA zu starken Staubstürmen, die viele Bauern ruinierten. Die betroffene Region wurde *Dust Bowl* („Staubschüssel") genannt.

Großbritannien, 1936
Im Nordosten Englands gingen die Menschen gegen Armut und Arbeitslosigkeit auf die Straße.

New York, 1929
An der Wall Street (New Yorker Börse) fiel der Wert der Aktien rapide. Das war der Beginn der Weltwirtschaftskrise.

Seattle, 1932
Eine der größten „Hoovervilles" (siehe Legende) wurde in der Nähe des Hafens von Seattle errichtet.

Frankreich, 1934
In Paris kam es zu Unruhen, da die Menschen die Regierung, die sie für korrupt hielten, stürzen wollten.

Detroit, 1930
Unternehmen überall in den USA, wie etwa die Firmen der Autoindustrie in Detroit, entließen ihre Arbeiter.

Zug nach Kalifornien, 1932
Tausende Bauern zogen aus dem *Dust Bowl* nach Kalifornien, um Arbeit zu finden.

Spanien, 1936–1939
In Spanien brach der Bürgerkrieg aus, weil die Regierung die Armut bekämpfen wollte, die Armee und die Landbesitzer aber die bestehenden Verhältnisse wahren wollten.

Algerien, 1937
Eine Hungersnot erfasste die von den Kolonialherren von ihrem Land verdrängten Kleinbauern. 1937 gilt bis heute als das „Jahr des großen Hungers".

Chile, 1930
Arbeitslose Bergarbeiter aus den Zinnminen standen vor den Suppenküchen Schlange, wo sie kostenlose Mahlzeiten bekamen.

Brasilien, 1937
Durch die Weltwirtschaftskrise fiel der Preis für Kaffee. Die Regierung verbrannte Teile der Kaffeeernte, um den Preis durch Verknappung anzuheben.

Wie kam es zur Krise?

In den 1920er-Jahren gab es einen Wirtschaftsboom. Bauern, Fabriken und Unternehmen produzierten immer mehr, da sie glaubten, die Märkte für ihre Waren würden immer weiter wachsen. Viele Menschen kauften Aktien von Unternehmen und hofften, damit auch Anteil am Profit zu haben. Das Wirtschaftswachstum verlangsamte sich aber, die Produzenten konnten ihre Waren nicht mehr verkaufen und die ersten Unternehmen gingen bankrott. Das führte zu Arbeitslosigkeit und Armut.

Durch die Krise obdachlos gewordene US-Familie

„Ich sehe nichts, das **Grund zur Hoffnung** gibt – **nicht** von Menschenhand."

Calvin Coolidge, US-Präsident 1923–1929, in einer Rede während der Weltwirtschaftskrise 1932

VOR BEGINN DER WELTWIRTSCHAFTSKRISE GAB ES IN DEN USA 25000

UdSSR, 1930er-Jahre
Die UdSSR baute viele Fabriken und weitete ihre Industrie trotz der Weltwirtschaftskrise aus, aber Millionen von Menschen starben während der verheerenden Hungersnot von 1932–1933.
Deutschland, 1933
Die Nationalsozialisten nutzten die schlechte Stimmung im Land: Die NSDAP versprach Arbeit und vertrat rassistische Ideen, die es auch einfachen Deutschen ermöglichten, sich überlegen zu fühlen. Adolf Hitler wurde Reichskanzler und errichtete eine Diktatur.
SOWJETUNION (UdSSR)
ASIEN
ROPA
Indien, 1930
Die Briten führten in Indien eine Salzsteuer ein, um ihre geschwächte Wirtschaft zu stützen. Es kam zu Protesten, doch die Polizei ging gewaltsam dagegen vor.
Japan, 1931
Japan versuchte die Krise mit dem Bau von Waffenfabriken zu bewältigen. So wurde es eine große Militärmacht.
JAPAN
AFRIKA
INDIEN
Australien, 1932
Während der Wirtschaftskrise verloren viele Australier ihre Häuser und Wohnungen. An den Rändern der Städte, wie Sydney, errichteten sie behelfsmäßige Siedlungen.
Südafrika,
1930er-Jahre
)ie Goldminen
teten Südafrikas
irtschaft, nach-
m die Preise für
ıdwirtschaftliche
rodukte schnell
gefallen waren.
LEGENDE
Stadt
Von der Weltwirtschaftskrise betroffene Länder
Fast die ganze Welt war von der Krise betroffen, in diesen Ländern kam es aber zu entscheidenden Ereignissen.
Von der Dürre betroffene Region (Dust Bowl)
Große Hoovervilles
Behelfsmäßige Zelt- und Hüttenstädte für obdachlos gewordene Menschen wurden spöttisch nach US-Präsident Herbert Hoover „Hoovervilles“ (Hooverhausen) genannt, da er bei der Bewältigung der Krise versagte.
AUSTRALASIEN
AUSTRALIEN
ÜDAFRIKA
Sydney

1929–1939

Weltwirtschaftskrise

)ie Weltwirtschaftskrise war die bisher größte Wirtschaftskrise der Geschichte. 1929 orach der Börsenmarkt in New York zusammen. Die Banken verloren Geld, Fabriken schlossen, der Handel auf der ganzen Welt brach ein. Durch die Weltwirtschaftskrise kam es zu Massenarbeitslosigkeit, Armut und Hunger. Sie dauerte fast ein Jahrzehnt.

BANKEN. 1933 WAREN ETWA 11000 VON IHNEN ZAHLUNGSUNFÄHIG.

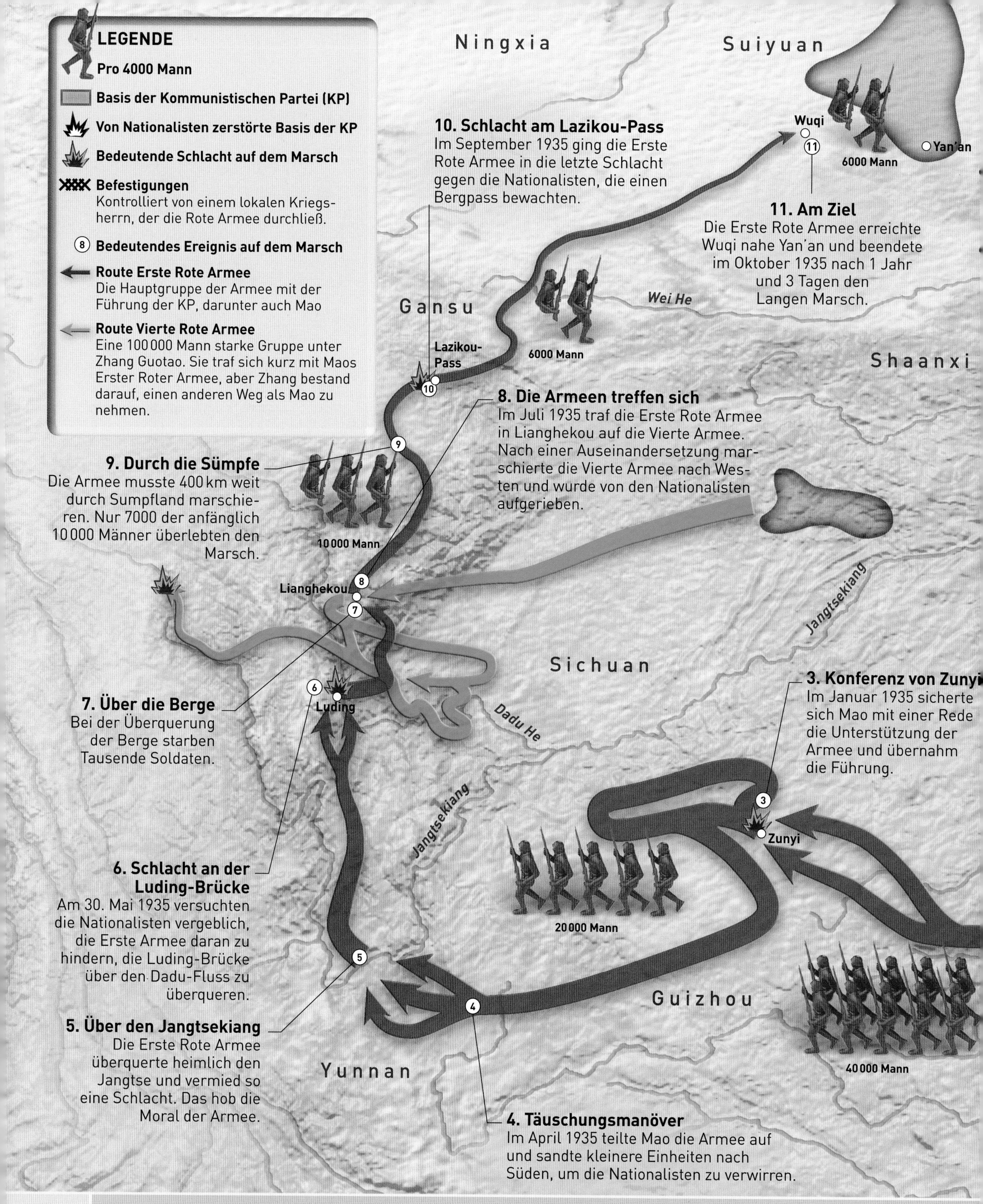
LEGENDE
Pro 4000 Mann
Basis der Kommunistischen Partei (KP)
Von Nationalisten zerstörte Basis der KP
Bedeutende Schlacht auf dem Marsch
Befestigungen
Kontrolliert von einem lokalen Kriegsherrn, der die Rote Armee durchließ.
8 Bedeutendes Ereignis auf dem Marsch
Route Erste Rote Armee
Die Hauptgruppe der Armee mit der Führung der KP, darunter auch Mao
Route Vierte Rote Armee
Eine 100 000 Mann starke Gruppe unter Zhang Guotao. Sie traf sich kurz mit Maos Erster Roter Armee, aber Zhang bestand darauf, einen anderen Weg als Mao zu nehmen.
Ningxia
Suiyuan
Wuqi
Yan'an
6000 Mann
10. Schlacht am Lazikou-Pass
Im September 1935 ging die Erste Rote Armee in die letzte Schlacht gegen die Nationalisten, die einen Bergpass bewachten.
11. Am Ziel
Die Erste Rote Armee erreichte Wuqi nahe Yan'an und beendete im Oktober 1935 nach 1 Jahr und 3 Tagen den Langen Marsch.
Gansu
Wei He
Lazikou-Pass
6000 Mann
Shaanxi
8. Die Armeen treffen sich
Im Juli 1935 traf die Erste Rote Armee in Lianghekou auf die Vierte Armee. Nach einer Auseinandersetzung marschierte die Vierte Armee nach Westen und wurde von den Nationalisten aufgerieben.
9. Durch die Sümpfe
Die Armee musste 400 km weit durch Sumpfland marschieren. Nur 7000 der anfänglich 10 000 Männer überlebten den Marsch.
10 000 Mann
Lianghekou
Jangtsekiang
Sichuan
7. Über die Berge
Bei der Überquerung der Berge starben Tausende Soldaten.
Luding
Dadu He
3. Konferenz von Zunyi
Im Januar 1935 sicherte sich Mao mit einer Rede die Unterstützung der Armee und übernahm die Führung.
Jangtsekiang
Zunyi
6. Schlacht an der Luding-Brücke
Am 30. Mai 1935 versuchten die Nationalisten vergeblich, die Erste Armee daran zu hindern, die Luding-Brücke über den Dadu-Fluss zu überqueren.
20 000 Mann
Guizhou
5. Über den Jangtsekiang
Die Erste Rote Armee überquerte heimlich den Jangtse und vermied so eine Schlacht. Das hob die Moral der Armee.
Yunnan
40 000 Mann
4. Täuschungsmanöver
Im April 1935 teilte Mao die Armee auf und sandte kleinere Einheiten nach Süden, um die Nationalisten zu verwirren.

AUF DEM LANGEN MARSCH ÜBERWAND DIE ERSTE ROTE ARMEE DER

1934–1935 Der Lange Marsch

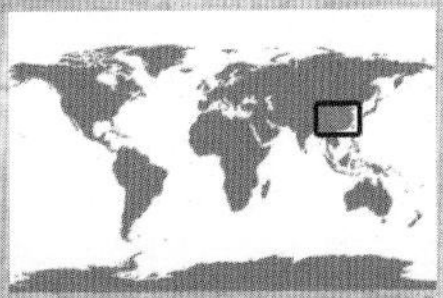

In den 1930er-Jahren wurde China von Nationalisten regiert, die die aufständische Kommunistische Partei Chinas zerstören wollten. Die Erste Rote Armee der Kommunistischen Partei marschierte über 10 000 Kilometer durch zum Teil unwegsames Gelände. Unter Führung des späteren Vorsitzenden Mao Zedong erreichten etwa 6000 Soldaten die neue Basis in Yan'an, von wo aus sie schließlich China eroberten.

„Die **Rote Armee** fürchtet die **Mühen** des **Langen Marsches** nicht."

Mao Zedong, Gedicht *Der Lange Marsch*, 1935

2. Schlacht am Xiang-Fluss
Im Dezember 1934 verlor die erste Rote Armee der Kommunisten in Kämpfen mit den Nationalisten mehr als die Hälfte ihrer Soldaten.

1. Durchbruch
Im Oktober 1934 durchbrachen rund 86 000 Rotarmisten die Linien der Nationalisten und begannen den Langen Marsch.

Nach dem Marsch

In Wuqi schlossen sich Maos Truppen einer dort stationierten, 7000 Mann starken Armee an. Weitere Truppen trafen 1936 ein und die Gesamtstärke der Armee stieg auf 30 000 Mann. In ihrer neuen Basis in Yan'an konnten die Kommunisten ihre Kräfte sammeln und schließlich unter Maos Führung die Macht in China übernehmen.

Mao Zedong

Luftschlacht um England
1940 wehrten britische Piloten deutsche Flugzeuge ab, um eine Invasion Deutschlands zu verhindern.
Bombardierung Englands
1940–1941 griffen deutsche Bomber 37 Wochen lang britische Städte an.
Blitzkrieg
1940 überfiel und eroberte Hitler in nur drei Monaten einen großen Teil Westeuropas.
D-Day
1944 landeten alliierte Truppen in der Normandie, um Europa zu befreien (S. 142–143).
Alliierte Bombenangriffe
1942 begannen die Alliierten damit, deutsche Städte zu bombardieren.
Judenverfolgung
Die Nazis zwangen die Juden, einen gelben Stern zu tragen. Ab 1942 wurden Juden und andere Verfolgte in Konzentrationslagern ermordet, von denen viele in Polen lagen.
Schlacht um Stalingrad
Die deutsche Eroberung Osteuropas kam im Januar 1943 zum Stillstand, als die deutsche Wehrmacht sich in Stalingrad ergab (s. S. 141).
EUROPA
ASIEN
AFRIKA
Schlacht im Atlantik
Deutsche U-Boote versenkten Tausende Versorgungsschiffe der Alliierten, bis diese sie 1943 dank besser ausgerüsteter Schiffe stoppen konnten.
Ostfront
Deutschland und die Sowjetunion verschoben die Grenze in Osteuropa in verbissenen Schlachten hin und her (S. 140–141).
Krieg in der Wüste
Als sich der Krieg 1940 nach Nordafrika ausweitete, bekämpften sich die Gegner in der Wüstenhitze mit Panzern, Flugzeugen und Minen.
Kämpfe bei Anzio
Nach dem Sturz des italienischen Führers Mussolini 1943 kämpften Alliierte und Deutsche 1944 um die Kontrolle über Italien.
China im Krieg
Vor dem Krieg hatte Japan einen Teil Chinas besetzt. Der freie Teil des Landes schloss sich den Alliierten an. Hier starben mehr Zivilisten als in jedem anderen Land.

1939–1945

Zweiter Weltkrieg

Luftangriff auf Darwin
Im Februar 1942 griffen Japaner Darwin mit 242 Flugzeugen an.

Als der deutsche Diktator Adolf Hitler 1939 in Polen einmarschierte, erklärten Großbritannien und Frankreich Nazideutschland den Krieg. Bald darauf war die Welt in die Achsenmächte unter Führung Deutschlands, Italiens und Japans und die Alliierten unter Führung Großbritanniens, der USA und der Sowjetunion gespalten. Bei Kriegsende 1945 hatten Millionen Menschen ihr Leben verloren: entweder durch den Krieg oder durch den Holocaust, den Massenmord vor allem an den Juden.

IM KRIEG MUSSTEN VIELE KINDER IHR ZUHAUSE VERLASSEN, UM DEN

LEGENDE
Die Karte zeigt die politische Aufteilung der Welt Mitte 1942.

- Achsenmacht
- Zur Achse gehörend
- Alliierte Nation
- Zu den Alliierten gehörend
- Neutrales Land
- Bedeutende Schlacht
- Ostfront

Der Holocaust

Die Nationalsozialisten, allen voran Adolf Hitler glaubten, dass andere Völker, wie die Juden, den Deutschen unterlegen seien. In von den Nazis besetzten Ländern wurden die Juden in überfüllten Stadtvierteln zusammengepfercht, die man Gettos nannte. 1942 befahl Hitler die „Endlösung", die Ermordung aller Juden. Deutschland baute Vernichtungslager, in denen 11 Millionen Juden, Roma, Behinderte und andere Bevölkerungsgruppen nach einem furchtbaren Plan ermordet wurden. Der persönliche Besitz der Opfer wurde eingesammelt und weiterverwendet.

Prothesen von Holocaust-Opfern, ausgestellt in einem Museum in einem ehemaligen Vernichtungslager

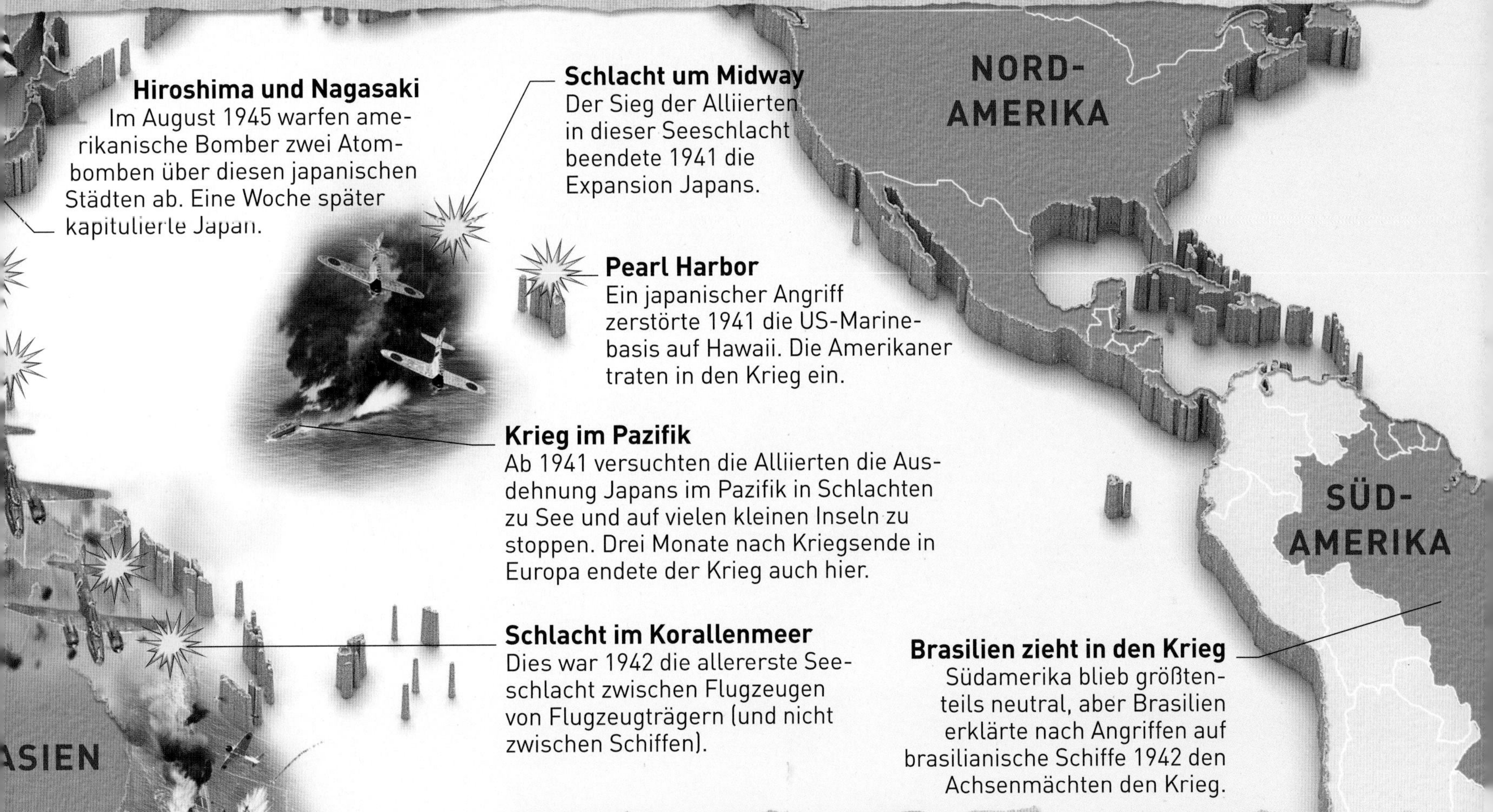

Hiroshima und Nagasaki
Im August 1945 warfen amerikanische Bomber zwei Atombomben über diesen japanischen Städten ab. Eine Woche später kapitulierte Japan.

Schlacht um Midway
Der Sieg der Alliierten in dieser Seeschlacht beendete 1941 die Expansion Japans.

Pearl Harbor
Ein japanischer Angriff zerstörte 1941 die US-Marinebasis auf Hawaii. Die Amerikaner traten in den Krieg ein.

Krieg im Pazifik
Ab 1941 versuchten die Alliierten die Ausdehnung Japans im Pazifik in Schlachten zu See und auf vielen kleinen Inseln zu stoppen. Drei Monate nach Kriegsende in Europa endete der Krieg auch hier.

Schlacht im Korallenmeer
Dies war 1942 die allererste Seeschlacht zwischen Flugzeugen von Flugzeugträgern (und nicht zwischen Schiffen).

Brasilien zieht in den Krieg
Südamerika blieb größtenteils neutral, aber Brasilien erklärte nach Angriffen auf brasilianische Schiffe 1942 den Achsenmächten den Krieg.

Führer der Alliierten

Winston Churchill
Britischer Premierminister

Joseph Stalin
Sowjetischer Diktator

Franklin D. Roosevelt
Amerikanischer Präsident

Führer der Achsenmächte

Benito Mussolini
Italienischer Diktator

Hirohito
Japanischer Kaiser

Adolf Hitler
Deutscher Diktator und Führer der Nationalsozialisten (NSDAP)

„**Mein Gott!** Was haben wir **getan?**"

bert Lewis, Kopilot des Bombers *Enola Gay*, er die Atombombe über Hiroshima abwarf, 1945

BOMBEN ZU ENTKOMMEN ODER AUCH AUF DER FLUCHT VOR DEM FEIND.

Das Kriegsende in Europa

In Europa feierte man das Ende des Krieges am 8. Mai 1945. Unter anderem die gewaltigen Verluste an der Ostfront trieben Deutschland in die Kapitulation und Hitler beging Selbstmord.

„Die Zeit für **Rückzüge** ist vorbei. **Niemand** weicht **zurück!**“

Aus dem Befehl Nr. 227 des Sowjetführers **Joseph Stalin** an die Rote Armee, 28. Juli 1942

Blockade Leningrads, 1941–1944
Die russische Stadt wurde ab September 1941 für 900 Tage belagert. Bis Weihnachten waren 52 000 Menschen verhungert.

Berliner Bunker, 1945
Adolf Hitler verbrachte während des Krieges kaum Zeit in Berlin, verlegte aber im Januar 1945 sein Hauptquartier in einen Bunker unter der Stadt.

Schlacht um Kiew, 1941
Im September kesselten deutsche Einheiten vier russische Armeegruppen ein und vernichteten sie. Die Rote Armee verlor fast zwei Drittel ihrer Gesamtstärke.

1941–1943

Die Ostfront

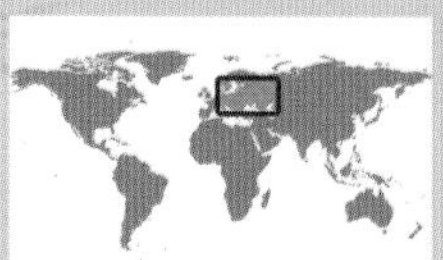

1941 begann Deutschland die „Operation Barbarossa“, einen Überraschungsangriff auf die Sowjetunion. Von Juni bis Dezember 1941 drangen die Wehrmacht und ihre Verbündeten nach Osten vor. Wo die Armeen aufeinandertrafen, kam es zu brutalen Schlachten mit vielen Opfern auf beiden Seiten. Die deutsche Niederlage in Stalingrad 1943 war der Anfang vom Ende des Zweiten Weltkriegs in Europa. Die Deutschen wurden 1945 bis nach Berlin zurückgedrängt.

RUND 3500 PANZER STANDEN AN DER 2900 KILOMETER

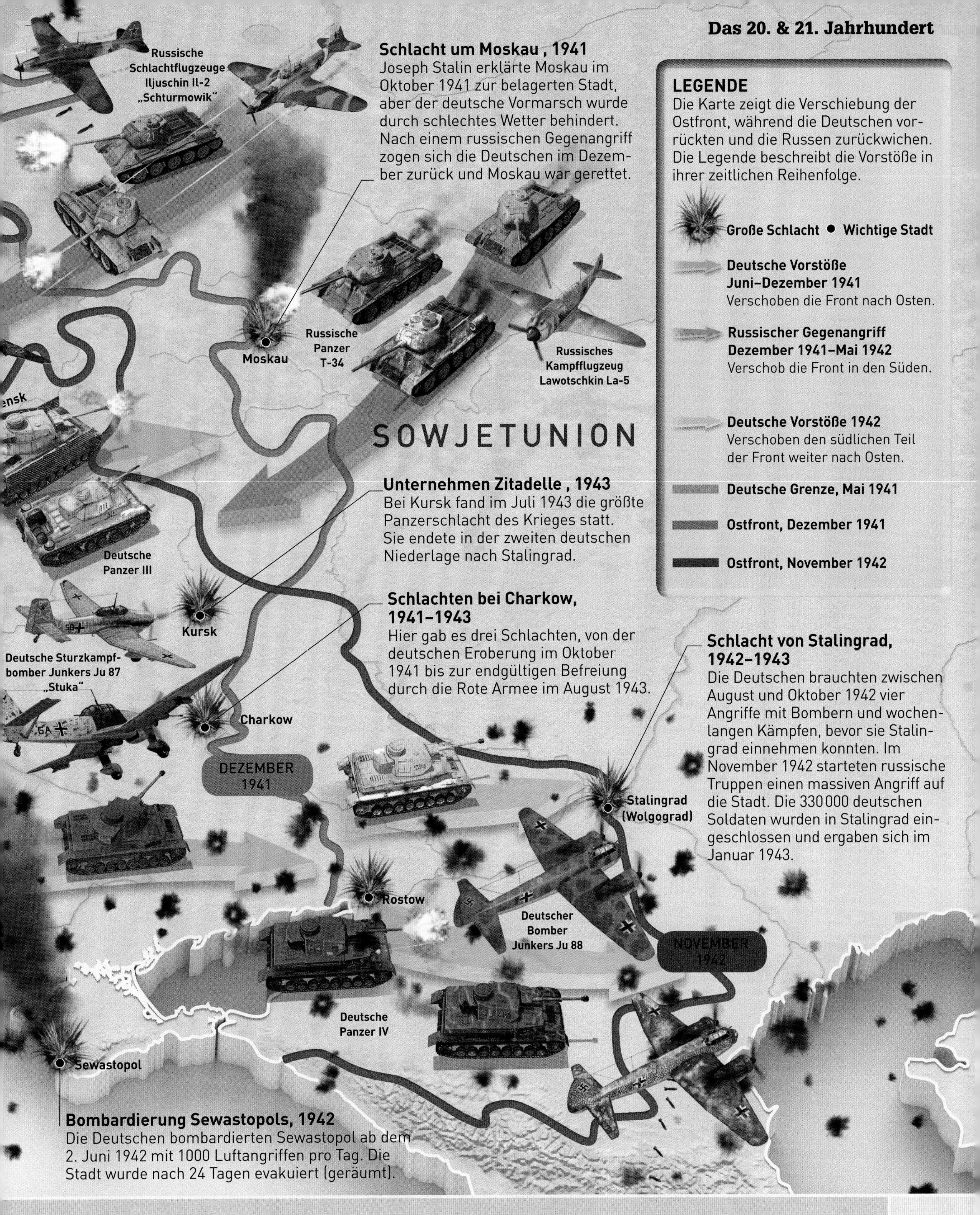

Schlacht um Moskau , 1941
Joseph Stalin erklärte Moskau im Oktober 1941 zur belagerten Stadt, aber der deutsche Vormarsch wurde durch schlechtes Wetter behindert. Nach einem russischen Gegenangriff zogen sich die Deutschen im Dezember zurück und Moskau war gerettet.

LEGENDE
Die Karte zeigt die Verschiebung der Ostfront, während die Deutschen vorrückten und die Russen zurückwichen. Die Legende beschreibt die Vorstöße in ihrer zeitlichen Reihenfolge.

Große Schlacht ● **Wichtige Stadt**

Deutsche Vorstöße Juni–Dezember 1941
Verschoben die Front nach Osten.

Russischer Gegenangriff Dezember 1941–Mai 1942
Verschob die Front in den Süden.

Deutsche Vorstöße 1942
Verschoben den südlichen Teil der Front weiter nach Osten.

Deutsche Grenze, Mai 1941

Ostfront, Dezember 1941

Ostfront, November 1942

Unternehmen Zitadelle , 1943
Bei Kursk fand im Juli 1943 die größte Panzerschlacht des Krieges statt. Sie endete in der zweiten deutschen Niederlage nach Stalingrad.

Schlachten bei Charkow, 1941–1943
Hier gab es drei Schlachten, von der deutschen Eroberung im Oktober 1941 bis zur endgültigen Befreiung durch die Rote Armee im August 1943.

Schlacht von Stalingrad, 1942–1943
Die Deutschen brauchten zwischen August und Oktober 1942 vier Angriffe mit Bombern und wochenlangen Kämpfen, bevor sie Stalingrad einnehmen konnten. Im November 1942 starteten russische Truppen einen massiven Angriff auf die Stadt. Die 330 000 deutschen Soldaten wurden in Stalingrad eingeschlossen und ergaben sich im Januar 1943.

Bombardierung Sewastopols, 1942
Die Deutschen bombardierten Sewastopol ab dem 2. Juni 1942 mit 1000 Luftangriffen pro Tag. Die Stadt wurde nach 24 Tagen evakuiert (geräumt).

LANGEN OSTFRONT – DER LÄNGSTEN FRONTLINIE ALLER ZEITEN.

1944 D-Day

Im Morgengrauen des 6. Juni 1944 starteten 600 Kriegsschiffe, 400 Landungsboote und 156 000 alliierte Soldaten einen Überraschungsangriff auf die Küste der Normandie. Er trug den Codenamen „D-Day“ (Tag X) und war der Beginn der „Operation Overlord“, der Befreiung Europas von deutscher Besatzung. Die Alliierten erlitten schwere Verluste und standen beständig unter deutschem Artilleriefeuer. Am Abend aber hatten sie fünf Küstenabschnitte erobert.

„Diese **Operation** ist als **Sieg** geplant und genau **das wird sie auch sein.**“

General Dwight D. Eisenhower,
alliierter Oberbefehlshaber in Europa, 1944

Schlachtschiffe
Schiffe transportierten Soldaten und gaben vor und während der Landung Feuerunterstützung. Sie dienten auch als Lazarette.
Ärmelkanal
4. US-Infanteriedivision
Schwimmpanzer
Sherman-Panzer kamen mithilfe einer Segeltuchschürze schwimmend an Land.
US-Kampfflugzeuge P-38 Lightning
Landun LCM
Abwehr
Deutsche Artilleriebunker bewachten die Küste.
UTAH
Unterstützung aus der Luft
Rund 1900 Motor- und Segelflugzeuge unternahmen am D-Day 10 750 Flüge. Viele, wie die Douglas C-47, warfen Fallschirmspringer ab, während andere feuerten und Bomben abwarfen.
Cherbourg
Sainte-Mère-Église
US-Infanteristen
82. US-Luftlandedivision
Douvre
Transporter Douglas C-47
101. US-Luftlandedivision
US-Fallschirmtruppen
Soldaten sprangen vor dem Angriff über Land ab, um die Deutschen von hinten anzugreifen.
LEGENDE
Stadt
Von den Alliierten am Abend des 6. Juni befreite Bereiche
Von den Alliierten bis zum 12. Juni befreit
Luftlandung
Seelandung
Amerikaner
Briten und Kanadier

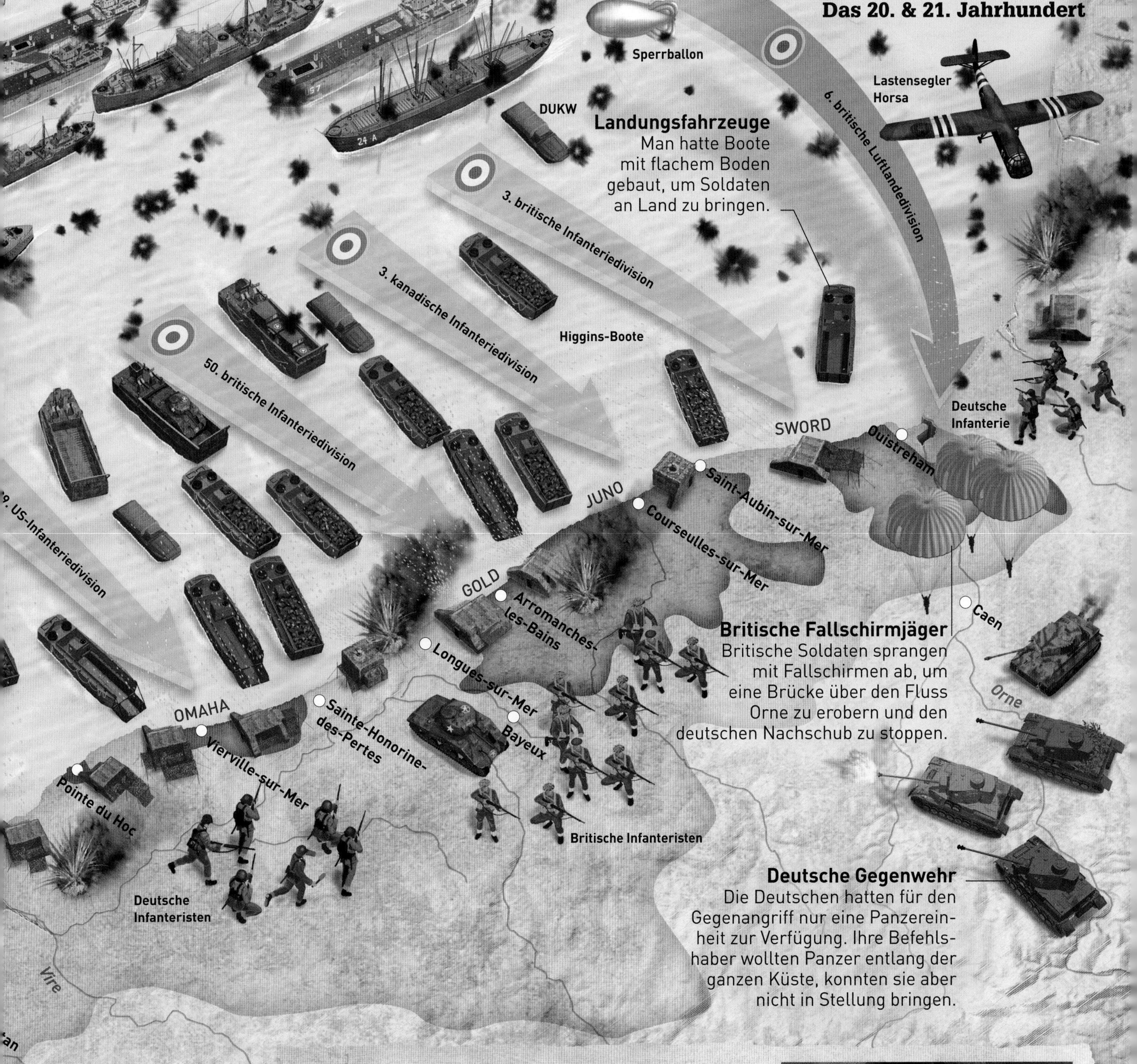

Landungsfahrzeuge

Bei der Invasion kamen verschiedene Landungsfahrzeuge zum Einsatz. Higgins-Boot, LCI (Truppentransporter, rechts) und LCA (Angriffsboot) waren einfache Flachbodenboote, die Soldaten bis an den Strand bringen konnten, während das Amphibienfahrzeug DUKW ein Boot mit Rädern war, das auch wie ein Lkw an Land fahren konnte. Selbst Panzer brachte man mithilfe von Segeltuchschürzen zum Schwimmen, die sie wasserdicht machen sollten, aber viele sanken in der hohen Brandung am Omaha-Strand.

KANADIER AN „JUNO" UND DIE BRITEN AN „GOLD" UND „SWORD".

1914–1947 Gandhi und Indiens Unabhängigkeit

5. Salzmarsch nach Dandi
Als Großbritannien die Inder ab 1930 zwang, Salz zu überhöhten Preisen von Briten zu kaufen, protestierte Gandhi mit einem 24-tägigen Marsch zur Stadt Dandi. Hier brach er das Gesetz, indem er eine Handvoll Salz vom Boden aufhob.

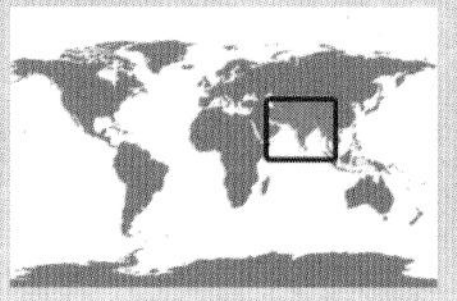

Indien gewann 1947 nach jahrzehntelangem Kampf seine Unabhängigkeit von britischer Herrschaft. Der Anwalt Mohandas Gandhi trat 1914 dem Unabhängigkeitskampf bei und verhalf ihm mit seiner Philosophie vom gewaltfreien Widerstand (*Satyagraha*) zum Erfolg. Sein Einsatz trug ihm den Namen *Mahatma*, „Große Seele“, ein.

7. Die „Quit India“-Bewegung
1942 hielt Gandhi in Bombay eine mitreißende Rede. Er forderte, dass die Briten das Land sofort zu verlassen hätten (englisch *to quit*), und wurde ins Gefängnis geworfen. Das führte zu weiteren Protestmärschen. Er kam erst 1944 frei.

6. Spinnen und Weben als Widerstand
Während seiner Haft 1932 im Yerwada-Gefängnis in Pune stellte Gandhi seine eigene Kleidung her, um seine Landsleute dazu anzuregen, zu Hause zu weben statt Kleidung von den Briten zu kaufen. Das Spinnrad wurde zum Symbol der Unabhängigkeitsbewegung.

LEGENDE
- Orte des gewaltfreien Widerstands
- Weg des Salzmarsches
- ① Orte des indischen Kampfes um Selbstbestimmung

Die Teilung Indiens, 1947

Gandhi wollte ein vereinigtes, unabhängiges Indien, in dem verschiedene Religionen friedlich zusammenlebten, aber viele Muslime wollten einen eigenen Staat. Nach gewaltsamen Auseinandersetzungen zwischen Muslimen und Hindus teilten die Briten Indien in zwei Staaten. Muslimische Regionen wurden zu Pakistan, geteilt in einen Ost- und einen Westteil, der Rest blieb Indien (mehrheitlich Hindus).

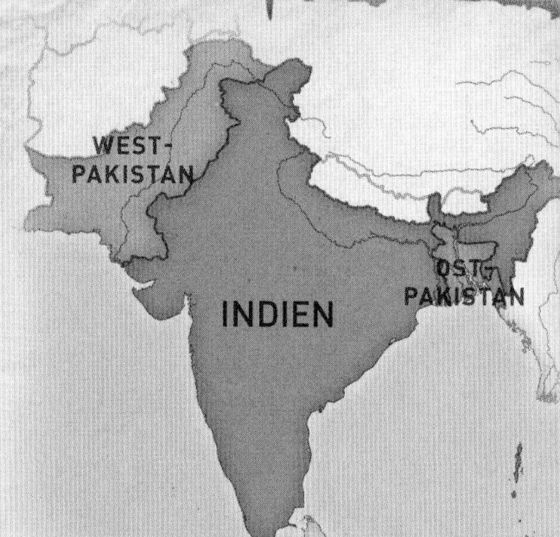

 ALS POLITISCHER GEFANGENER TRAT GANDHI 1943 FÜR 21 TAGE IN

„Mit **sanfter Hand** kann man **die Welt erschüttern**.“

Mahatma Gandhi in einer Rede 1942

2. Massaker von Amritsar
Am 13. April 1919 befahl der britische General Dyer seinen Soldaten, auf 6000 indische Demonstranten zu schießen. Hunderte wurden getötet. Das tärkte Gandhis Entschlos-enheit, Indien zu befreien.

4. Zwischenfall in Chauri Chaura
1922 schlug ein gewaltfreier Protest in Gewalt um, als die wütende Menge eine Polizeistation anzündete und 22 Polizisten tötete. Die Regierung gab Gandhi dic Schuld und sperrte ihn zwei Jahre ein.

1. Widerstand in Champaran
1917 organisierte Gandhi Proteste der Bauern von Champaran, die gezwungen wurden, Indigopflanzen statt Nahrungsmittel anzubauen und selbst in Hungerszeiten Steuern zahlen mussten. Gandhi weigerte sich, das Dorf zu verlassen, bis die Briten auf die Forderungen eingingen.

andhi spricht zu seinen hängern in Bengalen.

8. Gandhis Triumph
Großbritannien gab Indien schließlich im Februar 1947 seine Unabhängigkeit. Während einer Reise durch Bengalen nannte Gandhi das „die nobelste Handlung der britischen Nation“.

3. Nichtkooperation
Die 1920 in Kalkutta begonnene Kampagne hatte Millionen von Anhänger, die keine britischen Waren mehr kauften und sich amit weigerten, Teil der britisch ntrollierten Wirtschaft zu sein.

1945–1991

Kalter Krieg

Nach dem Zweiten Weltkrieg standen sich zwei Supermächte gegenüber: die USA und die UdSSR (Sowjetunion). Diese zwei großen Länder bestimmten das Weltgeschehen. Sie waren erbitterte Rivalen mit entgegengesetzten politischen Systemen. Fast 50 Jahre lang bedrohten sich beide Blöcke gegenseitig mit immer mehr Atomwaffen, die den gesamten Planeten hätten vernichten können. Statt diese Massenvernichtungswaffen einzusetzen, trugen USA und UdSSR ihre Auseinandersetzungen aber über Konflikte in anderen Ländern aus. Diese Zeit nennt man den Kalten Krieg.

DEW-Linie (Distant Early Warning)
Die USA richteten Radarstationen entlang einer fast 10 000 km langen Linie ein, die frühzeitig angreifende sowjetische Bomber entdecken sollten.
KANADA
VEREINIGTE STAATEN VON AMERIKA
Interkontinentalraketen
Diese Raketen tragen Atomsprengköpfe über Tausende von Kilometern hinweg zu Städten in anderen Ländern, um sie zu zerstören.
Kubakrise
1962 gerieten USA und UdSSR über den sowjetischen Plan in Streit, atomare Mittelstreckenraketen auf Kuba zu stationieren.
GUATEMALA 1954
KUBA 1961, 1962
DOMINIKANISCHE REPUBLIK 1965–1966
EL SALVADOR 1979–1992
NICARAGUA 1981–1990
GRENADA 1983

LEGENDE

Die Karte zeigt die Gesamtzahl der Kampffahrzeuge und anderer Waffen, die der USA und der UdSSR 1985 zur Verfügung standen.

USA	UdSSR	
		50 Interkontinentalraketen mit Atomsprengköpfen
		10 Kriegsschiffe (Schlachtschiffe, Kreuzer, Zerstörer, Fregatten und Flugzeugträger)
		20 Unterseeboote
		500 Kampfflugzeuge
		1000 Kampfpanzer

NATO (North Atlantic Treaty Organisation)
Die USA und ihre Alliierten (Stand 1985)

Warschauer Pakt
Die UdSSR und ihre Alliierten (Stand 1985)

Konflikt im Kalten Krieg

DEW-Linie

Eiserner Vorhang
Eine gedachte Trennlinie zwischen beiden Blöcken. So genannt, weil sie kaum zu überwinden und zu durchblicken war.

1963 RICHTETEN USA UND UDSSR EINE TELEFONVERBINDUNG EIN, DAMIT

„Der **Kalte Krieg** … brennt mit **tödlicher Hitze**.“

Richard Nixon, US-Präsident (1969–1974), in einer Rede 1964

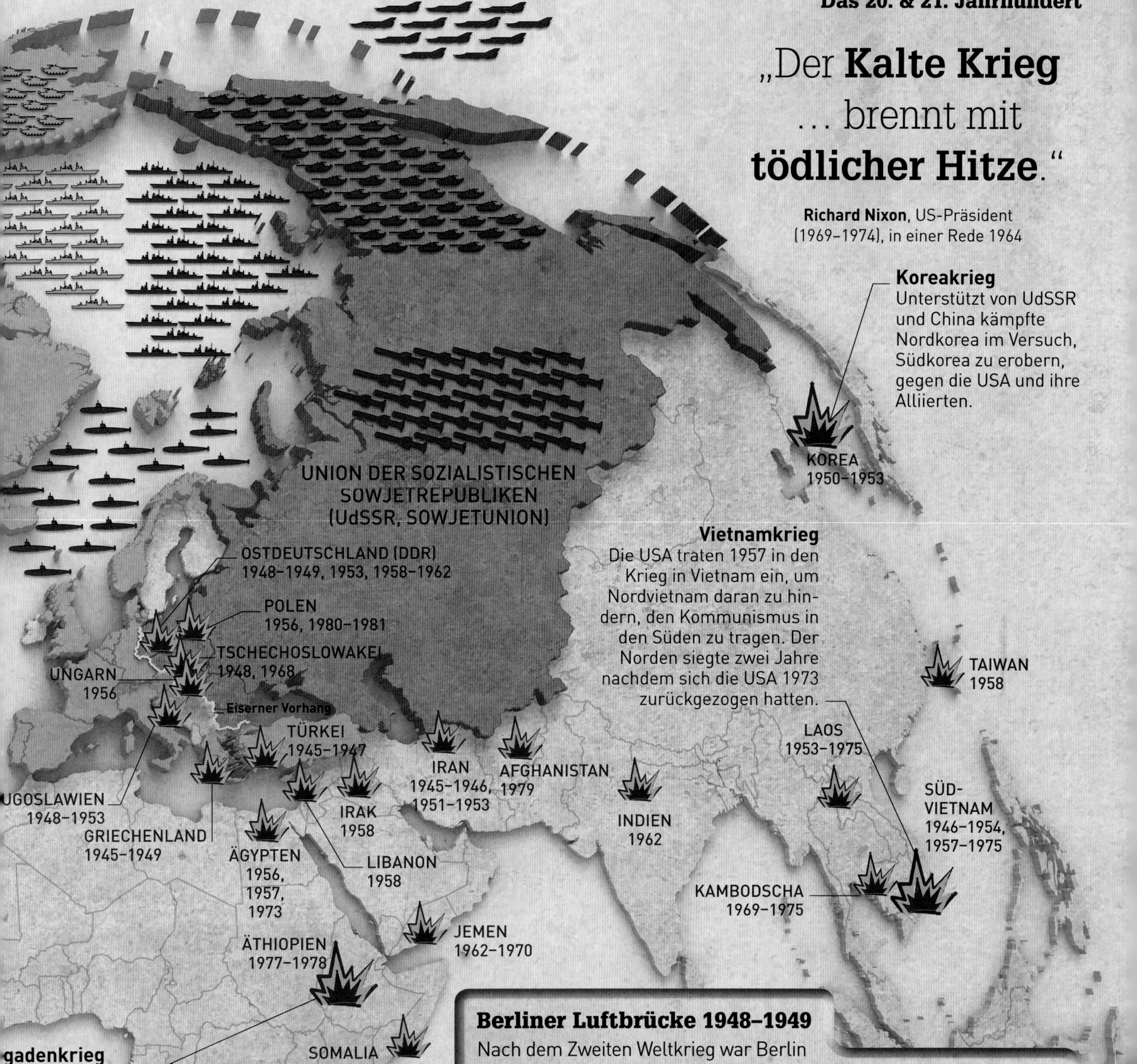

Koreakrieg
Unterstützt von UdSSR und China kämpfte Nordkorea im Versuch, Südkorea zu erobern, gegen die USA und ihre Alliierten.

Vietnamkrieg
Die USA traten 1957 in den Krieg in Vietnam ein, um Nordvietnam daran zu hindern, den Kommunismus in den Süden zu tragen. Der Norden siegte zwei Jahre nachdem sich die USA 1973 zurückgezogen hatten.

gadenkrieg (Äthiopien)
ls Somalia mit nterstützung der SA in die Region gaden einmarchierte, halfen die dSSR und Kuba thiopien bei der ückeroberung.

Berliner Luftbrücke 1948–1949
Nach dem Zweiten Weltkrieg war Berlin in vier Sektoren aufgeteilt, die jeweils von den USA, Frankreich, Großbritannien (Alliierte) und der UdSSR kontrolliert wurden. Im Juni 1948 schlossen die Sowjets alle Zugänge zu den anderen Sektoren. Über ein Jahr lang versorgten die Alliierten die Menschen über die Luft mit Lebensmitteln, Medikamenten und Brennstoff. Dies war der erste Zusammenstoß des Kalten Krieges.

Berliner Kinder winken einem Flugzeug, das die belagerte Stadt versorgt.

DIE STAATSCHEFS IM NOTFALL DIREKT MITEINANDER SPRECHEN KONNTEN.

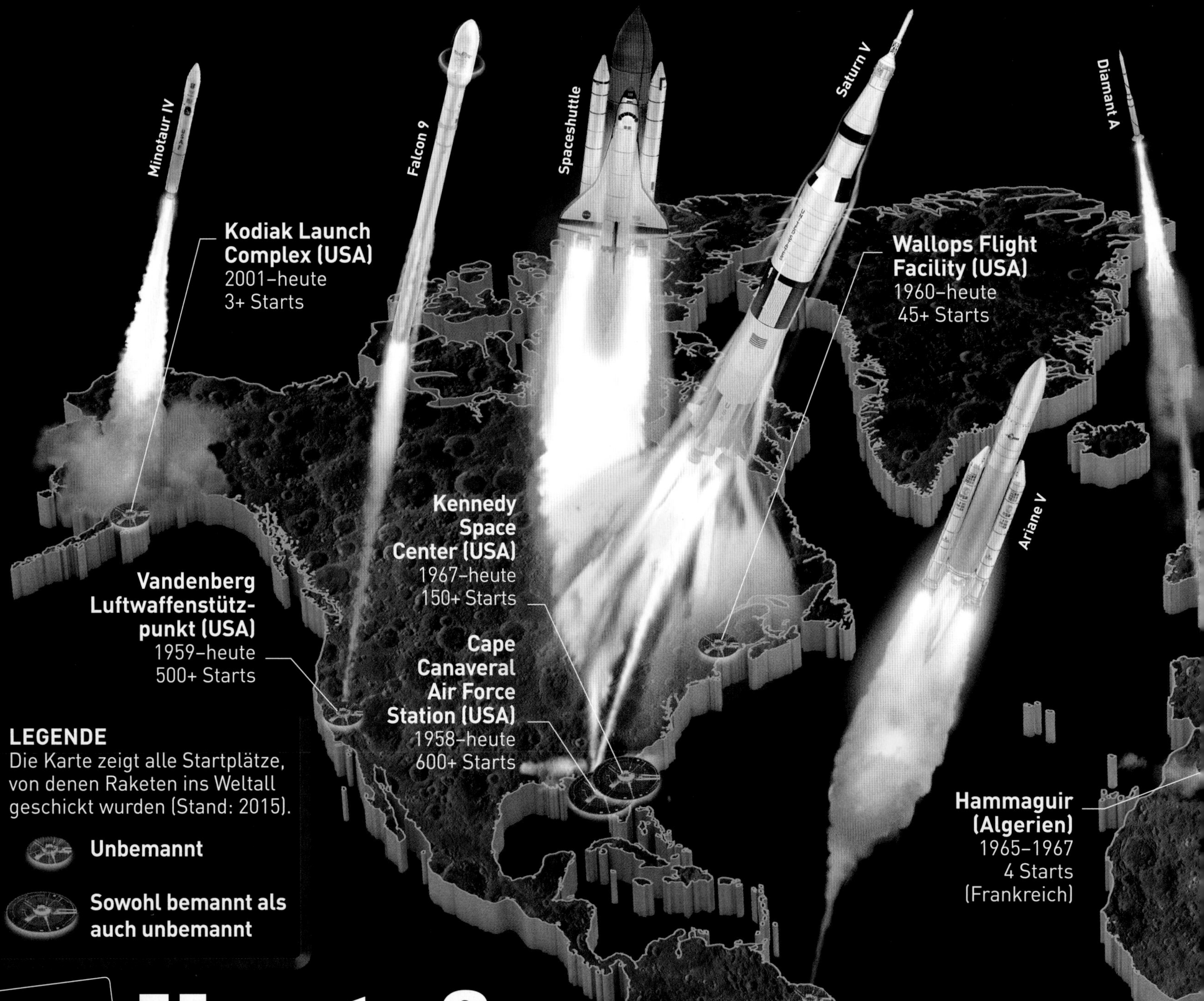

1957 – heute

Vorstoß ins Weltall

Nach dem Zweiten Weltkrieg strebten USA und Sowjetunion in den Weltraum. Die Sowjets schickten 1961 den ersten Menschen ins All, 1969 waren Amerikaner die ersten Menschen auf dem Mond. Seitdem haben zehn weitere Länder und die ESA (Europäische Raumfahrtagentur) Raketen ins All geschossen.

„Im **Meer des Alls** sind die Sterne **fremde Sonnen**.“

Carl Sagan, amerikanischer Astrophysiker, in *Unser Kosmos*, 1980

DAS ERSTE KÜNSTLICHE WELTRAUMOBJEKT WAR DER SOWJETISCHE

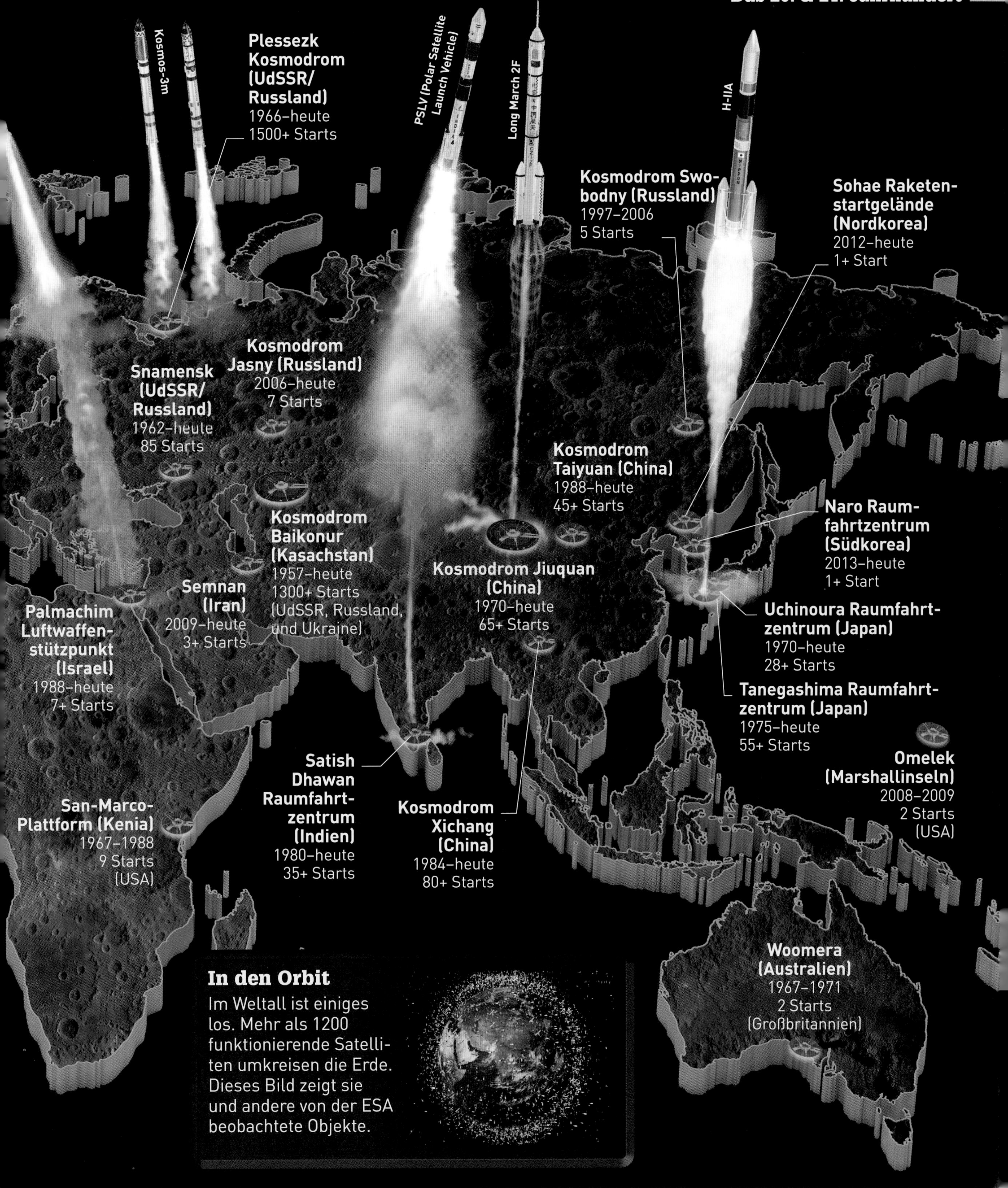

In den Orbit

Im Weltall ist einiges los. Mehr als 1200 funktionierende Satelliten umkreisen die Erde. Dieses Bild zeigt sie und andere von der ESA beobachtete Objekte.

1959 – heute

Mondlandungen

Die UdSSR hatten bereits ein Raumschiff zum Mond geschickt, als US-Präsident Kennedy 1961 verkündete, sein Land werde vor Ende des Jahrzehnts bemannte Mondmissionen starten. Und tatsächlich betraten zwischen 1969 und 1972 bei insgesamt sechs Apollo-Missionen zwölf amerikanische Astronauten den Mond. Seit 1972 ist der Mond nur noch von unbemannten Sonden erforscht worden.

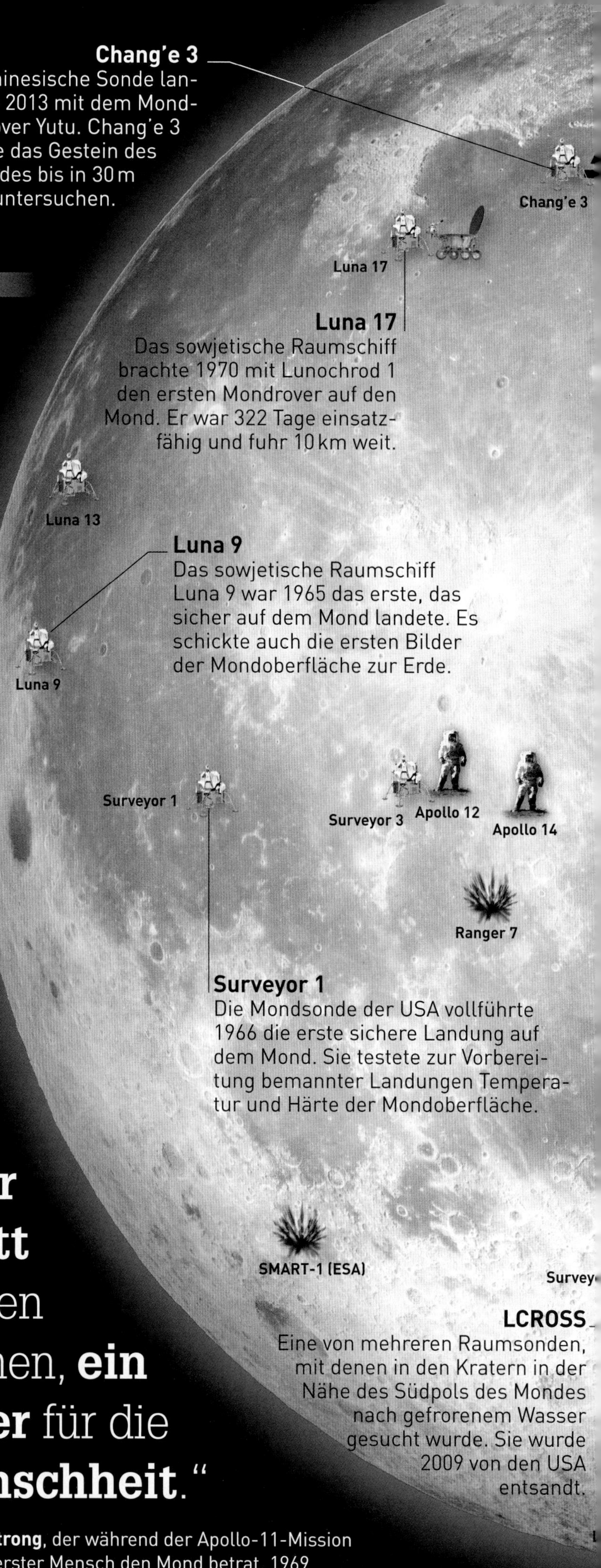

Chang'e 3
Die chinesische Sonde landete 2013 mit dem Mondrover Yutu. Chang'e 3 sollte das Gestein des Mondes bis in 30 m Tiefe untersuchen.
Chang'e 3
Luna 17
Luna 17
Das sowjetische Raumschiff brachte 1970 mit Lunochrod 1 den ersten Mondrover auf den Mond. Er war 322 Tage einsatzfähig und fuhr 10 km weit.
Luna 13
Luna 9
Das sowjetische Raumschiff Luna 9 war 1965 das erste, das sicher auf dem Mond landete. Es schickte auch die ersten Bilder der Mondoberfläche zur Erde.
Luna 9
Surveyor 1
Surveyor 3
Apollo 12
Apollo 14
Ranger 7
Surveyor 1
Die Mondsonde der USA vollführte 1966 die erste sichere Landung auf dem Mond. Sie testete zur Vorbereitung bemannter Landungen Temperatur und Härte der Mondoberfläche.
SMART-1 (ESA)
LCROSS
Eine von mehreren Raumsonden, mit denen in den Kratern in der Nähe des Südpols des Mondes nach gefrorenem Wasser gesucht wurde. Sie wurde 2009 von den USA entsandt.

LEGENDE

Die Karte zeigt die Lande- und Aufschlagpunkte von 30 erfolgreichen Mondmissionen. Die ersten sollten nur auf dem Mond aufschlagen, um die Zielgenauigkeit der Rakete zu testen. Später entwarf man Raumschiffe (Sonden), die sicher landen konnten. Seit der Zeit der bemannten Raumfahrt 1969–1972 hat es nur drei weitere sichere Landungen gegeben: die sowjetischen Missionen Luna 21 (1973) und 24 (1976) und die chinesische Mission Chang'e (2013).

- **Absturzstelle einer Mondsonde**
- **Landungsstelle einer Mondsonde**
- **Mondsonde, die sicher auf dem Mond landete und Gesteinsproben zur Erde brachte**
- **Landungsstelle bemannter Landefähren**
- **Apollo-Mondrover**
- **Mondrover Lunochod**
- **Mondrover Yutu**

„Ein kleiner Schritt für den Menschen, **ein großer** für die **Menschheit.“**

Neil Armstrong, der während der Apollo-11-Mission als erster Mensch den Mond betrat, 1969

DIE CHANG'E-3-SONDE AUS CHINA BRACHTE 2013 EINEN ROVER AUF

Luna 2
Die sowjetische Raumsonde war 1959 die erste, die gezielt auf der Oberfläche des Mondes aufschlug.

Apollo 11
Apollo 11 war 1969 die erste bemannte Raummission zum Mond. Neil Armstrong und Edwin „Buzz" Aldrin verbrachten mehr als 21 Stunden auf dem Mond und sammelten 22 kg Gesteinsproben.

Apollo 17
Die letzte Apollo-Mission fand 1972 statt. Die Besatzung verbrachte drei ganze Tage auf der Mondoberfläche.

Luna 16
Die unbemannte sowjetische Sonde war 1970 die erste, die Gesteinsproben vom Mond zur Erde brachte.

Apollo 16
Apollo 16 war 1972 die fünfte bemannte Mondmission. Die Besatzung verbrachte 71 Stunden auf dem Mond und legte im Rover 27 km zurück.

Kaguya
Die japanische Raumsonde sollte die Oberfläche des Mondes kartieren und Ursprung und Entwicklung des Mondes untersuchen. Die Mission endete 2009 mit dem geplanten Aufschlag auf dem Mond.

Saturn-V-Rakete

Die Astronauten der Apollo-Mission wurden mit der größten Rakete ins All geschossen, die je gebaut wurde.

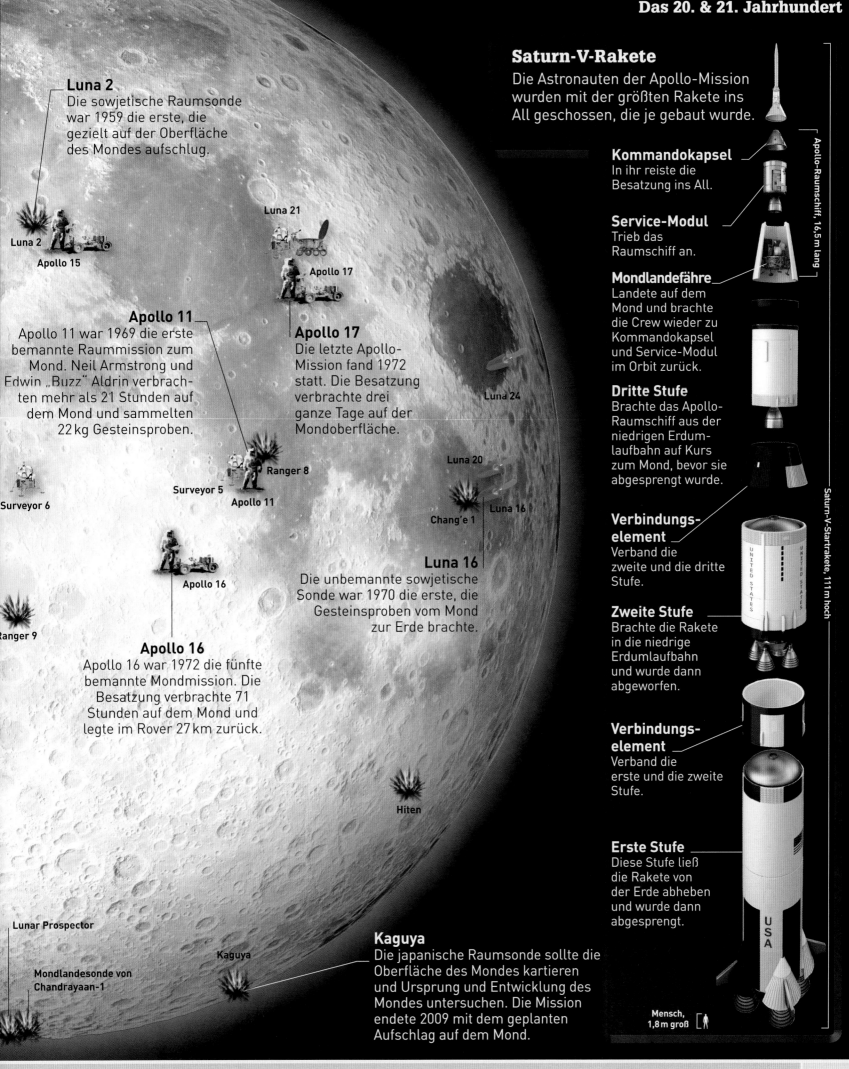

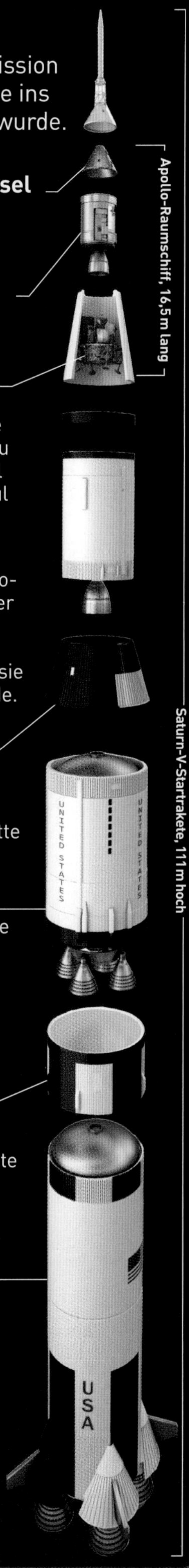

Kommandokapsel
In ihr reiste die Besatzung ins All.

Service-Modul
Trieb das Raumschiff an.

Mondlandefähre
Landete auf dem Mond und brachte die Crew wieder zu Kommandokapsel und Service-Modul im Orbit zurück.

Dritte Stufe
Brachte das Apollo-Raumschiff aus der niedrigen Erdumlaufbahn auf Kurs zum Mond, bevor sie abgesprengt wurde.

Verbindungselement
Verband die zweite und die dritte Stufe.

Zweite Stufe
Brachte die Rakete in die niedrige Erdumlaufbahn und wurde dann abgeworfen.

Verbindungselement
Verband die erste und die zweite Stufe.

Erste Stufe
Diese Stufe ließ die Rakete von der Erde abheben und wurde dann abgesprengt.

DEN MOND. ES WAR DIE ERSTE MONDLANDUNG NACH 37 JAHREN.

1969 – heute

Das Internet

Das Internet ist ein gigantisches Netzwerk, über das Computer (inklusive Telefone, Tablets und andere Mobilgeräte) Informationen austauschen. Die Idee kam erstmals 1962 mit dem Namen „Intergalactic Computer Network“ auf. Das erste tatsächliche Computernetzwerk namens ARPAnet entstand 1969. Es wurde 1983 Teil des Internets.

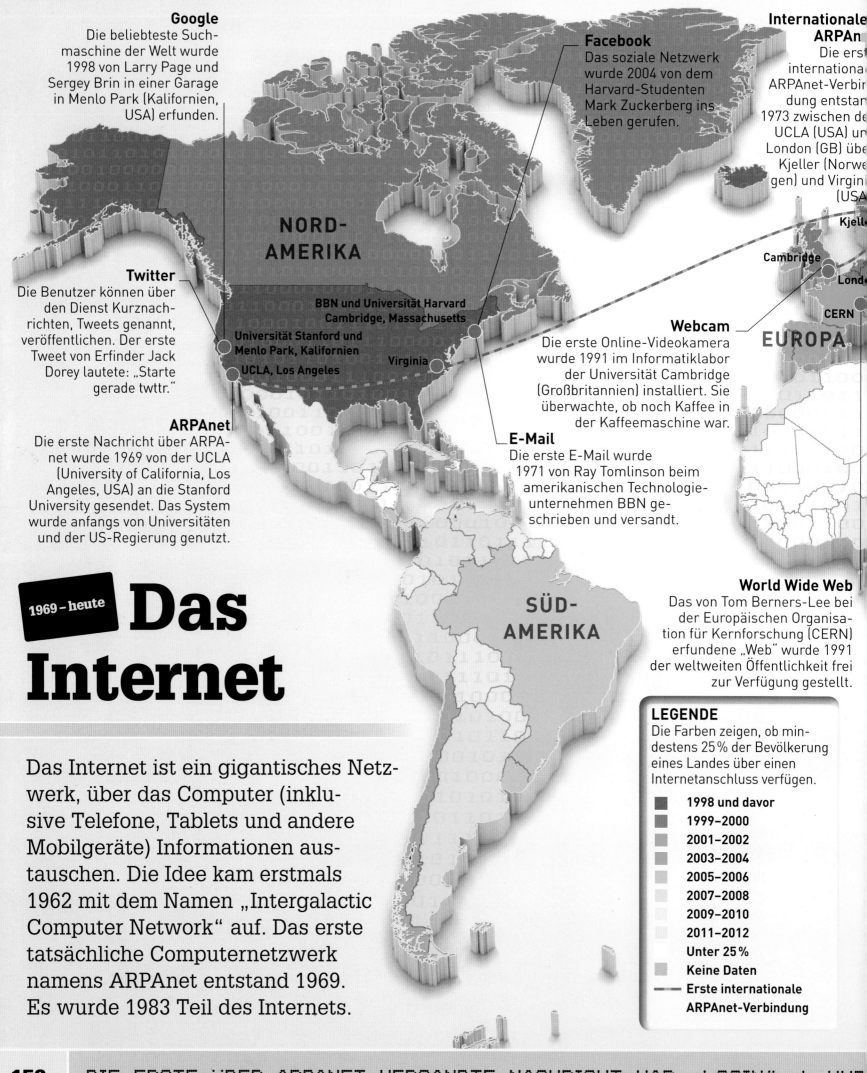

Google
Die beliebteste Suchmaschine der Welt wurde 1998 von Larry Page und Sergey Brin in einer Garage in Menlo Park (Kalifornien, USA) erfunden.

Facebook
Das soziale Netzwerk wurde 2004 von dem Harvard-Studenten Mark Zuckerberg ins Leben gerufen.

Internationale ARPAn
Die ers internationa ARPAnet-Verbir dung entstar 1973 zwischen de UCLA (USA) ur London (GB) übe Kjeller (Norwe gen) und Virgin (USA

Twitter
Die Benutzer können über den Dienst Kurznachrichten, Tweets genannt, veröffentlichen. Der erste Tweet von Erfinder Jack Dorey lautete: „Starte gerade twttr.“

ARPAnet
Die erste Nachricht über ARPAnet wurde 1969 von der UCLA (University of California, Los Angeles, USA) an die Stanford University gesendet. Das System wurde anfangs von Universitäten und der US-Regierung genutzt.

Webcam
Die erste Online-Videokamera wurde 1991 im Informatiklabor der Universität Cambridge (Großbritannien) installiert. Sie überwachte, ob noch Kaffee in der Kaffeemaschine war.

E-Mail
Die erste E-Mail wurde 1971 von Ray Tomlinson beim amerikanischen Technologieunternehmen BBN geschrieben und versandt.

World Wide Web
Das von Tom Berners-Lee bei der Europäischen Organisation für Kernforschung (CERN) erfundene „Web“ wurde 1991 der weltweiten Öffentlichkeit frei zur Verfügung gestellt.

LEGENDE
Die Farben zeigen, ob mindestens 25 % der Bevölkerung eines Landes über einen Internetanschluss verfügen.

- **1998 und davor**
- **1999–2000**
- **2001–2002**
- **2003–2004**
- **2005–2006**
- **2007–2008**
- **2009–2010**
- **2011–2012**
- **Unter 25 %**
- **Keine Daten**
- **Erste internationale ARPAnet-Verbindung**

DIE ERSTE ÜBER ARPANET VERSANDTE NACHRICHT WAR „LOGIN“. L UND

Skype
Mit diesem 2003 gestarteten „Video-über-Internet"-System kann man telefonieren und Bildtelefonate führen.
Yandex
Die größte Suchmaschine Russlands, 1997 in Moskau gestartet.
allinn
Moskau
Baidu
Chinas größte Suchmaschine wurde im Jahr 2000 von Robin Li und Eric Xu entwickelt.
ASIEN
Peking
Seoul
Breitband
2005 war Südkorea das erste Land, das vollständig auf Breitbandnetz umstellte. Damit konnten verschiedene Datentypen gleichzeitig und schnell übermittelt werden. Das Land bietet die schnellsten Verbindungsgeschwindigkeiten im Internet.
Shenzhen
Tencent
1999 gestartet, ist Tencent das beliebteste soziale Netzwerk Chinas.
AFRIKA
AUSTRALASIEN

„Wir stehen erst **ganz am Anfang** des Internets. Wir sollten es **klug** nutzen."

Jimmy Wales, Gründer der Wikipedia, 2009

Das World Wide Web

Das Internet bietet viele Anwendungsmöglichkeiten, wie E-Mail, Online-Spiele und Online-Chat, am meisten wird aber das World Wide Web (kurz Web) genutzt. Es verbindet Websites (Dokumente im Internet) über Hyperlinks (Verbindungen, die den Benutzer zu weiteren Inhalten im Internet führen). 2008 gab es bereits 1 Billion Websites. Suchmaschinen helfen dem Benutzer, indem sie das Web nach Worten oder Sätzen durchsuchen.

W3C
WWW@20
13 March 2009
WWW@20
3 March 2009

Erfinder Tim Berners-Lee beim 20. Geburtstag des World Wide Web mit dem ersten Web-Server

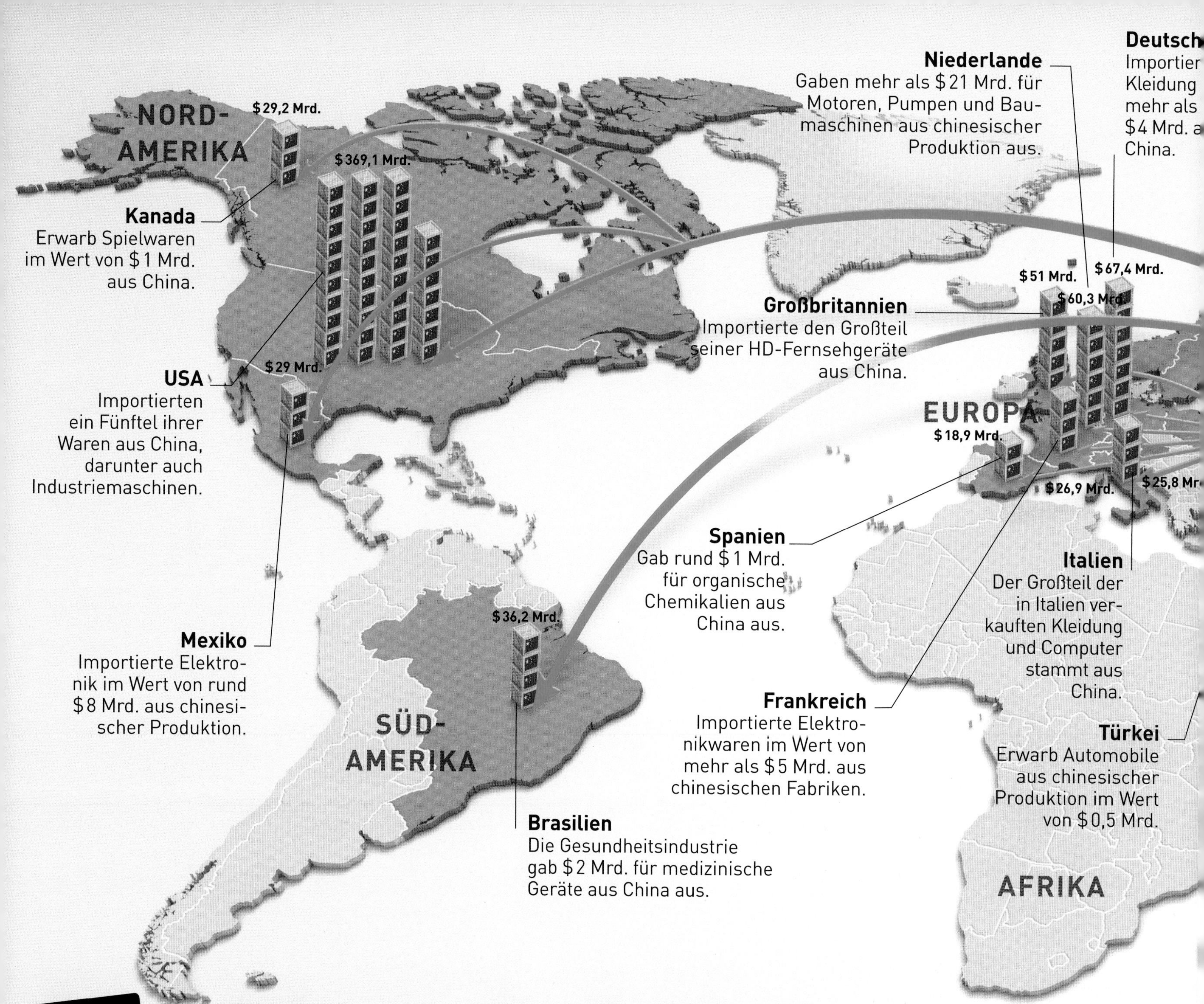
NORD-AMERIKA
$29,2 Mrd.
$369,1 Mrd.
Kanada
Erwarb Spielwaren im Wert von $1 Mrd. aus China.
USA
Importierten ein Fünftel ihrer Waren aus China, darunter auch Industriemaschinen.
$29 Mrd.
Mexiko
Importierte Elektronik im Wert von rund $8 Mrd. aus chinesischer Produktion.
SÜD-AMERIKA
$36,2 Mrd.
Brasilien
Die Gesundheitsindustrie gab $2 Mrd. für medizinische Geräte aus China aus.
Niederlande
Gaben mehr als $21 Mrd. für Motoren, Pumpen und Baumaschinen aus chinesischer Produktion aus.
Deutsch
Importier
Kleidung
mehr als
$4 Mrd. a
China.
$51 Mrd.
$67,4 Mrd.
$60,3 Mrd.
Großbritannien
Importierte den Großteil seiner HD-Fernsehgeräte aus China.
EUROPA
$18,9 Mrd.
$26,9 Mrd.
$25,8 Mr
Spanien
Gab rund $1 Mrd. für organische Chemikalien aus China aus.
Italien
Der Großteil der in Italien verkauften Kleidung und Computer stammt aus China.
Frankreich
Importierte Elektronikwaren im Wert von mehr als $5 Mrd. aus chinesischen Fabriken.
Türkei
Erwarb Automobile aus chinesischer Produktion im Wert von $0,5 Mrd.
AFRIKA

1978–heute

Chinas Aufstieg

Seit den 1970er-Jahren hat sich Chinas Wohlstand rasend schnell vergrößert. 2013 überholte es die USA und ist nun die größte Handelsnation der Welt. Einer der Hauptgründe dafür ist, dass China mehr Waren in alle Welt verkauft als jedes andere Land. 2013 verkaufte China an seine 20 größten Abnehmerländer Waren im Wert von 1,2 Billionen US-Dollar (das sind 1200 Milliarden Euro).

LEGENDE

- Länder der 20 größten Importnationen chinesischer Waren
- Pro 2013 im Wert von $10 Mrd. aus China importierte Waren
- Export chinesischer Waren

 CHINAS WIRTSCHAFT WUCHS 2000–2010 7-MAL SCHNELLER ALS DIE DER

Griff nach den Sternen

China wird nicht nur immer wohlhabender, auch seine Gebäude werden immer höher. Ingenieure bauen in China Wolkenkratzer, die zu den höchsten der Welt gehören – viele davon entstehen in Städten wie Hongkong, Shanghai (rechts) und Guangzhou.

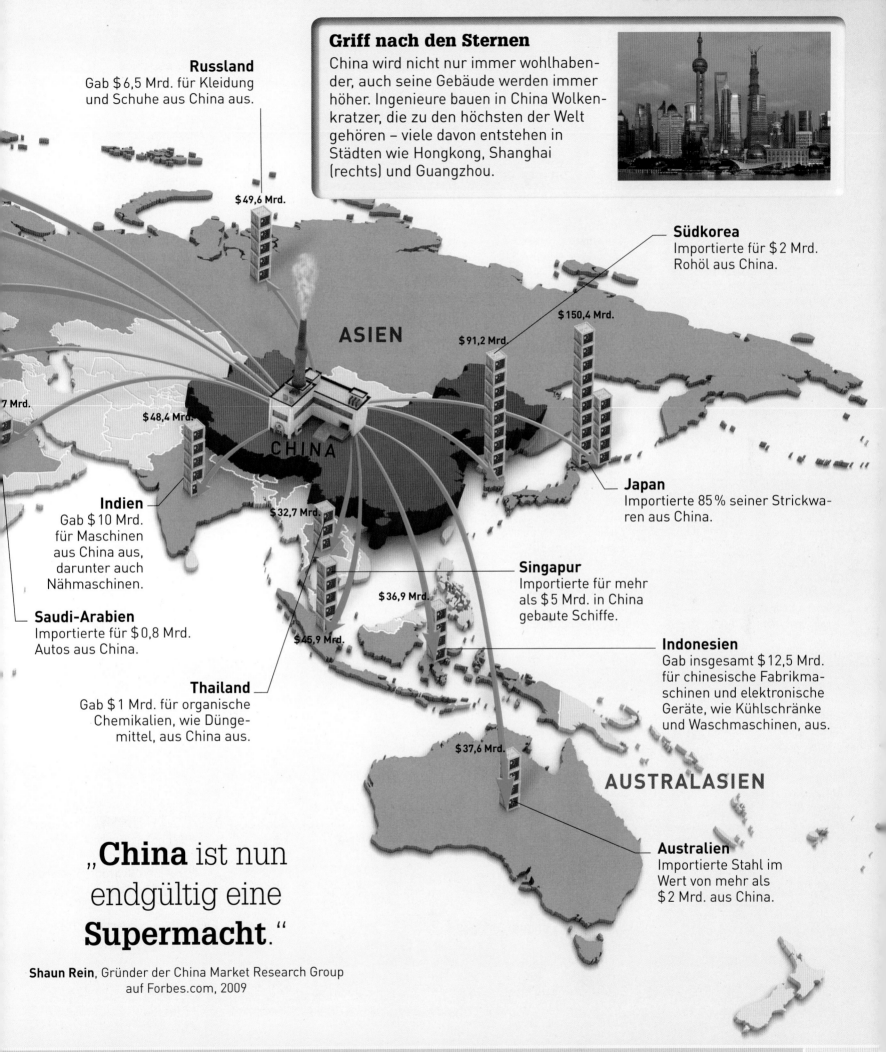

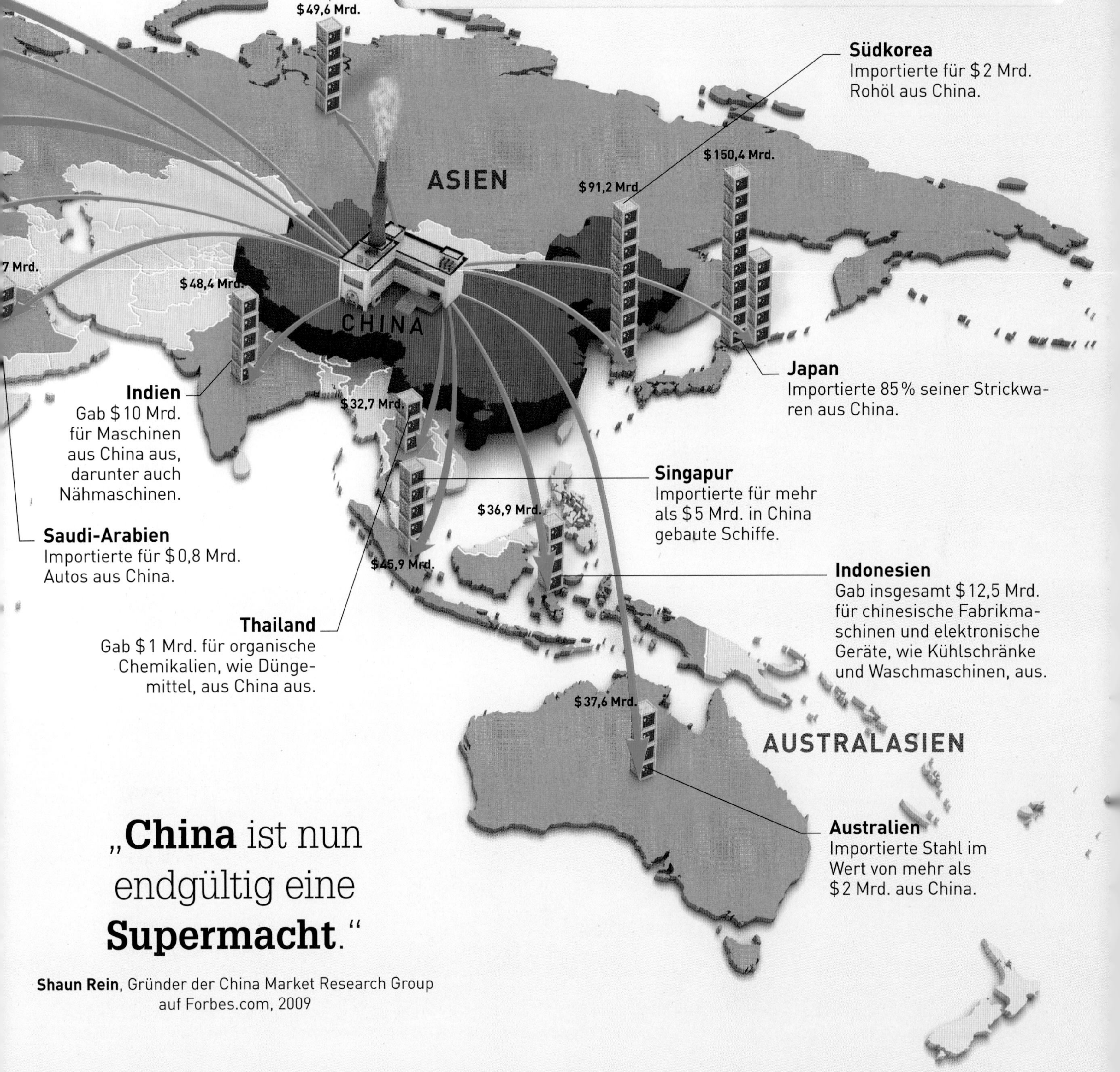
Russland
Gab $ 6,5 Mrd. für Kleidung und Schuhe aus China aus.
$ 49,6 Mrd.
Südkorea
Importierte für $ 2 Mrd. Rohöl aus China.
$ 150,4 Mrd.
ASIEN
$ 91,2 Mrd.
7 Mrd.
$ 48,4 Mrd.
CHINA
Japan
Importierte 85 % seiner Strickwaren aus China.
Indien
Gab $ 10 Mrd. für Maschinen aus China aus, darunter auch Nähmaschinen.
$ 32,7 Mrd.
Singapur
Importierte für mehr als $ 5 Mrd. in China gebaute Schiffe.
$ 36,9 Mrd.
Saudi-Arabien
Importierte für $ 0,8 Mrd. Autos aus China.
$ 45,9 Mrd.
Indonesien
Gab insgesamt $ 12,5 Mrd. für chinesische Fabrikmaschinen und elektronische Geräte, wie Kühlschränke und Waschmaschinen, aus.
Thailand
Gab $ 1 Mrd. für organische Chemikalien, wie Düngemittel, aus China aus.
$ 37,6 Mrd.
AUSTRALASIEN
Australien
Importierte Stahl im Wert von mehr als $ 2 Mrd. aus China.

„**China** ist nun endgültig eine **Supermacht**."

Shaun Rein, Gründer der China Market Research Group auf Forbes.com, 2009

USA. IM SCHNITT SIND DIE CHINESEN 2,5-MAL REICHER ALS VORHER.

Register

M

N

O

P

Q

R

Dank & Bildnachweis

Dorling Kindersley dankt Micah Walter-Range, Leiter Research and Analysis, für seinen Rat zum Thema Weltraumerforschung und Rhonda Black, Direktorin Aboriginal Studies Press (ASP) und dem Australischen Forschungsinstitut für Aborigines und Torres-Strait-Insulaner (AIATSIS) für ihre Hilfe zum Thema Australien.

Der Verlag dankt folgenden Personen und Institutionen für die freundliche Genehmigung zum Abdruck von Fotos: (Abkürzungen: o = oben, u = unten, M = Mitte, l = links, r = rechts, g = ganz, Hg = Hintergrund)

2 Dreamstime.com: Borna Mirahmadian (gor). **3 Alamy Images:** The Keasbury-Gordon Photograph Archive (goM). **Getty Images:** Don Bayley / E+ (gol). **NASA:** (gor). **4–5 Dreamstime.com:** Borna Mirahmadian. **6 Science Photo Library:** P.Plailly / E.Daynes (gol). **7 Getty Images:** MyLoupe / UIG (ur). **8 Alamy Images:** M&G Therin-Weise / age fotostock Spain, S.L. (Ml). **Dorling Kindersley:** Zygote Media Group (uM). **Getty Images:** Auscape / UIG (Mrb). **Science Photo Library:** John Reader (Mu). **9 Alamy Images:** Phil Degginger (Mo). **13 Getty Images:** Belinda Wright / National Geographic (ur). **15 Alamy Images:** Nico van Kappel / Buiten-Beeld (Mr). **17 Alamy Images:** Photography by Steve Allen (ul). **18 Dreamstime.com:** Edwardgerges (goM/Hg). **Getty Images:** De Agostini / S. Vannini (ur). **19 Corbis:** (ul). **Getty Images:** DEA / A. Dagli Orti (ur). **20 Getty Images:** DEA / G. Dagli Orti (goM). **21 123RF.com:** Javier Espuny (uM). **Dreamstime.com:** Edwardgerges (ur). **25 Dorling Kindersley:** University Museum of Archaeology and Anthropology, Cambridge (gol, goM). **26 Dorling Kindersley:** Tim Draper / Rough Guides (ur). **27 Corbis:** Richard A. Cooke (goM). **31 Corbis:** Bettmann (ur). **32 Corbis:** Araldo de Luca (Mlu). **33 Getty Images:** Greek School (gor). **34 Dorling Kindersley:** Tim Draper / Rough Guides (gol). **35 Dreamstime.com:** Dashark (u). **37 Corbis:** Bettmann (gor). **41 Corbis:** Araldo de Luca (ur). **46 Science Photo Library:** Christian Jegou Publiphoto Diffusion (uM). **48–49 Getty Images:** Don Bayley / E+. **50 Alamy Images:** World History Archive (ur). **51 Corbis:** Alessandro Della Bella / Keystone (ur). **52 123RF.com:** prashantzi (Mr); Anna Yakimova (Mogr). **Corbis:** Smithsonian Institution (Mo/Metallwaren). **Dorling Kindersley:** Ian Aitken / Rough Guides (goM/Wein). **Dreamstime.com:** Isatori (Mr/Gewürze); Николай Григорьев (goM); Viktorfischer (Mo); Ghassan Safi (Mro); Suronin (Mlu). **53 123RF.com:** serezniy (Mro). **Alamy Images:** FancyVeerSet18 (Mo). **Dorling Kindersley:** English Civil War Society (Mu); Natural History Museum, London (Mlo). **Dreamstime.com:** Rodigest (Mr). **Pearson Asset Library:** Cheuk-king Lo. (Ml). **56 Corbis:** Christie's Images (ul). **Getty Images:** Werner Forman / Universal Images Group (Mlu). **58 Corbis:** Richard du Toit (ur). **Dreamstime.com:** Alexandre Fagundes De Fagundes (Mlu). **Getty Images:** Spice (goM). **59 Corbis:** Liu Liqun (goM). **61 iStockphoto.com:** RFStock (gor). **62 Corbis:** Morandi Bruno / Hemis (uM). **68 Dreamstime.com:** Sergii Moskaliuk (gol, ur). **72 Alamy Images:** The Art Archive (gol). **74–75 The Bridgeman Art Library:** Howlett, Robert (1831-58) / Private Collection / The Stapleton Collection. **76 Dorling Kindersley:** National Maritime Museum, London (gol). **77 Dorling Kindersley:** Didcot Railway Centre (ur). **78 Corbis:** Leemage (ul). **80 Getty Images:** The British Library / Robana (Ml). **82 iStockphoto.com:** Wizarts (uM). **84 Alamy Images:** Archive Images (ul). **85 Getty Images:** Imagno (Mru). **86 Dreamstime.com:** Travis Manley (uM). **87 Corbis:** Baldwin H. Ward & Kathryn C. Ward (gor). **Dreamstime.com:** Travis Manley. **88 akg-images:** (goM). **91 Rex Features:** Mit freundlicher Genehmigung der Everett Collection (Mro). **94 Getty Images:** Gerard Sioen / Gamma-Rapho (ul). **99 Getty Images:** French School / The Bridgeman Art Library (Mru). **103 Dorling Kindersley:** Down House / Natural History Museum, London (Mro). **105 Alamy Images:** Nancy Carter / North Wind Picture Archives (ur). **Dreamstime.com:** Andreykuzmin (u, gor). **109 Corbis:** (gor). **111 Getty Images:** Pete Ryan / National Geographic (ul). **116 Dorling Kindersley:** B&O Railroad Museum, Baltimore, Maryland USA (Mlo). **SuperStock:** Science and Society (gor). **117 Alamy Images:** Geoff Marshall (go). **Dorling Kindersley:** Nati onal Railway Museum, New Dehli (Ml). **118 Mary Evans Picture Library:** (uM). **121 Alamy Images:** Prisma Archivo (Mr). **Dreamstime.com:** Andreykuzmin (gor, u). **122–123 NASA. 126 Corbis:** Hulton-Deutsch Collection (gor, ur). **126–127 Dreamstime.com:** Gibsonff; Ronfromyork (Union Jack). **128 Getty Images:** Hulton Archive (ul). **130 Corbis:** Bettmann (goM). **134 Corbis:** (ul). **137 Getty Images:** The Print Collector / Print Collector (ur). **139 Corbis:** Peter Langer / Design Pics (gor). **Getty Images:** AFP (uM/Hirohito); Express (Mu); Keystone (Mu/Joseph Stalin); George Skadding / The Life Picture Collection (Mru); Roger Viollet (uM ur). **140 Corbis:** Hulton-Deutsch Collection (gol). **143 Getty Images:** Cynthia Johnson / The Life Images Collection (ur). **147 Corbis:** Bettmann (ur). **149 ESA:** (uM). **150–151 NASA. 153 Getty Images:** Sebastian Derungs / AFP (uM). **155 Dreamstime.com:** Yinan Zhang (gor) **Cover: Rücken: Dreamstime.com:** Travis Manley.

NORDPOLARMEER
Königin-Elisabeth-Inseln
Ellesmere-Insel
Grönland
Grönland-see
Beaufort-see
Baffin-bai
Victoria-Insel
Baffin-Insel
Davisstraße
Tschuktschensee
Brookskette
Mackenzie
Großer Bärensee
Dänemarkstraße
Island
Beringstraße
Yukon
Mount McKinley 6194 m
Großer Sklavensee
Rocky Mountains
Kanadischer Schild
Hudson-bai
Ungava-Halbinsel
Labrador-see
Bering-meer
Coast Mountains
Aleuten-becken
Golf von Alaska
Winnipeg-see
Laurentinische Berge
Britische Inseln
Nord-see
Aleuten
Aleutengraben
NORDAMERIKA
Vancouver-Insel
Great Plains
Missouri
Große Seen
Neufundland-bank
Golf von Biskaya
Snake
Ohio
Appalachen
Iberische Halbinsel
Azoren
Mendocinostufe
Colorado
Mississippi
Nordamerikanisches Becken
Östliche Sierra Madre
Niederkalifornien
Westliche Sierra Madre
Mittelatlantischer Rücken
Madeira
Hoher Atlas
Murraystufe
Bermuda
Golf von Mexiko
Westindische Inseln
Große Antillen
Kanarische Inseln
Halbinsel Yucatán
Karibisches Meer
Kleine Antillen
Kapverdische Inseln
Mittelamerikanischer Rücken
PAZIFISCHER OZEAN
Orinoco
Bergland von Guayana
ATLANTISCHER OZEAN
Caquetá
Rio Negro
Amazonas
Golf von Guinea
Galapagos-inseln
Amazonasbecken
Anden
SÜD-AMERIKA
Ascension
Perugraben
Peru-becken
Mato Grosso
Brasilianisches Becken
St. Helena
Ostpazifischer Rücken
Nasca-Rücken
Gran Chaco
Paraná
Brasilianisches Bergland
Mittelatlantischer Rücken
Walfischrücken
Osterinsel
Uruguay
Rio-Grande-Schwelle
Aconcagua 6959 m
Juan-Fernandez-Inseln
Pampas
Tristan da Cunha
Chilenische Schwelle
Gough-Insel
Argentinisches Becken
Patagonien
Falklandinseln
Feuerland
Südgeorgien
Mornington-Tiefsee-Ebene
Kap Hoorn
Eltanin-Bruchzone
Südliche Sandwich-Inseln
Drakestraße
Südostpazifisches Becken
Antarktische Halbinsel
Weddell-Tiefsee-Ebene
SÜD
Höhe über dem Meeresspiegel
8000 m
7000 m
6000 m
5000 m
4000 m
3000 m
2000 m
1000 m
0
-1000 m
-2000 m
-3000 m
-4000 m
-5000 m
-6000 m
-7000 m
-8000 m
Berg
Fluss
Jahreszeitlich bedingter Flusslauf